O FUTURO DO CAPITALISMO

ENFRENTANDO AS NOVAS INQUIETAÇÕES

PAUL COLLIER

O FUTURO DO CAPITALISMO

ENFRENTANDO AS NOVAS INQUIETAÇÕES

Tradução de DENISE BOTTMANN

Texto de acordo com a nova ortografia.
Título original: *The Future of Capitalism: Facing the New Anxieties*

Tradução: Denise Bottmann
Capa: Ivan Pinheiro Machado
Preparação: Mariana Donner da Costa
Revisão: Jó Saldanha

CIP-Brasil. Catalogação na publicação
Sindicato Nacional dos Editores de Livros, RJ.

C672f

Collier, Paul, 1949-
 O futuro do capitalismo: enfrentando as novas inquietações / Paul Collier; tradução Denise Bottmann. – 1. ed. – Porto Alegre [RS]: L&PM, 2019.
 312 p. ; 21 cm.

 Tradução de: *The Future of Capitalism: Facing the New Anxieties*
 ISBN 978-85-254-3867-6

 1. Capitalismo. 2. Capitalismo - Previsão. 3. Capitalismo - Aspectos morais e éticos. 4. Política econômica. I. Bottmann, Denise. II. Título.

19-57190   CDD: 330.122
                            CDU: 330.142.23

Leandra Felix da Cruz - Bibliotecária - CRB-7/6135

Copyright © 2018, Paul Collier
All rights reserved

Todos os direitos desta edição reservados a L&PM Editores
Rua Comendador Coruja, 314, loja 9 – Floresta – 90.220-180
Porto Alegre – RS – Brasil / Fone: 51.3225.5777

Pedidos & Depto. Comercial: vendas@lpm.com.br
Fale conosco: info@lpm.com.br
www.lpm.com.br

Impresso no Brasil
Inverno de 2019

para Sue

vidas divergentes, inquietações convergentes

Sumário

PARTE UM
A crise

1. As novas inquietações 3

PARTE DOIS
A retomada da ética

2. As bases da moral: do gene egoísta ao grupo ético 29
3. O Estado ético 55
4. A empresa ética 81
5. A família ética 115
6. O mundo ético 133

PARTE TRÊS
Restaurando a sociedade inclusiva

7. O divisor geográfico: metrópoles prósperas, cidades falidas.... 149
8. O divisor de classes: conseguir tudo, desmoronar 184
9. O divisor global: os vencedores e os que ficaram para trás ... 230

PARTE QUATRO
Restaurando a política inclusiva

10. Rompendo os extremos 241

Notas 259
Bibliografia 267
Agradecimentos 275
Índice remissivo 279

PARTE UM

A crise

1
As novas inquietações

PAIXÃO E PRAGMATISMO

Fissuras profundas vêm esgarçando o tecido de nossas sociedades. Elas trazem novas inquietações e novos ódios ao nosso povo e novas paixões à nossa política. As bases sociais dessas inquietações são geográficas, educacionais e morais. As regiões periféricas se revoltam contra as metrópoles, o norte da Inglaterra contra Londres, o interior contra o litoral. Os menos instruídos se revoltam contra os mais instruídos. Os trabalhadores em dificuldade se revoltam contra os "parasitas" e os "caçadores de renda". A mão de obra interiorana e menos instruída substituiu o proletariado como força revolucionária da sociedade: os *sans culottes* foram substituídos pelos *sans cool*. Então, o que anda enraivecendo essas pessoas?

A localidade se tornou uma faceta das novas queixas; depois de passarem muito tempo encolhendo, as desigualdades econômicas geográficas agora vêm se ampliando rapidamente. Em toda a América do Norte, Europa e Japão, as áreas metropolitanas estão dando um enorme salto em comparação ao restante da nação. Além de enriquecerem muito mais do que o interior, estão se distanciando socialmente e não representam mais a nação que, muitas vezes, tem sua capital nessas mesmas metrópoles.

Mas, mesmo dentro das dinâmicas metrópoles, esses ganhos econômicos extraordinários se inclinam maciçamente para um lado só. Quem tem se saído bem não são capitalistas nem trabalhadores comuns: são os instruídos com novas qualificações. Fundiram-se numa nova classe, encontrando-se na universidade e desenvolvendo uma nova identidade em comum, na qual o apreço decorre do grau de qualificação. Chegaram até a criar uma moral específica, elevando características como a etnicidade e a orientação sexual minoritárias a identidades de grupo, como vítimas. Tomando como base seu interesse específico por grupos de vítimas, alegam ser moralmente superiores aos menos instruídos. Ao se fundirem numa nova classe dominante, os instruídos confiam mais do que nunca no governo e uns nos outros.

Enquanto as fortunas dos instruídos dispararam, elevando também as médias nacionais, os menos instruídos, tanto na metrópole quanto em nível nacional, agora estão em crise, estigmatizados como "classe trabalhadora branca". A síndrome do declínio começou com a perda de empregos dotados de sentido. A globalização transferiu para a Ásia muitos empregos semiqualificados, e a transformação tecnológica vem eliminando muitos outros. A falta de emprego atingiu dois grupos etários especialmente vulneráveis: os trabalhadores de mais idade e os que estão em busca do primeiro emprego.

Entre os trabalhadores de mais idade, a perda do emprego muitas vezes leva à dissolução da família, às drogas, ao alcoolismo e à violência. Nos Estados Unidos, o colapso da noção de vida dotada de propósito se manifesta na *queda* da expectativa de vida para os brancos sem curso universitário, e isso numa época em que a velocidade inédita dos avanços médicos vem trazendo um rápido aumento na expectativa de vida para os grupos mais favorecidos.[1] Na Europa, as redes de proteção social atenuam as consequências mais extremas, mas a síndrome é igualmente generalizada, e a expectativa de vida também vem caindo nas cidades mais falidas, como Blackpool. Os trabalhadores supérfluos, acima dos cinquenta anos, bebem a borra do desespero. Os jovens menos instruídos, porém, não têm se saído muito melhor. Em grande parte da Europa, os jovens enfrentam o desemprego em massa: atualmente, um terço dos jovens italianos estão desempregados, numa gravidade de falta de empregos que não se via desde a Depressão dos anos 1930. Existem levantamentos mostrando um nível de pessimismo sem precedentes entre a juventude: inúmeros jovens estimam que terão um padrão de vida inferior ao dos pais. E isso não é exagero; as últimas quatro décadas têm visto uma deterioração no desempenho econômico do capitalismo. A crise financeira mundial de 2008-2009 deixou isso muito claro, mas esse pessimismo vem crescendo aos poucos desde os anos 1980. A grande credencial do capitalismo de trazer uma melhora constante no padrão de vida geral deixou de ser impecável: continua a trazê-la para alguns, mas tem deixado outros de lado. Nos Estados Unidos, o centro emblemático do capitalismo, metade da geração dos anos 1980 está pior, em termos absolutos, do que a geração de seus pais quando tinham a mesma idade.[2] Para eles, o capitalismo não funciona. Em vista dos enormes avanços na tecnologia e nas políticas públicas que se verificam desde 1980, esse fracasso é desconcertante. Tais avanços, que dependem do próprio capitalismo, viabilizam plenamente que *todos* alcancem melhorias substanciais. No entanto, agora a maioria crê que a vida de seus filhos será pior do que a deles. Entre os trabalhadores brancos americanos, esse pessimismo atinge um patamar assombroso de 76%.[3] E os europeus são ainda mais pessimistas do que os americanos.

O ressentimento dos menos instruídos é permeado de medo. Reconhecem que os instruídos estão se distanciando, social e culturalmente. E concluem que tanto esse distanciamento quanto o surgimento de grupos mais favorecidos, que lhes parecem abocanhar os benefícios, enfraquecem suas legítimas pretensões de auxílio. A erosão da confiança no futuro de sua rede de proteção social se dá no exato momento em que mais precisam dela.

A inquietação, a raiva e o desespero destroçaram as lealdades políticas das pessoas, a confiança que tinham no governo e até mesmo a confiança entre elas. Os menos instruídos estiveram no centro das revoltas que viram a vitória de Donald Trump sobre Hillary Clinton nos Estados Unidos; a vitória do Brexit sobre a permanência no Reino Unido; os partidos insurgentes de Marine Le Pen e Jean-Luc Mélenchon obtendo mais de 40% dos votos na França (reduzindo os socialistas governistas a menos de 10%); um tal encolhimento da aliança entre a democracia cristã e a social-

-democracia na Alemanha a ponto de converter a AfD (Alternativa para a Alemanha), de extrema direita, na oposição oficial no Bundestag. Ao divisor educacional somou-se o divisor geográfico. Londres votou maciçamente pela permanência; Nova York votou maciçamente em Clinton; Paris evitou Le Pen e Mélenchon, e Frankfurt evitou a AfD. A oposição radical veio do interior. As revoltas estavam relacionadas com a idade, mas não se resumiam a um mero velhos versus jovens. Tanto os trabalhadores de mais idade, que foram marginalizados quando suas qualificações perderam valor, quanto os jovens, ingressando num mercado de trabalho desanimador, foram para os extremos do espectro político. Na França, a extrema direita de feições remodeladas teve uma votação desproporcional entre os jovens; na Grã-Bretanha e nos Estados Unidos, foi a extrema esquerda de feições remodeladas que teve votação desproporcional entre eles.

A natureza tem horror ao vácuo, e os eleitores também. A frustração decorrente desse abismo entre os fatos e o que é possível fazer impulsionou dois tipos de políticos que aguardavam nos bastidores: os populistas e os ideólogos. Na última vez em que o capitalismo desandou, nos anos 1930, aconteceu a mesma coisa. Os perigos nascentes foram cristalizados por Aldous Huxley em *Admirável mundo novo* (1932) e por George Orwell em *1984* (1949). O fim da Guerra Fria em 1989 parecia oferecer a perspectiva plausível de que todas essas catástrofes haviam ficado para trás: chegáramos ao "fim da história", a uma utopia permanente. Em vez disso, estamos diante da perspectiva plausível até demais de nossa própria distopia.

As novas inquietações receberam pronta resposta das velhas ideologias, devolvendo-nos à surrada e descabida oposição entre esquerda e direita. Uma ideologia oferece a sedutora combinação entre fáceis certezas morais e uma análise que se aplica a tudo, fornecendo uma resposta confiante a qualquer problema. As ideologias do marxismo oitocentista, do fascismo novecentista e do fundamentalismo religioso seiscentista, agora retomadas, já atraíram várias sociedades para a tragédia. Após o fracasso, essas ideologias perderam a maioria de seus adeptos e, assim, havia poucos políticos ideólogos disponíveis para liderar essa retomada. Os disponíveis pertenciam a minúsculas organizações residuais: gente com gosto pela psicologia paranoica do culto, ofuscada demais para enfrentar a realidade do fracasso que ocorrera. Na década que antecedeu a derrocada do comunismo em 1989, os marxistas restantes pensavam estar vivendo no "*capitalismo* tardio". A memória pública dessa derrocada agora está a uma distância suficiente para ser possível tentar uma retomada: há uma nova enxurrada de livros sobre o tema.[4]

Rivalizando em poder de sedução com os ideólogos, há a outra espécie de político, o populista carismático. Os populistas dispensam até a mais rudimentar análise de uma ideologia, saltando diretamente para soluções que soam verdadeiras durante meio minuto. Assim, a estratégia deles é desviar os eleitores de uma reflexão mais profunda usando um caleidoscópio de entretenimentos. Os líderes com essas habilidades vêm de outro grupo minúsculo: as celebridades da mídia.

Embora prosperem com as inquietações e raivas geradas pelas novas fissuras, tanto os ideólogos quanto os populistas são incapazes de saná-las. Essas fissuras não são repetições do passado; são fenômenos novos e complexos. Mas, no processo de implementar suas fervorosas "curas" mágicas, esses políticos são capazes de causar enormes danos. Na verdade, *existem* soluções viáveis para os processos prejudiciais em curso em nossas sociedades, mas não derivam da paixão moral de uma ideologia nem do salto gratuito do populismo. São construídas a partir de dados e análises e, assim, requerem a serenidade mental do pragmatismo. Todas as políticas apresentadas neste livro são pragmáticas.

Mas também há lugar para a paixão, e ela permeia o livro. Eu mesmo, durante minha vida, estive dividido entre as três graves fissuras que se abriram em nossas sociedades. Mantive a cabeça serena, mas meu coração ficou destroçado.

Vivi o novo divisor geográfico entre a metrópole próspera e as cidades falidas do interior. Sheffield, onde nasci, tornou-se o próprio símbolo da cidade falida, com a ruína do setor siderúrgico que foi imortalizada no filme *Ou tudo ou nada*. Vivi essa tragédia:

nosso vizinho ficou desempregado; um parente só encontrou serviço limpando banheiros. Nesse meio-tempo, eu me mudara para Oxford, que se tornou o principal centro do sucesso metropolitano: na área onde moro, a proporção entre o preço do imóvel e o rendimento é agora a mais alta de toda a Inglaterra.

Vivi o divisor da qualificação e da disposição de espírito entre famílias de imenso sucesso e famílias se desintegrando na pobreza. Aos catorze anos, minha prima e eu formávamos uma dupla: nascidos no mesmo dia, filhos de pais sem instrução que haviam conseguido vaga na escola. A vida dela desandou com a morte prematura do pai; destituída daquela figura de autoridade, tornou-se mãe adolescente, com os problemas e as humilhações que acompanham tal situação. Enquanto isso, minha vida avançava pelos vários degraus de transformação, saindo da escola com uma bolsa para Oxford.* A partir daí, novos degraus me levaram a cátedras em Oxford, Harvard e Paris; como se isso não bastasse para meu amor-próprio, um governo trabalhista me agraciou com a Comenda do Império Britânico, um governo conservador me agraciou com o título de cavaleiro e meus colegas na Academia Britânica me agraciaram com a Medalha Presidencial. Depois que se inicia, o distanciamento tem sua dinâmica própria. Aos dezessete anos, as filhas de minha prima já eram também mães adolescentes. Minha filha de dezessete anos tem uma bolsa de estudos numa das melhores escolas do país.

Por fim, vivi o divisor global entre a exuberante prosperidade dos Estados Unidos, da Grã-Bretanha e da França, países onde vivi no conforto, e a pobreza desesperadora da África, onde trabalho.

---

* Tal como eu, o famoso dramaturgo britânico Alan Bennett era filho de pais pouco instruídos do condado de Yorkshire. A peça *The History Boys* [Os meninos da história, adaptada para o cinema em *Fazendo história*] conta a história dele, muito parecida com a minha, da ascensão social a partir de origens humildes até Oxford. Mas ele crescera em Leeds, mais moderna. Para frisar o abismo social que conseguira transpor, ele ambientou a peça não na *sua* cidade natal, e sim na *minha*. O primeiro ato se encerra com o protagonista listando suas desvantagens num crescendo: "Sou baixo, sou gay e sou de Sheffield!". Ele não é, mas eu sou. Na verdade, Bennett situou a peça na minha escola: sou um "History Boy" mais autêntico do que o próprio Bennett.

Meus alunos, na maioria africanos, enfrentam esse vívido contraste ao fazerem suas escolhas de vida depois da graduação. Atualmente, um estudante sudanês, médico que trabalha na Grã-Bretanha, está diante da escolha de ficar no país ou voltar ao Sudão para trabalhar no gabinete do primeiro-ministro. Sua decisão é voltar: é um caso excepcional; há mais médicos sudaneses em Londres do que no Sudão.

Essas três terríveis clivagens não são apenas problemas que estudo; são as tragédias que vieram a definir meu senso de propósito na vida. Foi por isso que escrevi este livro: quero mudar essa situação.

O TRIUNFO E A EROSÃO DA SOCIAL-DEMOCRACIA

Sheffield é uma cidade antiquada, mas isso fortalece os laços entre as pessoas, e esses laços já foram no passado uma importante força política. As cidades do norte da Inglaterra foram as pioneiras da Revolução Industrial, e suas populações foram as primeiras a enfrentar as novas inquietações trazidas por ela. Ao reconhecer que tinham uma ligação em comum com o lugar onde cresceram, várias comunidades como a de Sheffield criaram cooperativas que respondiam a essas inquietações. Lançando mão da afinidade, criaram organizações que colhiam os frutos da reciprocidade. Cooperativas de construção barateavam os custos para construir casas; outra cidade de Yorkshire, Halifax, deu origem àquele que se tornou o maior banco britânico. Cooperativas de seguro permitiam às pessoas a redução de riscos. Cooperativas agrícolas e varejistas davam poder de negociação aos agricultores e aos consumidores diante dos grandes empresários. A partir das experiências no norte da Inglaterra, o movimento cooperativo rapidamente se expandiu por grande parte da Europa.

Ao se unirem, essas cooperativas serviram de base para os partidos políticos de centro-esquerda: os partidos da social-democracia. Os benefícios da reciprocidade dentro de uma comunidade se ampliaram quando a comunidade passou a ser uma nação. Como nas cooperativas, a nova pauta política era prática, fundamentada nas preocupações que cercam a vida das famílias comuns. Na era do pós-guerra, muitos desses partidos social-democratas chegaram ao poder na Europa e o usaram para implantar um amplo leque de políticas pragmáticas que atendiam com eficiência a essas preocupações. Assistência médica, aposentadoria, acesso ao ensino, seguro-desemprego: a legislação lançou essas medidas em cascata, mudando a vida das pessoas. Mostraram-se tão valiosas que passaram a ser aceitas em todo o leque central do espectro político. Partidos de centro-esquerda e centro-direita se alternavam no poder, mas as políticas sociais permaneciam.

Todavia, a social-democracia como força política agora se encontra numa crise existencial. A última década foi uma sucessão de desastres. Na centro-esquerda, sob as críticas de Bernie Sanders, Hillary Clinton perdeu para Donald Trump; o Partido Trabalhista britânico de Blair e Brown foi tomado pelos marxistas. Na França, o presidente Hollande decidiu nem sequer tentar um segundo mandato, e seu substituto como candidato do Partido Socialista, Benoît Hamon, teve apenas 8% dos votos. Os partidos social-democratas da Alemanha, Itália, Holanda, Noruega e Espanha despencaram nas votações. Normalmente, isso seria uma boa notícia para os políticos de centro-direita, mas na Grã-Bretanha e nos Estados Unidos eles também perderam o controle de seus partidos, enquanto na Alemanha e na França o apoio eleitoral a eles desmoronou. Por que aconteceram tais coisas?

A razão é que os social-democratas de direita e de esquerda se afastaram de suas origens fundadas na reciprocidade prática das comunidades e foram capturados por um grupo de pessoas totalmente diferentes, que ganharam uma influência desproporcional: os intelectuais de classe média.

Os intelectuais de esquerda eram atraídos pelas ideias de um filósofo oitocentista, Jeremy Bentham. Sua filosofia, o utilitarismo, dissociava a moral de nossos valores instintivos, deduzindo-a de um único princípio da razão: julgar-se-ia moral a ação que promovesse "a maior felicidade do maior número". Como os valores instintivos das pessoas ficavam aquém desse critério sacrossanto, a sociedade precisava de uma vanguarda de tecnocratas de moral sólida para comandar o Estado. Essa vanguarda, guardiã paternalista da sociedade, era uma versão atualizada dos guardiães de *A república* de Platão. John Stuart Mill, criado como discípulo de Bentham – e que foi o outro intelectual a construir o utilitarismo –, aos oito anos de idade estava lendo *A república* no original grego.

Infelizmente, Bentham e Mill não eram gigantes morais modernos, equivalentes a Moisés, Jesus e Maomé; eram indivíduos estranhamente associais. Bentham era tão esquisito que, hoje em dia, pensa-se que era autista e incapaz de ter qualquer noção de comunidade. Mill teve poucas chances de normalidade: mantido propositalmente afastado de outras crianças, é provável que fosse mais familiarizado com a Grécia Antiga do que com sua própria sociedade. Em vista de tais origens, não admira que a ética de seus seguidores seja tão diferente da ética do resto de nós.[5]

Os estranhos valores de Bentham não teriam exercido qualquer influência se não tivessem sido incorporados à economia. Como veremos, a economia desenvolveu uma explicação do comportamento humano a mais distante possível da moral utilitarista. O *homem econômico* é absolutamente egoísta, infinitamente ganancioso e importa-se apenas consigo mesmo. Tornou-se o fundamento da teoria econômica do comportamento humano. Mas, para fins de avaliar as políticas públicas, a economia precisava de uma medida que agregasse o bem-estar ou a "utilidade" de cada um desses indivíduos psicopatas. O utilitarismo se tornou a base intelectual dessa aritmética: "a maior felicidade do maior número", por coincidência, prestava-se às técnicas matemáticas usuais de maximização. Tomou-se a "utilidade" como resultante do consumo, com o consumo excedente gerando incrementos sempre menores em termos de utilidade. Se a quantidade total de consumo na sociedade fosse fixa, a maximização da utilidade seria uma mera questão de redistribuir a renda para se chegar a um consumo totalmente igual. Os economistas social-democratas reconheciam que a "fatia" do consumo não era de tamanho fixo e, como a tributação desestimularia o trabalho, a fatia diminuiria. Então se desenvolveram teorias avançadas sobre a "tributação ótima" e o "problema do principal-agente" para corrigir o problema do incentivo. Em essência, as políticas públicas social-democratas estavam se tornando formas cada vez mais sofisticadas de utilizar a tributação para redistribuir o consumo, ao mesmo tempo minimizando os desincentivos ao trabalho.

Logo ficou provado que não havia nenhuma forma automática de passar das "utilidades" individuais para postulações sobre o bem-estar da sociedade que atendesse sequer a regras básicas de coerência intelectual. A profissão concordou, mas continuou fazendo a mesma coisa. Os filósofos acadêmicos, em sua maioria, abandonaram o utilitarismo por estar cheio de inadequações; os economistas fizeram vista grossa. O utilitarismo estava se demonstrando admiravelmente conveniente. A bem da verdade, de fato o utilitarismo é bastante bom no que diz respeito a várias questões de política pública; se suas falhas são devastadoras ou não, depende da política. Em questões modestas como "deve-se construir uma estrada aqui?", às vezes o utilitarismo é a melhor técnica disponível. Mas, para questões mais amplas, é irremediavelmente inadequado.

Armada com seus cálculos utilitaristas, a economia logo se infiltrou na política pública. Platão concebera seus guardiães como filósofos, mas, na prática, geralmente eram economistas. Com o pressuposto de que as pessoas eram psicopatas, eles se viam justificados em se apresentar como uma vanguarda moralmente superior; e o pressuposto de que o objetivo do Estado era maximizar a utilidade justificava a redistribuição do consumo a todos os que tivessem as maiores "necessidades". Inadvertidamente e, em geral, imperceptivelmente, as políticas social-democratas deixaram de se ocupar da construção dos deveres mútuos de todos os cidadãos.

Somados esses fatores, o resultado foi danoso. Todos os deveres morais passaram para o Estado, e a responsabilidade era exercida pela vanguarda moralmente confiável. Os cidadãos deixaram de ser atores morais responsáveis e ficaram reduzidos ao papel de consumidores. O planejador social e sua angelical vanguarda utilitarista sabiam o que estavam fazendo: o comunitarismo foi substituído pelo paternalismo social.

A ilustração emblemática desse confiante paternalismo foi a política urbana do pós-guerra. O aumento no número de carros demandava viadutos e o aumento no número de pessoas demandava moradias. Em resposta a isso, destruíram-se ruas e bairros inteiros, que foram terraplanados e substituídos por viadutos e arranha-céus modernistas. Mas, para o espanto da vanguarda utilitarista, o que se seguiu foi uma reação contrária. A terraplanagem das comunidades fazia sentido se o importante fosse apenas elevar o padrão material de moradia dos indivíduos pobres. Mas ela punha em risco as comunidades que realmente conferiam sentido à vida das pessoas.

Pesquisas recentes de psicologia social nos permitiram entender melhor esse efeito adverso. Num excelente livro, Jonathan Haidt mediu valores fundamentais em todo o mundo. Ele descobriu que quase todos nós adotamos seis deles: a lealdade, a equidade, a liberdade, a hierarquia, o cuidado e a inviolabilidade.[6] Os deveres mútuos construídos pelo movimento cooperativo haviam se baseado nos valores da lealdade e da equidade. O paternalismo da vanguarda utilitarista, exemplificado pelo aterro das comunidades, violava esses dois valores e também a liberdade – enquanto pesquisas recentes em psicologia social amparada na neurociência descobriram que os projetos modernistas tão amados pelos planejadores diminuíam o bem-estar ao violarem os valores estéticos comuns. Por que a vanguarda não conseguiu reconhecer essas fraquezas morais no que estavam fazendo? Mais uma vez, Haidt tem a resposta: os valores dela eram atípicos. Em vez dos seis valores abraçados pela maioria das pessoas, a vanguarda reduzira seus valores a apenas dois: o cuidado e a igualdade. Não só seus valores eram atípicos, mas suas características também: Ocidentais [*Western*], Educados, Industriais, Ricos e Desenvolvidos – WEIRDs, estranhos, esquisitos, em suma. O cuidado e a igualdade são os valores utilitaristas: os seguidores WEIRDs do *weird* [excêntrico, bizarro]. Quando é boa, a instrução aumenta nossa empatia, permitindo que nos coloquemos no lugar dos outros.* Mas, na prática, muitas vezes ela faz o contrário, criando um distanciamento entre os bem-sucedidos e as inquietações existentes nas comunidades usuais. Armada com a confiança da superioridade meritocrática, a vanguarda logo se viu como a nova legião de guardiães platônicos, com direito a passar por cima dos valores dos outros. Desconfio que, se Haidt tivesse sondado mais, descobriria que os WEIRDs, embora na aparência desdenhassem a hierarquia, na verdade entendiam por hierarquia aquelas que eram herdadas do passado. Tomavam por líquida e certa uma nova hierarquia: formavam a nova meritocracia.

A reação contra o paternalismo aumentou durante a década de 1970. Potencialmente, ele poderia ter combatido o desdém pela lealdade e pela justiça e restaurado o comunitarismo; mas, em vez disso, a vanguarda investiu contra o desdém pela liberdade e exigiu que os indivíduos fossem protegidos contra as infrações do Estado, invocando seus *direitos naturais*. Bentham descartara a noção de direitos naturais como "bobagem pomposa", e nisso creio que ele tinha razão. Mas os políticos com dificuldades de vencer as eleições começaram a achar conveniente a proclamação de novos direitos. Os direitos pareciam mais dotados de princípios do que as meras promessas de aumentar os gastos públicos; além disso, as promessas específicas podiam ser questionadas com base nos custos e nos impostos, ao passo que os direitos mantinham discretamente fora das vistas os respectivos deveres necessários. O movimento cooperativo estabelecera um firme vínculo entre direitos e deveres; os utilitaristas haviam dissociado ambos dos indivíduos, transferindo-os para o Estado. Agora, os libertários devolviam os direitos aos indivíduos, mas não os deveres.

Esse ímpeto na defesa dos direitos dos indivíduos se aliou a um novo movimento político que também reivindicava direitos:

---

* Pinker (2011) tem uma excelente explicação sobre como a difusão do ensino de massa em meados do século XIX criou um mercado de massa para os romances. Lendo romances, as pessoas aprendiam a ver uma situação pelo ponto de vista de outrem – um exercício de empatia, e Pinker explica o fim do espetáculo, antes muito concorrido, dos enforcamentos públicos como consequência disso.

os direitos dos *grupos* desfavorecidos. Os pioneiros foram os afro-americanos, imitados pelas feministas. Também encontraram seu filósofo – John Rawls –, que contrapunha à crítica dos direitos naturais de Bentham um outro princípio geral da razão: julgar-se-ia moral a sociedade cujas leis beneficiassem os grupos mais desfavorecidos. O objetivo principal desses movimentos era a inclusão social numa base de igualdade com os demais, e tanto os afro-americanos quanto as mulheres tinham argumentos irresistíveis em favor de uma profunda mudança social. Como veremos, os padrões sociais podem apresentar uma obstinada persistência; assim, a inclusão igualitária exigiria inevitavelmente uma fase de transição de luta contra a discriminação. Meio século depois, ainda estamos nessa transição, mas, nesse meio-tempo, aquilo que começara como uma série de movimentos pela inclusão se enrijeceu, talvez inadvertidamente, em identidades de grupo que se tornaram oposicionistas: a luta se revigora ao pressentir um grupo inimigo.* A linguagem dos direitos proliferou, abrangendo os direitos do indivíduo contra o Estado paternalista, os dos eleitores periodicamente afagados por políticos prometendo novos direitos, os dos novos grupos de vítimas buscando tratamento privilegiado. Esses três conjuntos de direitos pouco tinham em comum, mas todos eram avessos à vinculação inclusiva de direitos e deveres, alcançada pela social-democracia enquanto se mantivera ligada a suas raízes comunitaristas.

A causa utilitarista foi promovida por economistas; a causa dos direitos foi promovida por advogados. Em algumas questões, as duas vanguardas concordavam, tornando-se grupos de pressão extremamente poderosos. Em outras questões, discordavam: Rawls e seus seguidores reconheciam que alguns dos direitos que fortaleceriam grupos pequenos, mas desfavorecidos, piorariam a situação de todos os demais e assim falhariam pelos critérios utilitaristas. Na disputa entre tecnocratas econômicos e advogados, a balança do poder inicialmente pendia para o lado dos economistas: a promessa de assegurar "a maior felicidade do maior número" se mostrava

---

* Esta é a estratégia política comum do fascismo e do marxismo.

conveniente para os políticos à caça de votos. Mas, aos poucos, a balança do poder passou a pender para o lado dos advogados, brandindo a arma nuclear dos tribunais.

À medida que as duas ideologias se tornavam cada vez mais divergentes, nenhuma delas tinha muito espaço para as ideias que haviam guiado o movimento cooperativo. Utilitaristas, rawlsianos e libertários enfatizavam o indivíduo, não o coletivo, e os economistas utilitaristas e os advogados rawlsianos ressaltavam as diferenças entre os grupos, os primeiros com base na renda, os últimos com base no desfavorecimento. Ambos influenciaram as políticas social-democratas. Os economistas utilitaristas exigiam a redistribuição guiada pela necessidade; aos poucos, os benefícios da assistência pública foram reformulados de modo que o direito a eles se desvinculou das contribuições, deixando de lado o valor humano normal da equidade. Os que não haviam contribuído estavam sendo privilegiados em comparação aos que haviam contribuído. Os advogados rawlsianos exigiam compensação com base no desfavorecimento. Por exemplo, os direitos dos refugiados se tornaram a prioridade número um para os social-democratas da Alemanha nas negociações da aliança de 2018. Martin Schultz, líder do partido, insistiu que "a Alemanha deve seguir o direito internacional, independentemente do estado de espírito no país".[7] Esse "independentemente do estado de espírito no país" era uma expressão clássica da vanguarda moral; tanto Bentham quanto Rawls aplaudiriam Schultz, mas dali a um mês ele foi derrubado por uma rebelião popular. As duas ideologias descartam os instintos morais normais de reciprocidade e merecimento, elevando um único princípio da razão (embora esse princípio varie) a ser imposto pela vanguarda dos conhecedores. Em contraste, o movimento cooperativo se fundava naqueles instintos morais normais: uma tradição filosófica que remontava a David Hume e Adam Smith. Com efeito, Jonathan Haidt é explícito quanto a essa dívida, ao ver seu trabalho como "um primeiro passo para retomar o projeto de Hume".

Enquanto os intelectuais de esquerda abandonavam a social-democracia comunitarista e prática em favor da ideologia utilitarista e da ideologia rawlsiana, os partidos de centro-direita ou se imobilizavam numa zona de nostalgia e poucas ideias, ou eram cooptados por um grupo de intelectuais igualmente equivocados. Os democratas cristãos da Europa continental, exemplificados por Silvio Berlusconi, Jacques Chirac e Angela Merkel, tomaram basicamente o caminho da nostalgia; os partidos conservadores e republicanos do mundo anglófono escolheram a ideologia. À filosofia de Rawls contrapôs-se a de Robert Nozick: os indivíduos tinham direitos à liberdade, que prevalecia sobre os interesses da coletividade. Essa ideia se aliou naturalmente à nova análise econômica conduzida pelo Prêmio Nobel Milton Friedman – segundo a qual a liberdade de buscar o interesse próprio, limitada somente pela concorrência, produzia resultados superiores aos que poderiam ser alcançados pelo planejamento e pela regulação pública – e formou as bases intelectuais das revoluções de Ronald Reagan e Margaret Thatcher nas políticas públicas. Embora as novas ideologias de esquerda e de direita se apresentassem como diametralmente opostas, tinham em comum a ênfase sobre o indivíduo e o gosto pela meritocracia; a elite moralmente meritocrática da esquerda rivalizava com a elite produtivamente meritocrática da direita. Os grandes astros da esquerda eram os muito bons; os grandes astros da direita eram os muito ricos.*

    Então, o que havia de tão errado com a social-democracia, a ponto de ser abandonada tanto pela esquerda quanto pela direita? Em seu auge, nos anos 1950 e 1960, não havia muito de errado com ela. Mas, ainda que fosse a força intelectual dominante na política pública, a social-democracia era filha de sua época. Longe de conter verdades universais – alegação típica de todas as ideologias –, formara-se em circunstâncias específicas e era válida apenas nessas circunstâncias. Mudando as circunstâncias, suas pretensões ao universalismo se pulverizaram. No final dos anos 1970, quando os Estados Unidos e a Grã-Bretanha estavam em pé de igualdade

---

* Analogamente, os indivíduos anômalos que eram ao mesmo tempo muito bons e muito ricos, como meu velho amigo George Soros, se tornaram supervilões, sob a desconfiança de ambos os lados.

como nunca antes, as condições para a social-democracia já estavam desmoronando; a revolta de massa que levou Reagan e Thatcher ao poder já estava a caminho, e bem adiantada. A social-democracia funcionou de 1945 até os anos 1970 porque se alimentou de um enorme ativo invisível e inquantificável que se acumulara durante a Segunda Guerra Mundial: uma identidade comum forjada por um supremo esforço nacional que dera certo. Com a erosão desse ativo, surgiu um ressentimento crescente diante do poder nas mãos de um Estado paternalista.

Assim como sua sustentação social, a sustentação intelectual da social-democracia se desgastou. O planejador social onisciente e guardião platônico virou objeto de escárnio e esquecimento com o surgimento do novo campo da Teoria da Escolha Pública. Essa teoria reconhecia que as decisões de política pública não costumam ser tomadas por santos distantes, e sim por um jogo de pressões de diversos grupos de interesse, inclusive os próprios burocratas. Só se poderia confiar no altruísmo do planejador enquanto as pessoas envolvidas na decisão estivessem imbuídas de paixão pelo interesse nacional, tal como fora instilada na geração da época da guerra. Dentro da filosofia, o utilitarismo ainda tem alguns bolsões de adeptos, mas vêm-se acumulando críticas demolidoras.[8] Elas têm sido reforçadas pelas críticas de psicólogos sociais como Haidt, revelando que os valores do utilitarismo estão longe de ser verdades universais. A imensa maioria da humanidade não é formada pelos parvos egoístas pintados pela economia utilitarista, e sim por pessoas que valorizam não só o cuidado, mas também a justiça, a lealdade, a liberdade, a inviolabilidade e a hierarquia. Não são mais *egoístas* do que a vanguarda social-democrata; são mais *completas.*

Quando o novo libertarismo de direita mostrou ser mais destrutivo e menos eficiente do que se esperava, a esquerda voltou ao poder, mas não ao comunitarismo. Pelo contrário, agora ela é controlada pelos novos ideólogos. A nova vanguarda provavelmente suplantara os comunitaristas sem nem perceber. Mas as famílias comuns o perceberam, quando menos porque, divorciadas das comunidades, algumas políticas defendidas pela vanguarda eram danosas e impopulares. A vanguarda comandava o Estado a partir da metrópole, que estava prosperando, e direcionava a assistência para aqueles grupos tidos como os mais necessitados: as "vítimas". As novas inquietações atingiam pessoas que muitas vezes não preenchiam todos esses requisitos, embora suas condições estivessem deteriorando tanto em termos absolutos quanto em comparação com os grupos de "vítimas" mais em voga. Um corolário da condição de "vítima" era que os incluídos nela não podiam ser de forma alguma responsabilizados por suas condições. Mesmo quando a classe trabalhadora tinha algumas características de vítima, isso lhe dava direito apenas a um consumo adicional: era este o foco da redistribuição utilitarista. Conceitos como pertencimento, merecimento, dignidade, o respeito que decorre de cumprir as obrigações são tão estranhos que têm ficado totalmente ausentes do discurso da profissão. Mas, geralmente, não se reconhecia a condição de vítima à classe trabalhadora branca; eis a *National Review*, impecavelmente WEIRD, comentando a queda em suas expectativas de vida: "Eles *merecem* morrer".[9] Evidentemente, embora todas as vítimas sejam iguais, algumas são mais iguais do que outras.

Estamos vivendo uma tragédia. Minha geração conheceu as grandes realizações do capitalismo sob a social-democracia comunitarista. A nova vanguarda usurpou a social-democracia, trazendo uma ética e prioridades próprias. Quando os efeitos colaterais destrutivos das novas forças econômicas atingiram nossas sociedades, as inadequações dessas novas éticas se patentearam brutalmente. Os atuais fracassos do capitalismo, tal como vêm sendo tratados pelas novas ideologias, são tão flagrantes quanto os êxitos daquilo que vieram substituir. É hora de nos afastarmos do que deu errado e passarmos para o que pode ser corrigido.

CORRIGINDO

Nossos políticos, jornais, revistas e livrarias trazem inúmeras propostas que parecem muito inteligentes: promover cursos de reciclagem para os trabalhadores; ajudar as famílias em dificuldades; aumentar os impostos sobre os ricos. Muitas são corretas na intenção, mas tratam de apenas um aspecto das novas inquietações; não dão uma resposta coesa e geral ao que atingiu nossas sociedades. Raramente se convertem em estratégias viáveis, com base numa eficiência comprovada. E, salvo as propostas dos ideólogos, tampouco se baseiam numa estrutura ética. Procurei fazer algo melhor. Procurei unir uma crítica coerente ao que deu errado e formas práticas de sanar os três divisores que cindiram nossas sociedades.

A social-democracia precisa de um reinício intelectual, que a tire da crise existencial e a traga para algo que possa voltar a ser a filosofia que perpassa o centro do espectro político, adotada tanto pela centro-esquerda quanto pela centro-direita. Para esse projeto de pretensões grandiosas, inspirei-me num livro de enorme influência que, mais de sessenta anos atrás, fez exatamente isso. *The Future of Socialism* [O futuro do socialismo], de Anthony Crosland, deu consistência intelectual à social-democracia durante seu apogeu. Afastou-se definitivamente da ideologia marxista ao reconhecer que o capitalismo, longe de ser um obstáculo, era essencial para a prosperidade de massa. O capitalismo gera e disciplina as empresas, organizações que permitem que as pessoas aproveitem o potencial de produtividade da escala e da especialização. Marx pensava que isso causava alienação: trabalhar para os capitalistas em grandes empresas traria uma inevitável dissociação entre o usufruto e o trabalho, na medida em que a especialização "acorrentava [o homem] a um pequeno fragmento do todo". Ironicamente, as consequências da alienação foram reveladas pelo socialismo industrial da maneira mais devastadora: a cultura que pode ser resumida como "eles fingem nos pagar e nós fingimos trabalhar". A alienação não é o preço que a sociedade precisa pagar para ser próspera; aceitar o capitalismo não é fazer um pacto com o demônio. Muitas boas empresas modernas oferecem aos trabalhadores um senso de propósito e autonomia suficiente para realizarem esse propósito. Seus trabalhadores sentem satisfação com o que fazem, e não só com o que recebem em pagamento. Há muitas outras empresas que não são assim, e há muita gente presa em serviços improdutivos e desmotivadores. Para funcionar para todos, o capitalismo precisa ser gerido de uma forma que traga não só produtividade, mas também um propósito. E é essa a pauta: o capitalismo precisa ser administrado, não derrotado.

Crosland era um pragmatista: o critério para julgar uma política era ver se ela funcionava, e não se ela estava de acordo com os postulados de uma ideologia. Uma proposição central da filosofia pragmatista é que as sociedades mudam e, portanto, não devemos contar com verdades eternas. *The Future of Socialism* não é uma bíblia para o futuro; era uma estratégia adequada para sua época. Embora mostrasse uma sadia desconfiança perante o paternalismo arrogante da vanguarda, sua concepção de bem-estar também era reducionista – nivelava o consumo individual. *O futuro do capitalismo* não é uma reelaboração de *The Future of Socialism*. É uma tentativa de oferecer um pacote coerente de remédios que curem nossas novas inquietações.

A academia vem se compartimentando cada vez mais em nichos de especialidades. Isso traz vantagens para o aprofundamento dos conhecimentos, mas a tarefa atual abrange vários desses nichos. Este livro só foi possível porque aprendi com as colaborações de um amplíssimo leque de especialistas de renome mundial. O novo distanciamento social é, em parte, movido por mudanças nas identidades sociais; com George Akerlof, aprendi a nova psicoeconomia do comportamento grupal. É, em parte, movida pela globalização que deu errado; com Tony Venables, aprendi a nova dinâmica econômica da aglomeração metropolitana e a razão pela qual as cidades do interior podem implodir. É, em parte, movida pela deterioração no comportamento das empresas; com Colin Mayer, aprendi o que se pode fazer a respeito dessa perda de propósito. É, fundamentalmente, movido pelo comando da política pública assumido pelos utilitaristas; com Tim Besley, aprendi uma nova fusão entre teoria moral e economia política, e com Chris Hookway, aprendi as origens filosóficas do pragmatismo.

Tentei integrar as percepções desses gigantes intelectuais como base para soluções práticas, mas nenhum deles pode ser responsabilizado pelo resultado.[10] Os críticos lerão o livro procurando pontos para contestar, e certamente encontrarão. Mas o livro é uma tentativa séria de aplicar novas correntes de análise acadêmica às novas inquietações que assediam nossas sociedades. Espero que, como *The Future of Socialism*, ele possa oferecer uma base para a possível reconstrução do centro do espectro político, que se encontra sitiado.

As sociedades capitalistas, além de prósperas, precisam ser éticas. No próximo capítulo, questiono a caracterização da humanidade como *homem econômico*: ganancioso e egoísta. Muito infelizmente, agora existem sinais incontestáveis de que os estudantes formados em economia realmente começam a seguir esse comportamento, mas ele é uma aberração. Para a maioria de nós, as relações são fundamentais para nossa vida, e essas relações vêm acompanhadas de obrigações. O crucial é que as pessoas assumam compromissos recíprocos, a essência da comunidade. A luta entre o egoísmo e as obrigações recíprocas – entre o individualismo e a comunidade – se dá em três esferas que dominam nossa vida: o Estado, a empresa e a família. Em décadas recentes, o individualismo tem predominado maciçamente em cada uma dessas esferas, e a comunidade tem retrocedido. Proponho a possibilidade de restaurar e fortalecer a ética comunitária em cada uma delas, com políticas que reequilibrem o poder.

Tendo como base essa ética comunitária prática, retomo os distanciamentos que vêm fragmentando nossas sociedades. O novo divisor geográfico entre a metrópole próspera e as cidades interioranas falidas pode ser amenizado, mas exige uma nova reflexão radical. A metrópole gera rendas econômicas gigantescas que deveriam reverter para a sociedade, mas para isso é preciso remodelar substancialmente o modelo de tributação. A recuperação das cidades falidas é factível, mas há poucos registros disso. Nem o mercado nem as intervenções públicas têm sido muito eficientes. Para dar certo, é preciso todo um leque de políticas inovadoras coordenadas e continuadas.

O novo divisor de classes entre os instruídos prósperos e os menos instruídos desalentados também pode ser reduzido. Mas nenhuma política isolada é capaz de transformar o desalento: ao contrário da obsessão utilitarista com o consumo, a natureza do problema requer soluções muito mais profundas do que o aumento do consumo com benefícios maiores. Ainda mais do que no caso das cidades falidas, será necessário um amplo leque de políticas para mudar as oportunidades de vida, não só para os indivíduos, mas também para suas inter-relações. O Estado, com tais intervenções sociais, visaria a apoiar famílias em dificuldades, em vez de tomar para si o papel de pai. Alguns dos problemas do desalento se intensificam com as estratégias de autopromoção dos instruídos e altamente qualificados. Há algum espaço para atenuar os problemas mais agudos; aqui também não é uma mera questão de consumo excessivo que precise ser refreado pela tributação.

Quanto ao divisor global, a confiante vanguarda paternalista foi seduzida pela globalização, prevendo um futuro pós-nacional. Contudo, as reações racionais das pessoas às oportunidades globais não são necessariamente benéficas em termos sociais. Para os economistas, uma fundamentada oposição a barreiras comerciais elevadas desembocou num entusiasmo irrestrito pela liberalização. De fato, o comércio costuma beneficiar cada país a um grau suficiente em que o favorecido pelos ganhos *poderia* compensar plenamente os que saem perdendo. Mas os economistas, enquanto defendiam clamorosamente o comércio, ficavam bem quietos quanto à compensação. Sem ela, não há qualquer base analítica para alegar que a sociedade está mais próspera. Analogamente, a insistência quanto à existência de fundamentos sólidos para os direitos das minorias raciais desembocou no apoio irrestrito à imigração. Todavia, apesar da mesma rubrica de "globalização", o comércio e a migração são processos econômicos muito diferentes, um movido pela vantagem *relativa* e o outro pela vantagem *absoluta*. Não há nenhum pressuposto analítico de que a migração gere ganhos para a sociedade de destino ou para a sociedade de origem dos migrantes; os únicos ganhos inequívocos são os dos próprios migrantes.

UM MANIFESTO

O capitalismo realizou muitas coisas e é essencial para a prosperidade, mas não é a economia do doutor Pangloss. Nenhuma das três novas clivagens sociais pode ser sanada baseando-se apenas em pressões do mercado e nos interesses individuais: "ânimo, e aproveite bem" não só destoa, como é também complacente demais. Precisamos de políticas públicas atuantes, mas o paternalismo social é uma sucessão de fracassos. A esquerda supôs que o Estado saberia evitá-los, mas, infelizmente, não soube. Supôs-se que o Estado guiado pela vanguarda seria a única entidade eticamente orientada: foi um exagero colossal das capacidades éticas do Estado, descartando ao mesmo tempo as capacidades éticas da família e da empresa. A direita pôs fé na crença de que, rompendo os grilhões da regulamentação estatal – o mantra libertário –, libertar-se-ia a capacidade do interesse próprio de enriquecer a todos. Foi um exagero colossal da magia do mercado, descartando ao mesmo tempo as limitações éticas. Precisamos de um Estado atuante, mas que aceite um papel mais modesto; precisamos do mercado, mas refreado por um senso de propósito solidamente radicado na ética.

Por falta de um termo melhor, penso nas políticas que proponho para sanar essas clivagens como um *maternalismo social*. O Estado seria atuante nas duas esferas, a econômica e a social, mas não fortaleceria abertamente a si mesmo. Suas políticas tributárias impediriam que os poderosos se apropriassem de ganhos que não merecem, mas não tirariam lépidas e fagueiras o rendimento dos ricos para entregar aos pobres. Com suas regulações, os atingidos pela "destruição criativa" com que a concorrência impulsiona o progresso econômico estariam habilitados a reivindicar compensação, em vez de tentarem impedir justamente o processo que confere ao capitalismo sua espantosa dinâmica.* Seu patriotismo seria uma

---

* A "destruição criativa" é o processo pelo qual as empresas eficientes eliminam as menos eficientes por meio da concorrência no mercado. Ela explica grande parte do aumento gradual nos rendimentos médios. A expressão foi cunhada por Joseph Schumpeter (1942), que a considerava "o fato essencial do capitalismo". É por isso que todos os outros "ismos", por maior que seja sua atração romântica, são, na melhor das hipóteses, inaplicáveis. O futuro das nossas sociedades depende não da derrubada, mas sim da reforma do capitalismo.

força unificadora, substituindo a ênfase nas identidades fragmentadas das queixas. O fundamento filosófico dessa pauta é a rejeição da ideologia. Com isso, não pretendo sugerir uma miscelânea confusa de ideias, mas sim uma disposição em aceitar nossos valores morais instintivos, que são diversos, e as concessões pragmáticas impostas por tal diversidade. O recurso de anular os valores recorrendo a um único tipo de princípio absoluto da razão é inevitavelmente divisor. A aceitação de nossos valores diversos se funda na filosofia de David Hume e Adam Smith. As políticas propostas neste livro atravessam o espectro esquerda-direita que caracterizou os piores aspectos do século passado e que está retornando com grande ímpeto.*

As catástrofes do século XX foram provocadas por líderes políticos que ou esposavam ardorosamente uma ideologia – os homens de princípios – ou que alardeavam o populismo – os homens de carisma (e, sim, geralmente eram homens). Em contraste com esses ideólogos e populistas, os líderes mais exitosos do século eram pragmatistas. Tomando uma sociedade atolada na corrupção e na pobreza, Lee Kuan Yew atacou de frente a corrupção e converteu Singapura na sociedade mais bem-sucedida do século XXI. Tomando um país dividido a ponto de chegar à beira da secessão, Pierre Trudeau neutralizou o separatismo do Québec e construiu uma nação orgulhosa de si mesma. Dos escombros do genocídio, Paul Kagame reconstruiu Ruanda como uma sociedade de bom funcionamento. Em *The Fix* [O dilema], Jonathan Tepperman estudou dez desses líderes, procurando a fórmula de cada um para sanar graves problemas. Concluiu que o traço em comum era evitarem a ideologia; em vez disso, concentravam-se em soluções pragmáticas para problemas centrais, ajustando-se às situações durante o

---

* Todos os elementos constitutivos – pragmatismo, prosperidade, comunidade, ética e psicologia social – se unem de maneira coesa. Isso porque todos eles remontam a David Hume e ao seu amigo Adam Smith. Como diz Jesse Norman, biógrafo de Smith (2018), ele era um pragmatista. Reciprocamente, as origens do pragmatismo se encontram em Smith: "As implicações da sua filosofia newtoniana da ciência recebem o seu maior exame moderno na obra de Peirce", o fundador do pragmatismo. A ética de Smith e Hume era explicitamente comunitarista: como Norman tem o cuidado de deixar claro, eles não eram protoutilitaristas.

processo.¹¹ Estavam preparados para ter firmeza quando necessário: a disposição de negarem favorecimento a grupos poderosos foi o grande indicador de sucesso. Lee Kuan Yew se mostrou preparado para prender amigos; Trudeau negou ao colega do Québec o estatuto independente que desejava; Kagame recusou à sua equipe tutsi os usuais despojos da vitória militar. Tiveram êxito, mas, antes disso, todos eles enfrentaram críticas intensas.

O pragmatismo deste livro se fundamenta de modo sólido e sistemático em valores morais. Mas evita a ideologia e, assim, certamente ofenderá os ideólogos de todos os matizes. São eles os que dominam atualmente os meios de comunicação. A identidade de ser "de esquerda" virou uma forma cômoda de se sentir moralmente superior; a identidade de ser "de direita" virou uma forma cômoda de se sentir "realista". Você está prestes a explorar o futuro de um capitalismo ético: seja bem-vindo ao núcleo duro.

PARTE DOIS

A retomada da ética

2
As bases da moral: do gene egoísta ao grupo ético

O capitalismo moderno tem o potencial de elevar todos nós a um nível de prosperidade sem igual, mas está moralmente falido e a caminho da tragédia. Os seres humanos precisam de um propósito na vida, e o capitalismo não o está fornecendo. Mas poderia. O propósito propriamente dito do capitalismo moderno é permitir a prosperidade das massas. Talvez por ter nascido pobre e por trabalhar com sociedades pobres, sei que é um objetivo digno. Mas não é suficiente. Numa sociedade bem-sucedida, as pessoas *florescem*, somando prosperidade e um sentimento de pertencimento e apreço. A prosperidade pode ser medida pela renda, e sua antítese é a pobreza desesperadora; quanto ao florescimento, o que hoje mais se aproxima dele é o bem-estar, e sua antítese é o isolamento e a humilhação.

Como economista, aprendi que a concorrência descentralizada e baseada no mercado – o cerne vital do capitalismo – é a única maneira de trazer prosperidade; mas quais são as fontes dos outros aspectos do bem-estar? Presume-se que o *homem econômico* seja indolente, ao passo que a ação dotada de propósito, como o trabalho, seja importante para o apreço.* E, enquanto o *homem econômico* tem apreço só por si, o pertencimento depende do apreço mútuo.

---

* Atualmente, a melhor medição prática do bem-estar utiliza uma escala de dez etapas, mostrando uma "escada da vida" das piores às melhores circunstâncias imaginadas. Esse método revela-se uma medição mais estável do que as perguntas diretas sobre a felicidade, que variam de acordo com o estado de espírito do momento. Têm-se os resultados para a escada da vida no *World Happiness Report*, 2017.

Um capitalismo moral que apoie o apreço e o pertencimento, ao lado da prosperidade, não é um oximoro. Compreensivelmente, porém, muitos pensam que é; julgam que o capitalismo está fatalmente maculado por se basear apenas na motivação da ganância.

Perante essa crítica, os defensores do capitalismo muitas vezes repetem a doutrina marxista de que "o fim justifica os meios". Este é um erro fundamental; um capitalismo movido somente pela ganância funcionaria tão mal quanto o marxismo, gerando humilhação e divisão, mas não prosperidade de massa. Na verdade, atualmente o capitalismo está levando as sociedades por esse caminho. Este livro apresenta uma alternativa em que os meios estão permeados de propósito moral. Tal reinício demandará mais do que os simpáticos slogans criados pelos departamentos de relações públicas das grandes empresas ou pelo homem de Davos.*

A Parte Dois do livro apresenta as bases éticas sobre as quais se fundam tais soluções, ao passo que a Parte Três discorre sobre soluções práticas para nossas divisões sociais que vêm se alargando. Este capítulo examina como nossos valores morais estão ligados às nossas emoções, como evoluem e como as coisas podem dar errado.[1]

NECESSIDADES E "DEVERES"

Os loquazes defensores do capitalismo que sustentam que o fim justifica os meios evocam a famosa proposição de Adam Smith em *A riqueza das nações* de que a busca do interesse pessoal leva ao bem comum. "Greed is good" [ganância é bom] se tornou o alicerce intelectual do fervor da revolução Reagan-Thatcher. A proposição de Smith é um precioso corretivo à noção ingênua de que uma ação só é boa se tiver uma boa motivação. Mas o pensamento econômico moderno, iniciado em 1776 com *A riqueza das nações*, ergue-se sobre um personagem totalmente desprezível. *O homem econômico* é egoísta, ganancioso e preguiçoso. Existem algumas

---

* *Davos man*: designação de Samuel Huntington para a elite branca majoritariamente masculina, que se considera totalmente internacional. (N.T.)

pessoas assim, e você conhece algumas delas. Mas nem mesmo os bilionários vivem dessa forma: os que eu conheço são workaholics que construíram a vida em torno de algum propósito muito mais amplo do que o consumo pessoal. Muitos economistas se dispõem a reconhecer tais ressalvas, mas os protestos de inocência se chocam contra os fatos nus e crus: os estudantes de economia se tornaram claramente egoístas[2], e os pressupostos daninhos dos modelos que usamos como diretrizes das políticas estabelecem os parâmetros para as discussões sérias.*

No entanto, Smith *não* pensava que somos o *homem econômico*.[3] Via o açougueiro e o padeiro não só como indivíduos buscando seus interesses pessoais, mas como pessoas moralmente motivadas dentro de uma sociedade. O computador prevê o comportamento do *homem econômico* a partir dos axiomas do interesse próprio racional. Mas nós prevemos as ações do açougueiro e do padeiro colocando-nos no lugar deles; é o que se chama "teoria da mente". Smith reconhecia que ver a pessoa por dentro não só nos permite entendê-la, mas também leva a nos interessar por ela e a avaliar seu caráter moral. Smith considerava essas emoções de empatia e julgamento como base da moral, instaurando uma distinção entre o que *queremos* fazer e o que sentimos que *devemos* fazer. A moral brota de nossos sentimentos, não de nossa razão. Smith expõe a questão em *A teoria dos sentimentos morais* (1759). Nessa obra, encontramos três graus de intensidade de obrigação.

As obrigações mais fortes vêm da intimidade. São mais extensas e incondicionais para com nossos filhos e parentes próximos, mas se ampliam abrangendo nossos conhecidos. A obrigação mais fraca se refere a pessoas distantes em dificuldades. Numa passagem famosa, Smith utiliza o exemplo de um terremoto na China: não criaria um transtorno emocional suficiente para impedir que um inglês setecentista se entregasse a seu jantar. Apesar das mídias sociais e das ONGs, o mesmo se aplica a um *clubber* do século XXI indo para a balada. Em *Refuge* [Refúgio], um livro sobre a crise dos

---

* Um exemplo é a introdução da cultura do bônus no serviço público.

refugiados, Alex Betts e eu invocamos essa obrigação, dando-lhe o nome de *dever de resgate* [*duty of rescue*]. Smith associava essa obrigação a um senso de *equidade*: sabemos objetivamente que, em situações como a daquele terremoto, devemos ajudar. Em *The Bottom Billion* [O bilhão de baixo], invoquei outro dever de resgate. Um bilhão de pessoas enfrenta uma pobreza desesperadora. Não precisamos ser santos para admitir que deveríamos fazer o possível para lhes trazer alguma esperança.

Entre a intimidade e os deveres de resgate, estão as emoções que Smith tomou como foco central de seu livro: as pressões leves, como vergonha e apreço, que nos permitem trocar obrigações – ajudarei você se você me ajudar. A confiança que torna isso possível se baseia nas emoções que desencorajam o descumprimento. Por que as pessoas têm tais sentimentos? Eles não fazem parte da psicologia do *homem econômico*? A resposta, amparada em indicadores como, por exemplo, nossos remorsos, é que uma descrição melhor das pessoas seria a de *homem social*. O *homem social* se preocupa com o que os outros pensam a seu respeito: ele quer ser apreciado. O *homem social* continua a ser racional – ele maximiza a utilidade –, mas obtém utilidade não só do consumo como também do apreço. Assim como a ganância e o pertencimento, ser apreciado é uma motivação básica.

O Prêmio Nobel Vernon Smith viu que *A riqueza das nações* e *A teoria dos sentimentos morais* têm como base a mesma ideia: o mútuo benefício que deriva da troca. A arena para trocar mercadorias é o mercado. A arena para trocar obrigações é o grupo que opera em rede, tema deste capítulo. Os economistas passaram dois séculos pensando que Adam Smith havia escrito dois livros incompatíveis e ignoraram *A teoria dos sentimentos morais*. Apenas nos últimos tempos ele tem sido devidamente entendido: não são dois Smith, mas um só, e suas ideias menos conhecidas são de extrema importância.[4]

As pessoas são motivadas em parte pelas "necessidades" de *A riqueza das nações*, em parte pelos "deveres" de *A teoria dos sentimentos morais*. Para cada caso, Smith viu que a passagem da autossuficiência para a troca era transformadora, mas sua avaliação pessoal, ao que parece, foi a de que *A teoria dos sentimentos morais* era a mais importante, como se a troca de "deveres" prevalecesse sobre a troca de necessidades. Não serão os "deveres" mera especulação vazia? Não será o comportamento moldado apenas pelas "necessidades" ou pela cobiça, como indicam os manuais e os críticos do capitalismo?

A ciência social agora dispõe de provas sobre a importância psicológica relativa de ambos, e os experimentos comportamentais mostram que os "deveres" importam tanto quanto as necessidades. Eis alguns indicadores novos engenhosamente simples sobre sua respectiva importância. Solicitou-se a um grupo de pessoas que rememorassem e classificassem aquelas decisões do passado que mais *lamentavam*. Todos cometemos erros, e os erros piores doem; as respostas foram agrupadas em categorias. Sabemos o que o *homem econômico* mais lamentaria: "Ah, se eu tivesse comprado aquela casa"; "Ah, se eu não tivesse me saído mal naquela entrevista"; "Ah, se eu tivesse comprado ações da Apple". O que lamentaríamos seriam nossas falhas em preencher nossas "necessidades". No entanto, elas mal aparecem nesse estudo. As pessoas cometem esses erros aos montes, mas raramente se detêm neles. Os remorsos que doem, em sua maioria esmagadora, são as falhas em atender aos "deveres", quando deixamos alguém na mão, não cumprindo uma obrigação.[5] Com tais remorsos, aprendemos a cumprir com nossas obrigações. Mesmo que nossas decisões tendam para alguma extravagância de momento, quando consideramos nossas ações, os "deveres" geralmente prevalecem sobre as necessidades.

A psicologia social também confirmou a proposição de Smith de que a moral deriva dos valores mais do que da razão.[6] Jonathan Haidt encontrou a corroboração desse predomínio. Procuramos justificar nossos valores citando razões para eles, mas, se nossas razões são demolidas, geralmente invocamos outras em vez de rever nossos valores. Nossas razões se revelam como uma charada que ilude a si mesma, uma impostura chamada "raciocínio *motivado*".[7]

As razões se ancoram em valores, e não os valores em razões; ou, como Smith formulou de maneira muito expressiva, "a razão é a escrava das paixões". E as coisas só pioram para o *homem econômico racional*. Em *The Enigma of Reason* [O enigma da razão], obra que já é reconhecida como um avanço de grande importância, Hugo Mercier e Dan Sperber mostram que *a própria razão* evoluiu para o propósito estratégico de persuadir os outros, e não para melhorar nossa própria tomada de decisões.[8] O raciocínio motivado é *a causa* pela qual desenvolvemos a capacidade de raciocinar e *a maneira como* normalmente a utilizamos. Porém, ainda mais significativamente, a enorme expansão do cérebro ocorrida nos últimos dois milhões de anos foi ocasionada pela necessidade de socialização.[9] Longe de parecerem esquisitas, as ideias de Smith traçam o rumo futuro dos manuais de economia.

Muitas vezes os valores se complementam mutuamente, gerando outras normas. A equidade e a lealdade, dois dos valores que Haidt descobriu serem comuns, sustentam em conjunto a norma da *reciprocidade*, que é o que liga nossa necessidade instintiva por apreço à vergonha e à culpa que sentimos quando descumprimos uma obrigação. As experiências têm mostrado que a reciprocidade é o ponto ótimo em que é possível cumprir até mesmo obrigações muito exigentes. Enquanto o valor do cuidado pelo outro sustenta o dever de resgate, os que estão em posição de ajudar, se formarem um grupo, podem canalizar a equidade e a lealdade para a criação de compromissos mútuos: "Eu ajudo se você ajudar". Assim como aprendemos a estabelecer prioridades entre as necessidades, da mesma forma estabelecemos prioridades entre os valores. Por meio do raciocínio prático, refinamos valores que à primeira vista são conflitantes, deixando que o contexto revele as concessões a fazer.

Esse era o pensamento de Smith e Hume. Baseando-se nele, a filosofia do pragmatismo defendia esse entrelaçamento dos valores morais comuns com o raciocínio prático. Esse pensamento, em sua origem, é comunitarista, entendendo a tarefa da moral como nosso máximo empenho em adequar nossas ações aos valores de nossa comunidade e às especificidades do contexto.* Deveríamos usar o raciocínio prático para deduzir a ação correta; ele rejeita a ideologia, e não há nenhum valor absoluto e atemporal que abranja tudo. Nas comunidades reais, a importância relativa dos valores muda; o pragmatismo pergunta: "O que, aqui e agora, terá mais possibilidade de funcionar?".

Em contraste, cada ideologia reivindica para si a supremacia, derivada da razão, sobre os que dela divergem. Os guardiães da ideologia suprema são uma vanguarda dos especialistas. Os fundamentalistas religiosos invocam um ser divino único como autoridade última; os marxistas invocam a ditadura do "proletariado" comandada por uma hierarquia;[10] os utilitaristas invocam a soma das utilidades individuais, e os rawlsianos invocam a "justiça", tal como eles mesmos a definem.[11] O pragmatismo, assim como se apresenta em contraste com a ideologia, também se apresenta em oposição ao populismo. A ideologia privilegia alguma "razão" acima da rica diversidade de valores humanos; o populismo descarta o raciocínio prático baseado em provas, passando num salto ousado das paixões para as políticas. Nossos valores, entrelaçados com o raciocínio prático, somam coração e cérebro. O populismo oferece coração aos descerebrados; a ideologia oferece cérebro aos sem-coração.

O pragmatismo tem seus perigos. A liberdade de deduzir ações morais caso a caso precisa ser contida por nossas limitações intrínsecas. Raciocinar exige esforço, e nossa vontade e nossas capacidades são limitadas. Pior, sentimo-nos tentados a adequar as razões a nossos valores. E, pior ainda, nossos juízos não são melhores do que nosso conhecimento. Os pragmatistas reconhecem essas

---

* Eis um dos seus fundadores, William James: "Um organismo social, de qualquer espécie que seja, grande ou pequeno, é o que é porque cada membro age de acordo com seu dever na confiança de que os outros membros também o farão. Sempre que se alcança um resultado desejado com essa cooperação de muitas pessoas independentes, sua existência como fato é pura consequência da mútua confiança prévia dos imediatamente envolvidos. Um governo, um exército, um sistema comercial, um navio, uma faculdade, um time esportivo, todos existem com base nessa condição, sem a qual não só não se alcança nada, mas nem sequer se tenta coisa alguma". (James, 1896). Este capítulo mostra como se constrói tal confiança.

limitações: nossos juízos morais individuais são falíveis. Todas as sociedades desenvolveram formas de lidar com isso: usamos regras sintéticas, algumas das quais são codificadas como instituições. Quando são boas, as instituições contêm o aprendizado social acumulado a partir de um leque de experiências vasto demais para que um só indivíduo o conheça inteiramente. Para muitas decisões morais, talvez seja melhor guiar-se por elas. Os filósofos políticos mais céticos quanto à capacidade de raciocínio prático individual preferem o saber acumulado incorporado em instituições: é o *conservadorismo*.* Os menos céticos preferem a liberdade que ela oferece: é o *liberalismo*.** As duas questões têm bom fundamento: a resposta é o equilíbrio.

COMO SURGE A RECIPROCIDADE

As obrigações recíprocas são decisivas para o bem-estar; mas como elas surgem? Qualquer explicação precisa ser coerente com a evolução, inclusive dos anseios e valores que estão sob a reciprocidade. É fácil ver por que a disputa de alimentos selecionou os indivíduos com predisposição para a ganância, eliminando os altruístas. Mas por que também desejamos pertencer e ser apreciados? Por que valorizamos a lealdade, a equidade e o cuidado, ou até por que temos valores? A evolução foi um processo brutal de seleção por características vantajosas, e assim o materialismo egoísta aparenta ser aquilo de que precisamos: apreço e pertencimento são coisas que não se comem, e os valores cerceiam nossos métodos. O *homem econômico* soa, à superfície, como um eco ampliado do *gene egoísta*.

Todavia, sabemos que isso é um equívoco: o gene egoísta não produz o homem egoísta. Por muitos milênios, os seres humanos só conseguiram sobreviver graças à cooperação em grupo: estar

---

* Não confundir com as abominações morais ecléticas pretendidas pelos que empregam "conservador" como termo insultuoso.

** Não confundir com as abominações morais ecléticas pretendidas pelos que empregam "liberal" como termo insultuoso.

sozinho significava morrer. Sem o desejo de pertencimento e apreço, o *homem econômico* era egoísta demais para lhe permitirem ficar no grupo; ele era banido. A seleção natural eliminou o *homem econômico racional* em favor da *mulher social racional*: somos equipados para desejar, além do alimento, o pertencimento e o apreço. Mas de onde vieram os valores comuns?

    O homem primitivo vivia em grupos; redes em que as pessoas interagiam, difundindo um comportamento comum por meio da imitação. Quando o *Homo sapiens* surgiu, também vivíamos em grupos e também imitávamos uns aos outros. Ainda é assim. As pessoas influenciarão inconscientemente o comportamento não só dos amigos, mas também dos amigos dos amigos e dos amigos dos amigos dos amigos.[12] O *Homo sapiens*, porém, desenvolveu um meio de interação dotado de um poder sem igual: a linguagem. Por que a linguagem foi uma vantagem tão grande? Porque somente a linguagem é capaz de transmitir narrativas. Quando as pessoas conversam, as narrativas que circulam transmitem uma série de ideias. Esta é a atividade fundamental que distingue os seres humanos das demais espécies. É o *cogito ergo sum* [penso, logo existo] de Descartes invertido: não deduzimos nosso mundo a partir de nós, e sim deduzimos a nós a partir de nosso mundo. Os átomos da humanidade não são os indivíduos pensantes, e sim as relações nas quais nascemos. São instrutivas as anomalias singularmente raras dos "bebês da selva", crianças criadas por lobos. Elas crescem, como na lenda de Remo e Rômulo, para fundar Roma? Atualizando desde Roma até o presente, poderíamos ver aí o final lógico da hipótese de Ayn Rand: se os indivíduos crescessem livres dos grilhões sociais, tornar-se-iam inovadores de espírito independente, como um Atlas. Na verdade, tornam-se criaturas trágicas, irreconhecíveis como seres humanos. Um exemplo famoso foi o menino de nove anos de idade encontrado numa floresta francesa no século XVIII. Apesar de um treino intenso, nunca aprendeu sequer a falar, e muito menos a agir como uma pessoa normal. Os equivalentes atuais são os bebês romenos criados em orfanatos do Estado durante a era comunista.

Em contato constante com as narrativas, as crianças logo desenvolvem um senso de pertencimento a um grupo e a um lugar. Adquirimos esse senso muito antes de desenvolvermos a capacidade da razão. A identidade familiar é estabelecida nos primeiros anos de vida, e mesmo algo amplo como a identidade nacional geralmente já está formado aos onze anos de idade, ao passo que a capacidade de raciocinar se desenvolve depois, por volta dos catorze anos.[13] Vejo-me como um yorkshiriano. Cresci com mil narrativas sobre a identidade de Yorkshire, e essa narrativa se transmite ao longo das gerações: no momento em que escrevo, ocorre-me que todas as noites leio *Daft Yorkshire Fairy Tales* para Alex, meu filho de onze anos, em dialeto.

Os carneiros não têm capacidade para uma linguagem complexa, mas também desenvolvem uma percepção de pertencerem a um grupo e a um lugar. Depois que essa percepção se desenvolve, a tarefa do pastor fica muito mais fácil, porque os carneiros não se afastam dos locais com que estabeleceram laços, num processo chamado de *hefting*. Sabemos que, depois que um rebanho aprende a ficar naquele lugar, a ovelha transmite ao cordeiro a noção desse pertencimento. Isso se dá rápido demais para ser genético: é um comportamento adquirido. Mas, ainda que o *hefting* de um rebanho seja rápido demais para ser genético, mesmo assim leva muitas gerações para se estabelecer. Por que os carneiros demoram tanto? Nesse ponto, proponho uma explicação que se baseia na ciência social, não nos pastores.* Os carneiros de um rebanho enfrentam um problema de coordenação. Os carneiros imitam outros carneiros; assim, para que o rebanho fique naquele local, todos eles precisam aprender a não vaguear nem seguir um carneiro que se afaste. Sabemos pela psicologia experimental moderna que a chave para resolver um problema de coordenação é o "conhecimento comum", isto é, a passagem de todos saberem a mesma coisa para todos saberem que todos sabem.[14] Um grupo pode gerar conhecimento comum pela observação comum (todos observando a mesma coisa ao mesmo

---

* Não excluo a possibilidade de que os carneiros sejam muito obtusos.

tempo) ou por uma narrativa comum. Suponho que os carneiros levem séculos para criar um conhecimento comum, pois só podem usar a observação comum e, assim, enfrentam o típico problema do ovo e da galinha. Precisam observar que todos os outros carneiros escolhem ficar naquele local, mas, enquanto não aprenderem a ficar ali, não haverá tal comportamento e não poderão observá-lo; os carneiros precisam esperar que ocorra uma rara configuração fortuita do comportamento a fim de aprendê-lo. O *Homo sapiens* consegue construir um pertencimento conjunto com uma rapidez muito maior, utilizando a linguagem para fazer circular a narrativa "nosso local é aqui".*

As narrativas não se limitam a nos falar de pertencimento, falam-nos também o que devemos fazer – dão-nos as normas de nosso grupo. Aprendemos essas normas na infância, com o incentivo do apreço que recebemos ao obedecê-las. Quando interiorizamos essas normas como valores, também sentimos respeito próprio ao obedecê-las. A transgressão de uma norma custa apreço; como vimos, quando as pessoas se comportam assim, depois lamentam. Alguns de nossos valores são pré-linguísticos; um grupo não precisa da linguagem para desenvolver o instinto de cuidar dos filhos. Mas as obrigações recíprocas em grandes grupos requerem uma coordenação de complexidade suficiente para precisar de narrativas, e daí a linguagem.**

As narrativas têm uma terceira função: aprendemos como nosso mundo funciona por meio de histórias que ligam ações a resultados. Nossas ações passam a ter *propósito*. As experiências mostram que confiamos mais em histórias do que na observação direta ou

---

* Os carneiros sabem dizer "bééé", e muitos outros animais são capazes de usar uma linguagem rudimentar, mas apenas os seres humanos dominaram a gramática complexa necessária para criar narrativas. Ver Feldman Barrett (2017), Capítulo 5.

** Os sociobiólogos pensaram durante algum tempo que a seleção natural entre os grupos poderia levar por si só a valores inatos pró-sociais, como a reciprocidade, mas atualmente as pesquisas sugerem em larga medida que isso não consegue explicar os nossos valores pró-sociais. As abelhas se comportam assim usando apenas uma linguagem de sinais, mas isso ocorre porque têm outro modo de reprodução. Ver Martin (2018) para uma discussão recente e clara a esse respeito.

no ensinamento. Ao juntá-las numa cadeia causal, as ações que não são de nosso interesse pessoal imediato podem, então, mostrar-se racionais, criando um interesse pessoal *esclarecido*. No melhor dos casos, isso amplia nosso conhecimento. No pior dos casos, cria uma ruptura entre a realidade e aquilo em que acreditamos – as narrativas como "fake news", notícias falsas.[15] Verdadeiras ou falsas, as histórias têm poder. Na devastadora análise que fizeram da crise financeira, George Akerlof e Robert Shiller, ambos laureados com o Prêmio Nobel, concluem que "as histórias agora não se limitam meramente a *explicar* os fatos; elas *são* os fatos".[16] O que se aplica às crises financeiras também se aplica, como se vê, à explosão da violência em massa. Novas pesquisas mostram que a melhor maneira de prever tais explosões é monitorar as narrativas que circulam nos meios de comunicação.[17]

Os três tipos de narrativa – o pertencimento, a obrigação e a causalidade – se encaixam numa rede de obrigações recíprocas. Nossas narrativas de obrigação instilam equidade e lealdade para nos dizer por que devemos cumprir obrigações recíprocas. Nossas narrativas de pertencimento comum nos dizem quem participa: nossas obrigações recíprocas se aplicam apenas a um grupo definido de pessoas que as aceitam. Nossas narrativas de causalidade nos dizem por que a ação que temos a obrigação de realizar é dotada de propósito. Somadas, elas compõem um *sistema de crenças*, que mudam nosso comportamento. Os sistemas de crenças podem converter o inferno da anarquia em comunidade, passando da vida "sórdida, brutal e curta" para uma vida "florescente". As narrativas são exclusivas do *Homo sapiens*: não somos apenas macacos.

As pessoas que integram a mesma rede ouvirão as mesmas narrativas e terão o conhecimento comum de que todas elas as ouviram. Dentro de uma rede, as narrativas específicas de pertencimento, obrigação e causalidade tenderão a se encaixar harmoniosamente. As narrativas capazes de gerar perturbações podem ser mantidas fora de circulação por tabu ou ser excluídas por descrédito.[18] As ideias se entremesclam e circulam, reforçando-se mutuamente. Juntas, ligam uma identidade comum a um objetivo e a uma proposição sobre os modos de alcançá-lo. "Os fiéis" buscam o "paraíso" "rezando com frequência"; os "professores de Oxford" aspiram a "uma grande universidade", "prestando atenção ao ensino".[19]

Os sistemas de crenças podem ter algumas consequências horríveis, que se evidenciam claramente no nacionalismo, tema que será tratado no próximo capítulo. Mas também têm um lado positivo de valor inestimável: a passagem do egoísmo do *homem econômico* para o indivíduo movido por obrigações que se reconhece como parte de um "nós", e para uma comunidade em que as pessoas se veem não com medo ou indiferença, mas supondo uma mútua consideração. Um mundo povoado apenas pelo *homem econômico* não seria o paraíso triunfalmente funcional apresentado nos manuais econômicos simplistas, em que a única coisa necessária é, aparentemente, o egoísmo. Esses manuais pressupõem uma sociedade em que já houve um acordo quanto às regras e que elas são respeitadas. A matéria da disciplina ECON. 101 (introdução à economia e princípios de microeconomia) começa onde PSIC. SOC. 999 e C. POL. 999 terminam. É o que estão reconhecendo os economistas, mesmo tardiamente: os pioneiros são George Akerlof e sua coautora Rachel Kranton.[20] Mas, quando se atualiza, a economia também traz algumas percepções de proveito.

Uma dessas percepções recentes, com enormes implicações, refere-se à evolução das normas éticas. Foi apresentada por Tim Besley, que se inspirou na biologia: as normas, como os genes, são transmitidas de pais a filhos.[21] Mas o processo parece muito diferente. Tim parte de uma sociedade imaginária, em que alguns adotam uma norma e outros, outra. Ao escolher com quem vão se casar, as pessoas tendem a se ligar a quem comunga as mesmas normas, mas às vezes o Cupido faz alguma confusão e os filhos crescem com pais de normas diferentes. Quais normas eles adotam? Tim postula um processo simples, que consiste em evitar misturá-las, para evitar a tensão mental de uma combinação desajeitada: os filhos tenderão a adotar as ideias do genitor mais feliz. Quanto a definir qual genitor é mais feliz, num sistema político em que a maioria prevalece, tende a ser aquele de ideias de difusão mais ampla.[22] Disso decorrem duas conclusões notáveis.

Na seleção natural, numa ilha com penhascos brancos, as aves que moram lá evoluirão para se tornarem brancas, independentemente da variedade de cores que tinham ao virem de outras ilhas. O organismo evolui para se adaptar ao hábitat. Em contraste, as *normas* podem evoluir e se tornar muito diferentes mesmo em dois hábitats idênticos, devido a pequenas diferenças iniciais em sua incidência. O ambiente é a população, e as pessoas evoluem para se adaptar umas às outras.* O ponto de onde parte uma sociedade determina aonde ela chegará, ampliando as diferenças iniciais. Isso corresponde claramente à realidade que observamos no mundo: sociedades diferentes têm normas predominantes muito diferentes, e cada uma dessas normas persiste em sua própria sociedade. Mas é a segunda conclusão que é fundamental. Na seleção natural, a população acaba tendo aquelas características "mais adaptadas" ao hábitat. Em penhascos brancos, os pássaros se darão melhor se forem brancos. Mas esse tipo de suposição simplesmente não existe em relação às normas. Estas podem acabar sendo péssimas para todos, ainda que sejam boas para cada indivíduo, em vista das normas adotadas por todos os demais. Para ver como isso é bizarro em comparação à seleção natural, seria como se todos os pássaros evoluíssem para ser azuis porque muitos deles eram inicialmente azuis, embora, contra os penhascos brancos, fique muito mais fácil serem devorados pelos predadores.** Juntas, as duas conclusões implicam que é plenamente possível que uma rede de pessoas termine com uma configuração estável das normas que, mesmo assim, é disfuncional. É estável (isto é, não passa por outras mudanças) simplesmente porque cada pessoa

---

* A analogia mais próxima na seleção natural é o fenômeno da "construção do nicho", como quando os castores adaptam o ambiente físico.

** Às vezes – como na construção de um nicho – o hábitat também evolui para se adaptar às características. Os pássaros azuis não pintam os penhascos de azul, mas os castores alteram o fluxo de um curso de água. Entretanto, o ajuste humano das normas não é análogo à construção de um nicho: o hábitat não é senão o conjunto das normas dos outros.

está presa às normas adotadas por todas as demais. Esses resultados trazem uma implicação importante: a filosofia política conservadora não pode estar inteiramente correta. Os filósofos conservadores reverenciam as instituições acumuladas de uma sociedade por encerrarem a sabedoria da experiência. Mas as instituições podem ter formalizado normas altamente disfuncionais. Isso, porém, não autoriza a supremacia da razão: o raciocínio motivado pode levar ao desastre.

O USO ESTRATÉGICO DE NORMAS NAS ORGANIZAÇÕES

Faz alguns milênios que a maioria de nós não vive em pequenos bandos de saqueadores. A vida moderna só é materialmente possível porque as pessoas trabalham juntas em grandes organizações, nas quais é possível colher os frutos da escala e da especialização.

Três tipos de organizações dominam nossa vida, cada uma delas mais adequada a um determinado leque de atividades. A menor, porém a mais fundamental, é a família: 86% dos europeus dividem sua casa com outras pessoas, e as famílias são o ambiente central da maioria das crianças. Embora a família seja a norma, há algumas ideologias contrárias a ela. Os *kibbutzim* socialistas a aboliram por completo; a Romênia comunista também retirou muitos milhares de filhos de seus genitores, criando-os coletivamente. Tanto o marxismo stalinista quanto os líderes de seitas fundamentalistas incentivam as crianças a denunciarem os genitores. E, como veremos, o capitalismo tampouco está ajudando as famílias na atualidade. Contudo, se a família predomina na criação dos filhos, é por boas razões. Nenhuma outra forma de criação deu certo em qualquer lugar do mundo.

Quando as pessoas trabalham, geralmente estão organizadas em empresas: a escala é essencial para os níveis modernos de produtividade. Nos Estados Unidos, 94% das pessoas trabalham em grupo, e na Inglaterra, 86%.* Tal como ocorre com a família, algumas ideologias são contrárias à empresa. Os velhos românticos defendem o retorno a uma sociedade de artesãos, camponeses e comunas. Os novos românticos se entusiasmam com as novas e-plataformas como Amazon, Airbnb, Uber e eBay, que possibilitam transações diretas entre as pessoas. Mas mesmo Amazon e Uber se tornaram enormes empregadores. Nas sociedades africanas, muitos trabalham sozinhos, como artesãos ou pequenos agricultores. Isso tem suas virtudes, mas, em decorrência desse fato, a produtividade é cronicamente baixa e, assim, as pessoas são confrangedoramente pobres. Precisamos de empresas modernas, e os africanos também: a África não é apenas a região menos próspera; é também a menos feliz.[23]

No nível mais elevado, muitas atividades, como a regulação, o fornecimento de bens e serviços públicos e a redistribuição de renda, têm sua melhor organização nas mãos do Estado. Aqui, os números são ainda mais expressivos: todas as sociedades prósperas são organizadas em Estados, e todas as sociedades sem Estado são extremamente pobres.** E, mais uma vez, algumas ideologias são contrárias ao Estado. Os marxistas, que na prática impuseram a organização da sociedade mais estatocêntrica que já existiu, têm um objetivo aparente muito diverso: o Estado teria de "definhar e desaparecer". Mas a ideologia antiestatal mais influente na atualidade é a dos libertários do Vale do Silício. Segundo eles, o bitcoin suplantará o abastecimento monetário estatal, à medida que os usuários se afastarem das moedas oficiais. Os super-homens proprietários das novas e-utilidades determinarão individualmente a melhor forma

---

* Esses números são estimativas por baixo, visto que muitos autônomos (a categoria residual) na verdade trabalham para uma empresa, e a figura do autônomo ou do empresário individual é um expediente jurídico para reduzir as obrigações trabalhistas.

** Algumas poucas sociedades alcançaram a felicidade sem prosperidade, e o exemplo mais marcante é o Butão. Mas o Butão certamente não é um exemplo de sociedade sem Estado. Pelo contrário, é um raro exemplo de um Estado que dá prioridade ao senso de propósito e ao pertencimento, acima da renda, notadamente com sua ênfase sobre a preservação da cultura nacional. O povo butanês é o mais feliz na Ásia.

de usá-las, ignorando ou vencendo a regulação imposta pelo Estado. A conectividade globalmente habilitada entre uma pessoa e outra suplantará a sociedade espacialmente delimitada do Estado-nação. "Governos do Mundo Industrial, importunos gigantes de carne e de aço, deixem-nos em paz."* Liberados do governo, todos nós vamos nos amalgamar num só conjunto gigantesco: "A privacidade não é mais uma norma social".[24] O resultado será superior tanto em termos práticos quanto em termos morais. Infelizmente, receio que não.

Os titãs do Vale do Silício que conectaram o mundo imaginam que, com isso, estão desembocando numa sociedade global que se une em torno de seus valores libertários pessoais. É algo extremamente improvável. As novas tecnologias de conectividade entre as pessoas estão substituindo os grupos em rede que eram motivados pela possibilidade de compartilhar um lugar, fosse uma comunidade local ou uma nação. A participação nos novos grupos em redes digitais se dá por escolha, não por acaso: as pessoas preferem trabalhar em rede com outras com as mesmas ideias dentro de "câmaras de eco".[25] Encarnam o processo pelo qual as narrativas geram nossas crenças, cada vez mais dissociadas do lugar onde vivemos. No entanto, nossas unidades *políticas* ainda são definidas pelo lugar onde moramos. Nossos votos são contados por localidade, e as políticas e serviços públicos que nascem dos nossos representantes são fornecidos e aplicados localmente. Assim, devido à conectividade digital, o mesmo processo que antes produzia amplas variações de normas entre as políticas agora está produzindo amplas variações dentro delas. As ideias dentro de nossa comunidade política estão ficando mais polarizadas, as discordâncias estão se tornando mais acentuadas, as hostilidades que em séculos anteriores lançavam uma comunidade política contra outra agora estão lançando um sistema de crenças contra outro dentro de cada comunidade política. As hostilidades entre as comunidades políticas se converteram em violência organizada de massa. As hostilidades dentro das comunidades políticas terão consequências diferentes, mas podem ser terríveis.

---

* Citação do manifesto do ativista ciberlibertário John Perry Barlow em Davos, em sua Declaração de Independência do Ciberespaço (1996). (N.T.)

A família, a empresa e o Estado são as esferas essenciais em que se molda nossa vida. A maneira mais rápida de construí-las é em forma de hierarquias, nas quais os de cima emitem ordens para os de baixo. Embora rápidas de construir, raramente são fáceis de gerir: as pessoas só obedecem às ordens se os mandantes monitoram o que os subordinados estão fazendo. Aos poucos, muitas organizações aprenderam que era muito mais eficiente atenuar a hierarquia, criando papéis interdependentes com claro senso de propósito e dando às pessoas autonomia e responsabilidade para desempenhá-los. A mudança da gestão hierárquica por meio do poder para a gestão interdependente por meio de propósito implica uma mudança correspondente na liderança. Em vez de ser o comandante-chefe, o líder se tornou o comunicador-chefe. Os sistemas de incentivos e sanções evoluíram para narrativas.

Nas famílias modernas, os genitores são iguais e persuadem brandamente os filhos a assumirem responsabilidades. Nas empresas e nos governos, as hierarquias se nivelaram radicalmente; por exemplo, o Banco da Inglaterra costumava ter seis refeitórios diferentes, um grau de diferenciação hoje inconcebível. A liderança não foi abolida, mas seu papel mudou. Há boas razões para preservar a liderança – as alternativas utópicas invariavelmente fracassam.

As pessoas no topo das organizações da família, da empresa e do Estado têm mais poder do que as que estão abaixo delas, mas geralmente arcam com responsabilidades que ultrapassam em muito o poder que detêm. Para cumprir suas responsabilidades, precisam de outras pessoas no grupo que obedeçam, mas os meios de que dispõem para obrigá-las são limitados. Em meu papel de pai, à noite insisto que Alex vá dormir. Mas o mero exercício do poder é uma coisa difícil e não muito eficaz: Alex fica lendo debaixo dos lençóis. Em todas as organizações que dão certo, seja a família, a empresa ou o Estado, os líderes descobrem que podem aumentar radicalmente a obediência criando um senso de obrigação. Alex quer ficar acordado lendo, mas, se consigo persuadi-lo de que ele *deveria* dormir, o problema da imposição se reduz. Quando isso se dá, meu poder se transforma em autoridade. Expresso em termos mais pomposos, esta é a construção de normas morais para propósitos estratégicos. O poder essencial dos líderes não é o de estarem no comando; é o de ocuparem o centro de uma rede. Eles têm o poder de persuadir.* Soa um tanto sinistro que os líderes usem estrategicamente a moral para moldar nossa vida. Mas geralmente é o oposto: este é o processo saudável que permitiu que as sociedades modernas sejam lugares melhores do que todas as sociedades anteriores. E poderiam ser ainda melhores.

Mas, em termos práticos, como os líderes usam estrategicamente a linguagem para construir as obrigações? Veja-se Robert Wood Johnson, o presidente da Johnson & Johnson, agindo assim em 1943. Ele gravou literalmente em pedra os princípios morais da empresa: "Nosso Credo". Começa com: "Nós acreditamos que nossa primeira responsabilidade é para com as pessoas que usam nossos produtos". Notem-se as palavras "nós" e "nossa", e não "eu" e "minha"; aquele deveria ser o credo de todas as pessoas na empresa. E prosseguia expondo as responsabilidades menores em ordem decrescente: os funcionários, a comunidade local e, por último, os acionistas. O credo se mantém há três gerações com o uso de narrativas: se você visitar o website da empresa, verá que ele ainda se organiza em torno de "histórias". Fez alguma diferença para o comportamento?

Em 1982, a Johnson & Johnson foi atingida por uma catástrofe. Sete pessoas morreram em Chicago, e o rastreamento da causa das mortes chegou a um veneno que fora colocado em frascos de Tylenol, o produto mais vendido da empresa. O que aconteceu foi tão admirável que ainda hoje é utilizado como estudo de caso nos cursos de administração. Antes mesmo que a direção tivesse tempo de reagir, os gerentes das filiais locais tomaram a iniciativa de retirar todos os frascos de Tylenol das prateleiras dos supermercados, comprometendo-se a reembolsar integralmente as lojas. Hoje em dia, isso não parece tão admirável quanto na época porque, desde esse episódio, tornou-se prática corrente em todo o mundo empre-

---

* E isso não é recente: foi a famosa conclusão do cientista político Richard Neustadt na sua análise do poder do presidente americano, formulada em 1960.

sarial. Mas, até 1982, as empresas não recolhiam os produtos; o costume era negar a responsabilidade. Funcionários de menor escalão na Johnson & Johnson sentiram confiança para tomar essa iniciativa – que comprometeu a empresa com uma dívida de cerca de 100 milhões de dólares – porque haviam compreendido a partir daquele credo que a prioridade era para com os usuários do Tylenol.[26] Essa pronta providência, que depois foi plenamente endossada pela alta direção, não foi apenas moral: revelou-se uma boa prática empresarial. Contrariando as previsões, a empresa rapidamente recuperou sua fatia do mercado.*

A base sólida da economia, aceita por Adam Smith, é o reconhecimento de que o altruísmo sem reciprocidade se limita aos deveres de resgate: não é uma contraposição adequada ao interesse próprio. As obrigações recíprocas são vitais, mas precisam ser construídas. É isso o que fazem as narrativas de pertencimento, da obrigação e da ação dotada de propósito, combinadas.[27] Expus em forma de sequência – pertencimento, depois obrigações e depois a ação dotada de propósito –, mas não é uma ordem obrigatória; se uma ação em comum levar a um bom resultado para muitas pessoas, pode ser a base tanto para uma identidade compartilhada quanto para uma obrigação em comum.

As narrativas são poderosas, mas há limites para a distância que podem tomar em relação à realidade: os líderes não são apenas amplamente ouvidos, são também amplamente observados e, assim, não podem se permitir contradições entre o que dizem e o que fazem. Suas ações precisam ser *coerentes* com suas narrativas; se você diz que você e eu somos "nós", mas favorece a si mesmo,

---

* O sistema de crenças da Johnson & Johnson se divide em três componentes: uma identidade comum construída em torno de uma mesma finalidade moral, definida no credo como fornecimento de medicamentos de alta qualidade a preço acessível aos clientes; obrigações recíprocas dos funcionários em se empenhar para realizar essa finalidade; e uma cadeia causal levando ao interesse próprio esclarecido, que esse modelo coloca como base para a sustentabilidade do negócio e para o emprego da sua força de trabalho – como consta no website da Johnson & Johnson, ela é uma das pouquíssimas empresas com um século de existência. Agradeço a John Kay por esse exemplo.

desmentirá a narrativa de pertencimento. Dizer que todos nós temos um dever uns para com os outros, mas comportar-se de maneira egoísta, é desmentir a narrativa da obrigação. Se o diretor-executivo da Johnson & Johnson explorasse seus funcionários, eles não assumiriam a responsabilidade de retirar o Tylenol das prateleiras por iniciativa própria. Pelo contrário, a conduta dele foi exemplar: chegou a receber uma Medalha Presidencial da Liberdade, que aceitou em nome dos empregados da empresa.

Os líderes, assim como podem desgastar um sistema de crenças adotando um comportamento incompatível, podem também reforçá-lo elaborando estrategicamente suas ações. Imagine que seu público desconfia que você não está falando sério quando diz alguma coisa: o credo diz "os usuários antes dos lucros", mas não será só para soar bem aos ouvidos dos usuários? O que você pode fazer em relação a essa desconfiança? Michael Spence recebeu o Prêmio Nobel por solucionar a questão com sua Teoria da Sinalização. Claro que não adianta dizer "Estou *realmente* falando a sério", porque é o que você *diria* mesmo que não estivesse realmente falando a sério. Nada do que você *diga* vai adiantar, mas você pode *fazer* alguma coisa. Em termos mais específicos, você precisa fazer algo que custaria um valor exorbitante se o que você realmente quisesse dizer fosse "os lucros antes dos usuários". As únicas ações que funcionam decerto serão penosas, ainda que você esteja realmente falando a sério, mas este é o preço a pagar para ter credibilidade. Os sinais reforçam a credibilidade de um sistema de crenças, mas nem por isso as narrativas se tornam supérfluas: os sinais trazem credibilidade, mas as narrativas trazem precisão. São complementares.

A transformação do poder em autoridade é essencial para construir a reciprocidade entre grandes grupos de pessoas, como, por exemplo, que todos aceitem a obrigação de pagar seus impostos. Os líderes não são engenheiros das almas humanas, mas podem guiar nossas emoções. Os líderes perigosos são os que recorrem apenas à imposição. Os valiosos são os que usam a posição de comunicadores-chefes no centro de seu grupo em rede – eles obtêm influência moldando narrativas e ações. Todos os líderes acrescentam e refinam as narrativas que cabem dentro do sistema de crenças do grupo, mas os grandes líderes constroem um sistema inteiro de crenças.[28]

O exemplo mais recente de liderança que usa narrativas dentro de uma rede é o Estado Islâmico (ISIS). Os líderes reconheceram o poder das redes sociais para transmitir novas narrativas de grande poder. As narrativas de pertencimento unem jovens que antes se identificavam como suecos, marroquinos, belgas, tunisinos, australianos e muitos mais, numa nova identidade comum de Fiéis. As narrativas de obrigação recíproca os levaram a abraçar o comportamento brutal devido à pressão pelo apreço de seus pares. Novas proposições narrativas construíram uma cadeia causal dando propósito à obediência ao vincular o horrendo comportamento deles ao objetivo material de um "califado". Com uma ampla disponibilidade de carne de canhão e o dinheiro saudita, o ISIS se tornou rapidamente um ator importante no cenário mundial; desmantelado – como o fascismo – somente com uma força esmagadora. Como sistema de crenças, tem coerência interna e, assim, é estável; cada componente individual visto isoladamente é tão repulsivo que se cria um abismo entre o grupo e todos os outros, o que fortalece a identidade grupal.

O ISIS usava narrativas de maneira estratégica para devolver as sociedades ao século XII. Nossos líderes poderiam usá-las para fins melhores.

O ACRÉSCIMO DE OBRIGAÇÕES

Começamos com o deficit moral que se apresenta ao capitalismo moderno: uma sociedade pode dispensar a moral porque o interesse próprio nos levará ao nirvana da prosperidade de massa. "Ganância é bom" porque, quanto maior o apetite, maior o afinco com que as pessoas trabalharão e, assim, mais prósperos seremos todos nós. Já nos afastamos bastante dessa proposição. Somos seres *sociais*, nem *homem econômico* nem *santos altruístas*. Desejamos apreço e pertencimento, e estes escoram nossos valores morais. Temos no mundo seis desses valores em comum, nenhum deles gerado pela razão. O cuidado com o outro e a liberdade podem ser primitivos em termos evolucionários. A lealdade e a inviolabilidade podem ter evoluído como normas de sustentação do grupo; os membros as seguiam como normas e as interiorizavam como valores porque eram recompensados com o pertencimento. Analogamente, as normas da equidade e da hierarquia podem ter evoluído para manter a ordem no grupo, e a adoção delas é recompensada com o apreço.

Nossos valores são importantes porque as ações que eles exigem – nossas obrigações – prevalecem sobre nossas necessidades. Desse conjunto limitado de valores aprendemos, notadamente, como gerar obrigações de modo quase irrestrito, por meio de sistemas de crenças moldados por narrativas e respaldados por ações de sinalização. Esses sistemas de crenças podem ser construídos conscientemente por líderes que ocupam o centro das redes: na família, na empresa e na sociedade. Dependendo do conteúdo específico das narrativas, podem produzir comportamentos de grupo com diferenças notáveis, cada qual sustentado, em última instância, por nossos valores e anseios comuns.

Tudo isso é importante para as escolhas que hoje se apresentam a nossas sociedades. As ideologias nos acenam: todas as ideologias operam uma dissociação entre a moral e nossos valores comuns. Todas elas dão prioridade à razão, privilegiando um valor sobre os demais. Em decorrência disso, todas elas colidem inevitavelmente com alguns valores nossos e com as bases psicológicas em que se fundam. Se a busca do objetivo geral de cada uma delas corrói o pertencimento, não faz mal; se afunda algumas pessoas na humilhação, qual o problema? – todas as ideologias aceitam "danos colaterais" ou que "para fazer uma omelete é preciso quebrar ovos". Todas concordam que a razão é suprema, mas discordam sobre *qual* razão é essa. Isso garante que o caminho da ideologia leve a um conflito social insolúvel. É mais provável que as ideologias nos levem de volta à vida "sórdida, brutal e curta" do que nos conduzam às utopias que imaginam.

Os populistas também disputam nossa adesão. Enaltecem nossos valores e anseios, mas descartam os séculos de aprendizado social que se refletem em nosso raciocínio prático e em nossas instituições e ignoram nossa capacidade de construir reciprocidade. Eles também nos fazem retroceder.

Este livro propõe outro caminho: um capitalismo ético que atenda aos critérios fundados em nossos valores, refinados pelo raciocínio prático e reproduzidos pela própria sociedade. Essa frase enganosamente simples carrega uma vasta e controversa complexidade. Os ideólogos objetariam a "fundados em nossos valores"; os populistas objetariam a "refinados pelo raciocínio prático". E o que implica a expressão "reproduzidos pela própria sociedade"? *Não* me refiro à perfeição atemporal das utopias, seja a República de Platão, o paraíso dos marxistas ou o triunfalismo do "fim da história" – são ridículos. Por "reproduzidos", quero dizer apenas que as normas da sociedade não se autodestroem intrinsecamente. Na linguagem da ciência social, estamos procurando algo que seja *localmente* estável. A sociedade será atingida por choques periódicos: um choque natural como a mudança climática ou um choque intelectual como o surgimento de uma nova religião. Esses choques podem levar a sociedade a se afastar de seu equilíbrio local a ponto de passar para normas totalmente diferentes. Mas nossas normas não sucumbem ao peso de suas próprias contradições.

Agora temos um quadro coeso que nos mostra como o comportamento individual é moldado por obrigações, por que é importante, por que pode dar errado e como pode ser corrigido. Em suma, vou aplicar essas noções aos três tipos de grupo que dominam nossa vida: a família, a empresa e a sociedade. *Vou mostrar como os líderes desses grupos podem construir obrigações recíprocas que reconfigurem o capitalismo para que trabalhe não a contrapelo, e sim em consonância com os valores em comum.*

Minha ênfase nas obrigações recíprocas forma um contraste com o discurso político dominante, que reduz a moral a afirmações de pretensões e direitos individuais; as obrigações são transferidas para os governos. Todavia, para que uma pessoa tenha um direito, é preciso que outra tenha uma obrigação. Uma nova obrigação impõe uma mudança no comportamento que permita o exercício de um novo direito: um novo direito é vazio se não houver uma obrigação em contrapartida. É isso o que asseguram as obrigações recíprocas: cada novo direito vem acompanhado de sua nova obrigação.

Os direitos implicam deveres, mas os deveres não implicam necessariamente direitos. As obrigações dos pais para com os filhos vão muito além de seus direitos legais. E os deveres de resgate tampouco precisam vir acompanhados de direitos: se agimos perante uma criança se afogando num lago, não é por causa dos direitos dela, e sim pelo apuro em que se encontra. Uma sociedade que consegue gerar muitas obrigações pode ser mais generosa e harmoniosa do que uma sociedade que se baseia apenas em direitos. As obrigações estão para os direitos assim como a tributação está para os gastos públicos – e esse é o nó complicado. Os eleitorados ocidentais, de modo geral, já sabem que a discussão dos gastos públicos precisa pesar e equilibrar os benefícios e a maneira de custeá-los. Do contrário, os políticos prometem maiores gastos durante a eleição, e o descompasso entre receita e despesa após a eleição é resolvido pela inflação.[29] Assim como as novas obrigações são análogas a uma receita adicional, da mesma forma a criação de direitos é análoga a uma despesa adicional. Os direitos podem ser muito apropriados, mas isso só se consegue determinar com uma discussão pública das obrigações correspondentes.

Sem tal avaliação, o processo de extrair novos direitos de velhos textos é como imprimir dinheiro: os direitos individuais chovem como cédulas bancárias. A não ser que criemos novas obrigações que lhes façam frente, será preciso espremer de algum lugar algo para cobrir o deficit. Se as pessoas reclamarem do peso das obrigações que acompanham os novos direitos legais, aquelas outras obrigações que não vêm ligadas a direitos legais, como as convenções de reciprocidade e alguns deveres de resgate, podem sofrer sério desgaste.

O foco sobre os direitos tem privilegiado os advogados. Normalmente, os advogados partem de algum texto escrito, como uma lei ou um tratado, e tentam deduzir dele os direitos que podem estar ali implicados. Cada decisão se torna então um precedente para algum outro direito que possa estar ali implicado. Esse processo dos advogados especialistas de "descobrir" novos direitos implicados em velhos textos expõe as sociedades a um sorrateiro distanciamento entre o que esses advogados "descobrem" e o que a maioria das pessoas considera moralmente sensato. Num trivial exemplo britânico contemporâneo, um tribunal determinou que as escolas não podem mais usar as palavras "pai" e "mãe" porque isso infringe o direito recém-descoberto dos casais do mesmo sexo. Então, um novo direito criado por um juiz na intenção de beneficiar um punhado de pessoas destruiu narrativas fundamentais que auxiliam milhões de outras famílias na criação dos filhos. Ao infligir um dano tão grande em relação ao benefício, a ação judicial revelou a vitória da ideologia sobre o pragmatismo; as afirmações egoístas de direitos enfraquecem a consideração mútua.

Quando reconhecemos novas obrigações para com os outros, construímos sociedades mais capazes de florescer; quando negligenciamos as obrigações, fazemos o contrário. As sociedades capitalistas têm sofrido um processo de negligência, cujo sintoma central é o declínio da confiança social. O principal indicador do rumo que tomará a confiança nas próximas décadas é a mudança que ela já sofreu entre a juventude americana: os jovens de hoje serão os adultos de amanhã, e as tendências nos Estados Unidos vêm para a Europa. Entre os adolescentes americanos, a confiança caiu 40%.* Essa queda tem ocorrido em todas as classes sociais, mas é mais acentuada entre os pobres. Como diz Robert Putnam, isso revela não uma paranoia crescente, "mas as malévolas realidades sociais em que eles vivem".[30] Apesar da promessa de prosperidade, o que o capitalismo moderno tem trazido é agressão, humilhação e medo: a sociedade Rottweiler. Para cumprir a promessa, é preciso reconstruir nossa noção de consideração mútua. O pragmatismo nos diz que esse processo terá de ser guiado pelo contexto e pelo raciocínio baseado em evidências. É a isso que nos dirigimos.

---

* Mais especificamente, o período abrange os últimos 35 anos, em que as pesquisas perguntaram aos jovens se concordam com a afirmação "é possível confiar na maioria das pessoas".

3

O Estado ético

Os Estados que vinculam propósitos éticos a boas ideias têm realizado milagres. Minha geração cresceu num período assim, entre 1945 e 1970. Vivemos o rápido aumento da prosperidade, por obra de Estados que tinham o propósito de orientar o capitalismo em benefício da sociedade. Nem sempre foi assim, e agora tampouco é.

Como filho de pais que foram jovens adultos nos anos 1930, aprendi por vias indiretas como o Estado falhara fragorosamente. Através das histórias deles, entendi a tragédia do desemprego em massa. Faltara aos Estados – e às sociedades que eles refletiam – o senso de propósito ético para que vissem o pleno emprego como responsabilidade sua. Faltaram-lhes também as ideias que lhes mostrariam o que fazer a esse respeito. Em decorrência disso, geriram pessimamente o capitalismo. As ideologias do fascismo e do marxismo estavam à espera nos bastidores. Somente na Alemanha e na Itália um deles conseguiu assumir o controle, mas foi suficiente para desencadear um cataclismo global. Tardiamente, sob o choque dos milhões de vidas arruinadas, Estados e sociedades descobriram aquele senso de propósito. Nos Estados Unidos, Roosevelt assumiu a obrigação do Estado em fornecer empregos, com seu New Deal. Ele foi eleito porque as pessoas viram que o New Deal era ético. Vieram novas ideias: *Teoria geral do emprego, do juro e da moeda*, de Keynes, forneceu a análise para enfrentar o desemprego em massa. De início, porém, os governos não foram receptivos; o livro foi publicado em 1936, mas a saída da Depressão se deu porque o rearmamento veio a aumentar a demanda. Como disse Paul Krugman um tanto cáustico, a Segunda Guerra Mundial foi o maior pacote de incentivo econômico de toda a história. Mas, no pós-guerra, o livro de Keynes foi usado para manter o pleno emprego, vindo a se defasar gradualmente com o aumento da inflação nos anos 1970.

Os Estados falharam com seus respectivos povos nos anos 1930 e agora estão repetindo a mesma coisa. Atualmente, a palavra "capitalismo" desperta desprezo geral. Mas, por trás da palavra negativa, há as redes de mercados, regras e empresas que trouxeram tanto o milagre de 1945-1970 quanto a tragédia de 1929-1939. Minha geração perdeu a tragédia, viveu o milagre e, complacente, imaginou que a continuação do milagre era inevitável. A geração atual aprendeu que não era, não. As novas inquietações têm raízes no distanciamento econômico. Existe um divisor regional crescente entre a metrópole em expansão e as cidades interioranas em decadência; existe um divisor de classes crescente entre os que ocupam empregos prestigiosos que trazem realização pessoal e os que têm empregos sem qualquer futuro ou, simplesmente, não têm emprego nenhum.

O capitalismo gerou essas novas inquietações, tal como criara na Depressão dos anos 1930. Os Estados são necessários para sanar essas clivagens sociais criadas pela mudança estrutural. Mas, tal como nos anos 1930, os Estados – e as sociedades que eles refletem – têm sido lentos em reconhecer suas obrigações éticas de corrigir esses novos problemas, e assim, em vez de removê-los ainda em formação, permitem que eles cresçam e alcancem as proporções de uma crise. Os Estados não têm como ser mais éticos do que seus respectivos povos, mas podem reforçar as obrigações recíprocas e podem nos persuadir gradualmente a assumir novas obrigações. Mas, se um Estado tenta impor um conjunto de valores diferentes dos adotados pelos cidadãos, ele perde a confiança, e sua autoridade se corrói. Os limites éticos do Estado são impostos pelos limites éticos da sua sociedade. A atual ausência de propósito ético no Estado reflete um declínio no propósito ético em toda a sociedade: *como nossas sociedades ficaram mais divididas, sua disposição perante os que estão do outro lado do divisor tornou-se menos generosa.*

Assim como nos anos 1930, à ausência de propósito soma-se a ausência de um novo pensamento prático. Na Parte Três, tento preencher a falta de uma reflexão inovadora, apresentando abordagens práticas para sanar essas clivagens perniciosas. Mas, em primeiro lugar, precisamos tratar das falhas éticas do Estado e suas raízes nas mudanças éticas em nossas sociedades.

O SURGIMENTO DO ESTADO ÉTICO

O auge do *Estado ético* se deu nas duas primeiras décadas após a guerra. Os Estados criaram um leque inédito de obrigações recíprocas numa época grandiosa de finalidades éticas. A nova amplitude extraordinária das obrigações dos cidadãos entre si, a serem administradas pelo Estado, foi captada pelas hábeis narrativas do "do berço ao túmulo" e do "New Deal". Da assistência médica durante a gravidez às pensões na velhice, as pessoas, contribuindo com a previdência nacional gerida pelo Estado, protegiam-se mutuamente: a ética que guiava a social-democracia comunitária. Ela cobria o centro do espectro político. Nos Estados Unidos, foi o período do bipartidarismo no Congresso; na Alemanha, o da "economia social de mercado". Na Grã-Bretanha, o carro-chefe foi o Serviço Nacional de Saúde, concebido por um liberal numa aliança encabeçada por um conservador, implantado por um governo trabalhista e mantido por governos conservadores. Tanto na América do Norte quanto na Europa, por trás da poeira levantada pelas disputas políticas, entre 1945 e 1970 foram mínimas as divergências políticas entre os líderes dos principais partidos.*

Mas o que alicerçava os êxitos da social-democracia era uma herança tão óbvia que era dada por garantida. A saída da Depressão por meio da Segunda Guerra Mundial tinha sido muito mais do que um inadvertido pacote de incentivos: fora um imenso

---

* Usava-se o termo "Butskellismo" para caracterizar a equivalência de fundo entre o principal pensador do Partido Conservador, Rab Butler, e o líder do Partido Trabalhista, Hugh Gaitskell, nos anos 1950.

empenho conjunto em que os líderes tinham elaborado narrativas de pertencimento e de obrigação mútua. O legado foi a conversão de cada nação numa comunidade gigantesca, numa sociedade com um profundo senso de identidade comum, de obrigação e reciprocidade. As pessoas estavam prontas para acatar as narrativas social-democratas que vinculavam as ações individuais a consequências coletivas. Nas primeiras décadas do pós-guerra, os ricos aceitaram alíquotas de imposto de renda que ultrapassavam os 80%; os jovens concordaram com o serviço militar obrigatório; na Grã-Bretanha, até os criminosos acataram a restrição implícita necessária para que a força policial andasse desarmada. Isso permitiu uma enorme expansão do papel do Estado: a pauta social-democrata.

No entanto, o Estado social-democrata vinha sendo cada vez mais tomado pelas vanguardas utilitaristas e rawlsianas; o *Estado ético* se metamorfoseou no *Estado paternalista*. Isso não seria de grande importância se as novas vanguardas tivessem reconhecido que, a menos que houvesse uma renovação contínua da identidade em comum, esse legado extraordinário seria um mero ativo perecível e se dissiparia. Longe disso, fizeram o contrário. A vanguarda utilitarista era globalista, e os rawlsianos promoviam a identidade diferenciada dos grupos de vítimas. Aos poucos, a base para a pauta social-democrata se esgarçou e, chegando 2017, os eleitores das sociedades ocidentais haviam abandonado os partidos social-democratas; estavam em crise existencial.[1] Ao aplicarmos os conceitos apresentados no Capítulo 2, poderemos ver por que isso aconteceu.

O DECLÍNIO DO ESTADO ÉTICO: COMO AS SOCIEDADES SOCIAL-DEMOCRATAS SE ESGARÇARAM

O colapso da social-democracia decorreu de uma dupla praga: a erosão gradual da obrigação mútua colidiu com uma maior necessidade de sua presença, à medida que as mudanças na estrutura da economia deixavam um rastro crescente de vidas arruinadas. O tremendo crescimento econômico desse período veio ao preço de uma maior complexidade. Essa maior complexidade, por sua vez, demandava mais qualificações especializadas, e estas demandavam pessoas altamente instruídas, precipitando uma expansão sem precedentes do ensino superior. Essa mudança estrutural maciça teve repercussões na identidade.

Para entender por que esse coquetel se revelou fatídico para a social-democracia, vou esboçar um modelo. Um bom modelo parte de pressupostos simplificadores, mas não surpreendentes, e ainda assim ele chega a resultados que são surpreendentes. Idealmente, o modelo cristaliza algo que, a partir daí, parece óbvio, mas que não havíamos percebido até aquele momento. Normalmente, um modelo seria formulado numa série de equações, mas tentarei esboçar este em algumas frases.[2] Embora bastante simples, é preciso um pouco de paciência para entender como funciona. A recompensa, porém, é que ele é muito revelador. O modelo começa com um pouco de psicologia e então acrescenta um pouco de economia.

A psicologia é bem despojada, mas bem menos tosca do que a grotesca patologia do *homem econômico racional*. Esse homem morreu na Idade da Pedra, substituído (como vimos) pela *mulher social racional*, e para o comportamento dela baseio-me nas ideias da Economia da Identidade, campo inaugurado por George Akerlof e Rachel Kranton. Suponhamos que todos nós temos duas identidades objetivas: nosso emprego e nossa nacionalidade. A identidade é uma fonte de apreço, e cada uma dessas identidades gera um determinado grau de apreço. Para especificar o quanto cada uma delas gera, suponhamos que o apreço proveniente de um emprego reflete a renda associada a ele, e suponhamos que o apreço proveniente da nacionalidade reflete o prestígio da nação. Agora acrescentemos uma escolha: o *realce*. Embora essas identidades objetivas do trabalho e da nacionalidade escapem ao nosso controle, podemos *escolher* qual delas consideramos mais importante. A identidade que eu escolher realçar intensifica seu efeito sobre meu apreço. Imagine-se que é como uma carta que, dependendo da identidade que coloco nela, ela duplica o apreço gerado por essa minha identidade. Jogar essa carta de realce tem mais um efeito: divide-nos em dois novos grupos, os que dão realce ao trabalho e os que dão realce à nacionalidade. Ao escolher a identidade que realçarei, também escolho pertencer a um desses dois grupos. Recebo mais apreço por fazer parte desse grupo, dependendo do grau de apreço de que goza o grupo.

Juntando tudo isso, cada pessoa está recebendo quatro porções de apreço. Uma vem de nosso trabalho; outra vem de nossa nacionalidade; uma porção extra vem daquilo a que demos realce, e a porção final vem do pertencimento ao grupo que, tal como nós, escolheu realçar essa identidade. Para especificar melhor essa última porção, suponha-se que seja apenas o apreço médio de cada membro do grupo a partir das outras três porções. Assim, como decidimos a que identidade daremos realce?* É aqui que precisamos da economia: nossa *mulher social racional* obtém sua utilidade no apreço e a *maximiza*: é o que entendemos por "racional". Agora estamos prontos para aplicar esse pequeno modelo à história social do pós-guerra.

Após a Segunda Guerra Mundial, a desigualdade salarial é modesta e a nação tem prestígio, de modo que mesmo os trabalhadores mais bem remunerados maximizam sua utilidade a partir do apreço, escolhendo realçar sua nacionalidade e não o emprego. Se somarmos as quatro porções de apreço, veremos que sua distribuição pela sociedade é bastante semelhante. Todos estão recebendo o mesmo apreço por sua identidade nacional; como todos dão realce a ela, todos recebem a mesma porção dupla; como todos escolheram a mesma identidade a ser realçada, todos recebem o mesmo apreço em seu grupo de identidade realçada; assim, as únicas diferenças no apreço decorrem das modestas diferenças salariais.

Agora veja como esse desfecho feliz se esgarça. Com o tempo e com a complexidade crescente, é cada vez maior o número de pessoas que recebe uma boa instrução, um bom emprego condizente com ela e um bom salário condizente com sua maior produtividade. Em certo momento, os mais qualificados deixam de dar realce à

---

* É claro que também tomamos decisões sobre como satisfazer nossas "necessidades", mas podemos deixar isso de lado.

nacionalidade e passam a dá-lo à qualificação, pois dessa maneira maximizam o apreço por si.

Com isso, aquela porção final de apreço, gerada pela escolha da mesma identidade de realce com muitos outros, começa a se dissociar. Os que escolhem o emprego como identidade de realce recebem maior apreço por fazerem parte do grupo que dá o mesmo realce. Inversamente, os que continuam a realçar a nacionalidade perdem apreço.* Essa própria dissociação leva mais gente a mudar de escolha, passando a realçar o emprego em vez da nação. Até onde isso vai?

Pode parecer que todos acabam mudando sua escolha da identidade a que darão realce, e isso é possível. Mas uma alternativa mais provável é que os que têm empregos menos qualificados continuem a realçar sua nacionalidade. Quando comparamos esse final com o ponto de partida da sociedade, vemos que os qualificados, entre eles a vanguarda utilitarista, despiram-se de sua nacionalidade. Despindo-se dela, obtêm como resultado mais apreço do que tinham inicialmente. Em contraste, os menos qualificados que mantiveram o realce da nacionalidade perdem apreço; na medida em que os mais estimados se despiram dele, o pertencimento ao grupo que realça a nacionalidade rende menos apreço.

Como todos os modelos, este é dolorosamente reducionista. Mas, sem nos atolar num pântano de detalhes, de fato ele ajuda a explicar como e por que as costuras no tecido de nossa sociedade têm se esgarçado. Por toda ela, todos simplesmente maximizam seu próprio apreço. Mas, devido a mudanças estruturais na economia, abre-se uma clivagem. Os qualificados transferem sua identidade de realce para o trabalho. Alison Wolf, quando entrevistou Susan Chira, então editora internacional do *New York Times*, capturou uma expressão perfeita disso: a sra. Chira lhe disse que seu "trabalho traz realização, *está muito entrelaçado com a identidade*".[3] Enquanto isso, os menos instruídos, com menos motivos de entusiasmo no

---

* Isso não porque o orgulho pela nação diminui, mas porque a participação no grupo que realça a nacionalidade perdeu prestígio depois que os qualificados saíram dele.

trabalho, continuaram fiéis à sua nacionalidade, mas começaram a se sentir marginalizados.

Como os qualificados emproados recebem mais apreço do que os marginalizados, eles não hesitam em deixar claro aos outros que realmente adotam sua qualificação como identidade de realce. Agora, podemos usar uma percepção fundamental da Teoria da Sinalização de Michael Spence, que nos indica a maneira mais provável de fazerem isso. Para mostrar de forma convincente que decidi deixar a nação como minha identidade de realce, preciso fazer alguma coisa que, do contrário, não estaria disposto a fazer. Preciso depreciar a nação. Isso ajuda a explicar por que tantas vezes as elites sociais desdenham ativamente seu próprio país – estão em busca de apreço. Com isso, diferenciam-se decididamente de seus inferiores na hierarquia social. Visto que, ao deixarem de compartilhar a identidade de nação, eles reduzem o apreço dos demais que deixam para trás, não é de surpreender que despertem ressentimento. Imagino que parte disso há de soar familiar.

A nova classe de pessoas instruídas e qualificadas abrangia tanto as de direita, que haviam abraçado a ideologia libertária da liberdade a fim de ganhar com os talentos individuais, quanto as de esquerda, que haviam abraçado o utilitarismo ou os direitos rawlsianos. Esse segundo grupo não só se despiu da identidade nacional própria, como também incentivou outros a fazerem o mesmo. Pessoas com algumas características consideradas capazes de qualificá-las para a situação de vítimas foram incentivadas a abraçá-las como identidade de realce.

REPERCUSSÕES DA PERDA DE UMA IDENTIDADE COMUM

Esse esgarçamento de uma identidade comum teve repercussões sobre o funcionamento da sociedade. Quando as identidades se polarizaram em qualificação versus nacionalidade, a confiança nas pessoas no topo da sociedade começou a ruir.[4] Como se deu isso?

Retomemos a ideia central do Capítulo 2. A disposição em ajudar os outros é gerada pela combinação de três narrativas: o *pertencimento* a um mesmo grupo; *obrigações recíprocas* dentro do grupo; um vínculo entre uma ação e o bem-estar do grupo, que mostra que essa ação tem *propósito*. Por conseguinte, se a identidade comum se esgarça, desgasta-se a disposição dos favorecidos em aceitar que têm obrigações para com os menos favorecidos.

A base da generosidade, de modo geral, é a reciprocidade. Esse é o grande passo que nos leva da pouca força do altruísmo e dos deveres de resgate para a força muito maior da reciprocidade, que induz as pessoas a aceitarem alíquotas tributárias elevadas. Mas a reciprocidade enfrenta um problema de coordenação: se você concorda que a obrigação é recíproca, então estou disposto a concordar que tenho uma obrigação para com você, mas *como sei que você concorda com a obrigação?* E como você sabe que eu concordei? Como confiamos mutuamente que cumpriremos essas obrigações se for necessário?

Sabemos pela psicologia social experimental que a resposta é que precisamos de um conhecimento partilhado. Cada um de nós precisa saber que o outro sabe que concordamos com essa obrigação, "sabemos que sabemos que sabemos" ecoando repetidamente. É isso o que as narrativas comuns de pertencimento, obrigação e propósito, circulando num grupo em rede, constroem aos poucos. As ditas fronteiras de um pertencimento comum definem os limites da reciprocidade, e nossa consciência de estarmos conjuntamente expostos às narrativas reforça esse processo com uma percepção sobre os limites práticos do conhecimento comum. Como as narrativas são basicamente expressas na linguagem, há um limite superior natural nas dimensões do grupo que é difícil ultrapassar – uma linguagem em comum.[5] Mas não há um limite inferior correspondente: dentro de um grupo linguístico, as identidades podem ser altamente fragmentadas. As fissuras na identidade compartilhada enfraquecem o grupo específico ao qual se aplica a reciprocidade, bem como a exequibilidade prática das obrigações recíprocas entre grupos separados.

Não há muitas dúvidas de que nossas sociedades realmente se polarizaram entre os mais bem remunerados, que abriram mão da identidade nacional em favor do emprego e os que se encontram mais abaixo na escala social, que continuam fiéis a ela. E, depois de Trump, Brexit e Le Pen, tampouco há muitas dúvidas de que esses dois grupos estão conscientes de tal polarização.

Resumindo: a parte da população instruída e qualificada tende a abandonar a nacionalidade como identidade principal, deixando os menos favorecidos ligados ao menor status dessa identidade. Isso, por sua vez, reduz o senso de obrigação que os favorecidos sentem em relação aos menos favorecidos, e isso, por sua vez, desgasta a narrativa construída desde 1945, qual seja, que os prósperos estariam dispostos a pagar impostos redistributivos elevados para ajudar os pobres. Isso é, no mínimo, coerente com a queda substancial nas alíquotas tributárias mais elevadas após 1970.

Agora estamos prontos para dar mais um passo: a parte menos favorecida da população reconhece esse enfraquecimento do senso de obrigação entre os favorecidos. Afinal, seria muito difícil deixar de notá-lo, e realmente é algo que faz diferença para a parcela mais pobre da população. Neste caso, seria provável que isso tivesse algum impacto no grau de confiança das pessoas comuns em seus "superiores"? Só de se formular a pergunta, a resposta já se faz evidente: a confiança diminuiria. Se os instruídos se consideram diferentes dos menos instruídos e com menor responsabilidade para com eles, esses outros seriam tolos em continuar a confiar naqueles da mesma maneira que confiavam antes, quando sabiam que todos compartilhavam a mesma identidade de realce. Confiamos nas pessoas se nos consideramos capazes de prever como elas se comportarão. Temos mais confiança em nossas previsões quando podemos empregar com segurança as técnicas de uma "teoria da mente": prevejo seu comportamento imaginando como eu me comportaria se estivesse em seu lugar. Mas a utilização dessa técnica só é confiável na medida em que me sinto seguro de que compartilhamos o mesmo sistema de crenças. Se temos sistemas de crenças radicalmente diferentes, não consigo me pôr em seu lugar porque não habito o mundo mental que molda seu comportamento. Não posso confiar em você.

A vanguarda utilitarista chegou até mesmo a desenvolver uma teoria que antevia a queda da confiança e propunha formas de evitá-la. Henry Sidgwick, professor de Filosofia Moral em Cambridge e fervoroso seguidor de Bentham, defendia a solução de que a vanguarda dominante devia ocultar seu verdadeiro propósito ao resto da população. O engano permitiria evitar a queda na confiança.*
Evidentemente, a grande diminuição na confiança desde os anos 1970 foi reforçada pela demonstração de incapacidade da vanguarda em implantar políticas públicas que corrigissem as novas clivagens. Mas, como sugere a proposição risivelmente autoanuladora de Sidgwick, as raízes do problema são muito mais fundas do que esse mero fracasso nos resultados.

O esgarçamento da social-democracia não se encerra com a diminuição de confiança. O próximo degrau escada abaixo consiste nas implicações da queda de confiança para a capacidade de cooperar. Numa sociedade complexa, há uma infinidade de interrelações que dependem da confiança. Assim, quando a confiança cai, a cooperação começa a se esfiapar. As pessoas começam a confiar mais nos mecanismos legais para a imposição de uma boa conduta (o que é uma boa notícia para os advogados, mas não necessariamente para os demais de nós). Conforme se enfraquece o senso de obrigação por parte dos qualificados para com seus concidadãos, pois não comungam mais a mesma identidade de realce, o comportamento se torna mais oportunista. Os qualificados chegam a ver o resto da população como "otários" e se orgulham de sua habilidade em depenar os trouxas. Há e-mails revelando que esse sentimento circulava nos escalões mais altos das empresas financeiras. O modelo de negócios de Wall Street nos anos que precederam a crise financeira, como bem mostrou Joseph Stiglitz, era "encontrar otários". Evidentemente, isso amplifica as forças econômicas estruturais subjacentes na sociedade que aumentam a desigualdade.

---

* Um professor posterior de Cambridge, Bernard Williams, submeteu essa proposição a uma crítica devastadora, chamando-a de utilitarismo "do Palácio do Governo".

POR QUE ESTAMOS CANSADOS DA IDENTIDADE NACIONAL EM COMUM

As pessoas estão cansadas de realçar a identidade nacional, o que é compreensível: o nacionalismo levou a algumas coisas realmente medonhas. Todas as identidades definem implicitamente as características por exclusão, mas isso se torna muito pernicioso se as características para a exclusão não são apenas implícitas, e sim explícitas e hostis: "nós" somos definidos como "não eles", e "eles" se convertem em objeto de ódio – desejamos-lhes mal. Tais identidades são opositoras. Em alguns contextos, as identidades por oposição podem ser de fato saudáveis. Times esportivos, por exemplo, melhoram o desempenho se tiverem a noção clara de um rival, e o mesmo se dá com muitas empresas. Essa concorrência beneficia a todos nós, instigando as pessoas a se esforçarem mais – este é um dos benefícios subestimados do capitalismo. Mas, em termos históricos, as formas mais prejudiciais de identidade por oposição são as identidades de grandes grupos, como a etnicidade, a religião e a nacionalidade. Levam a *pogroms*, à *jihad* e a guerras mundiais.

Poucas sociedades sofreram mais do que a Alemanha com essas identidades oposicionistas. No século XVII, a Guerra dos Trinta Anos, entre católicos e protestantes, devastou brutalmente uma sociedade que até então fora próspera. A guerra terminou com a Paz da Westfália, que, na essência, transferia o realce identitário da religião para a nacionalidade. De fato restaurou a paz, mas por fim levou a Alemanha ao inferno do nacional-socialismo, do Holocausto, da guerra mundial e da derrota. Não admira que agora a maioria dos alemães queira uma identidade mais ampla e, assim, são entusiásticos europeus.

Mas a Europa não é apenas uma extensão de terra sobre a qual se pode implantar uma comunidade política. Como vimos, a comunidade política tem mais condições de funcionar se as unidades do poder político coincidem com a identidade comum. Se não coincidem, ou a identidade precisa se ajustar ao poder ou o poder precisa se ajustar à identidade. Em todas as sociedades modernas, o poder político depende de um grau muito modesto de coerção e de um grau elevado de aceitação voluntária. A aceitação voluntária nos reconduz ao senso de obrigação que converte o poder em autoridade. Sem esse senso de obrigação, o poder tem apenas três opções. Uma é forçar as pessoas a obedecer usando uma efetiva coerção – a opção da Coreia do Norte. A segunda é tentar essa opção, mas para provocar uma reação violenta organizada contra o Estado – a opção da Síria. A terceira é que o poder reconheça suas limitações e opere apenas teatralmente: o poder emite ordens que sabe que serão ignoradas, e os que recebem as ordens encontram algum meio de não as cumprir sem causar muito escândalo. Tem sido esta a experiência da Comissão Europeia na tentativa de que suas metas de disciplina fiscal sejam acatadas; somente os finlandeses nunca as transgrediram.

As pessoas nas sociedades prósperas modernas cresceram com o poder já transformado em autoridade e, assim, tomam essa questão como garantida. Após ter trabalhado minha vida inteira em sociedades que lutam para conseguir essa transformação, vim a entender que é algo valioso, complicado e potencialmente precário. A construção da Europa como comunidade política depende da construção de uma nova e ampla identidade, mas este é um empreendimento de extrema dificuldade. É muito complicado organizar o empenho coletivo em tal escala, e o veículo para as narrativas de identidade e de obrigação – a linguagem – é, ele mesmo, altamente diversificado: a Europa não tem uma língua comum.* Potencialmente, a tentativa de transferir a autoridade para uma entidade central com a qual poucos se identificam retira autoridade ao poder, abrindo espaço para a fragmentação em identidades regionais e para a queda no individualismo: o inferno do *homem econômico*.

---

* O objetivo da rede das Escolas Europeias era construir uma nova identidade europeia, pelo menos entre os estudantes de elite. Mas pesquisas recentes sugerem que os estudantes são tão doutrinados com a ideologia de que a identidade europeia é sinônimo de cosmopolitismo liberal que passam a pensar que os que discordam não são europeus propriamente ditos. Longe de construir uma identidade em comum, é mais um processo de distanciamento da elite em relação às identidades de suas próprias sociedades.

Com efeito, em vez de construir identidades mais amplas, muitos estão se retraindo para identidades menores. Depois de mais de quinhentos anos sendo espanhóis além de catalães, muitos catalães agora querem se retrair e ser apenas catalães. Depois de mais de trezentos anos sendo britânicos além de escoceses, muitos escoceses agora querem se retrair e ser apenas escoceses – em vez do "nós" grande, o "nós" pequenino. Depois de mais de cento e cinquenta anos sendo italiana, a Liga Norte gostaria de se retrair e ser apenas "do Norte". Depois de mais de cinquenta anos sendo iugoslavos, os eslovenos de fato concretizaram o sonho da secessão: as consequências para os outros iugoslavos foram catastróficas. No momento em que escrevo, os catalães estão inspirando as regiões meridionais do Brasil a buscarem a secessão. E, o mais espantoso, Biafra está de volta. O movimento separatista que levou, cinquenta anos atrás, a uma guerra sangrenta na Nigéria volta a se agitar. Todas essas secessões aparentemente distintas têm uma coisa em comum: *são regiões ricas tentando escapar às obrigações para com o resto do país*. A Catalunha é a região mais rica das dezessete regiões que compõem a Espanha e reclama de pagar impostos para regiões mais pobres. O slogan de campanha do Partido Nacionalista escocês tem sido faz tempo "é petróleo da Escócia" (isso a despeito do fato de que o petróleo, na verdade, está situado a grande distância no Mar do Norte). A Itália setentrional é a parte mais rica do país, e a narrativa separatista indica ressentidamente as transferências fiscais para regiões mais pobres. Adivinhe qual é a região mais rica da Iugoslávia? Adivinhe quais as três regiões mais ricas do Brasil? Adivinhe onde fica o petróleo na Nigéria? Por trás das empoladas narrativas sobre o direito à autodeterminação, esses movimentos políticos são manifestações do esgarçamento do Estado social-democrata: o ressentimento contra as obrigações recíprocas construídas por uma ampla identidade comum. Tanto quanto o capitalismo, eles justificam os epítetos de ganância e egoísmo. Se até agora têm escapado a tais epítetos, isso é mérito não de seus objetivos, e sim dos encarregados de suas relações públicas.

Precisamos de amplas identidades comuns, mas o nacionalismo não é a maneira para construí-las. Pelo contrário, o nacionalismo está sendo usado pelos políticos populistas para construir uma base de apoio com narrativas de ódio contra outras pessoas que moram no mesmo país. A estratégia toda é construir uma coesão dentro de uma parte da sociedade, criando rupturas com outras partes da sociedade. As identidades oposicionistas resultantes são letais para a generosidade, a confiança e a cooperação. É isso o que os instruídos rejeitam, e têm razão nesse aspecto. Mas, atualmente, eles não oferecem nenhuma base alternativa para uma identidade comum. Com efeito, os instruídos dizem que não se identificam mais com os cidadãos menos instruídos. Pelo contrário: aplicando princípios utilitaristas, não fazem distinção entre os concidadãos menos instruídos e os estrangeiros. Visto que as obrigações dotadas de poder – as que são recíprocas – derivam somente de uma identidade comum, a implicação é que eles não têm com os concidadãos que não pertencem à elite uma obrigação maior do que com os estrangeiros que moram em qualquer lugar do mundo.

Novos dados de pesquisa nos permitem ver esse processo de erosão em andamento. Na Grã-Bretanha, a atual suposição da mídia é que os mais jovens têm perante os pobres dentro da sociedade uma disposição mais generosa do que a de seus pais. Num amplo levantamento randômico conduzido em 2017, pedia-se às pessoas que escolhessem entre duas proposições contrárias. Uma era: "A obrigação das pessoas de pagar seus impostos é mais importante daquilo que sua riqueza pessoal". A contraposição era: "As pessoas são recompensadas por trabalharem muito ao manter uma parte maior daquilo que recebem". Ao contrário do mito na mídia – mas em plena consonância com a teoria da identidade comum como um ativo perecível –, o grupo etário acima dos 35 anos endossou a obrigação de pagar impostos, enquanto o grupo na faixa dos 18 aos 34 anos se mostrou mais atraído para a ética individualista de manter seus proventos para si.[6]

Conforme a disposição de acatar se desgasta, os direitos deixam de ser atendidos, e a confiança no governo diminui. Esta é a forte tendência que percorre as sociedades ocidentais. Em termos práticos, a mudança na estrutura das obrigações, desde a reciprocidade dentro da sociedade às obrigações globais não recíprocas – ou do cidadão nacional ao "cidadão do mundo" –, pode significar uma de três coisas radicalmente distintas. Talvez você possa se perguntar qual delas se aplica a seu caso.

Uma possibilidade é que você mantenha perante os mais pobres a mesma generosidade da geração que construiu, entre 1945 e 1970, o sistema tributário nacional que tinha como pressuposto uma identidade nacional comum, mas agora você quer definir os pobres em termos globais, em vez de nacionais. Isso traz enormes implicações. Na média, em todas as economias modernas avançadas, cerca de 40% da renda são recolhidos em impostos e redistribuídos de várias formas, tal como transferências diretas para os mais pobres, gastos sociais que beneficiam desproporcionalmente os mais pobres, despesas em infraestrutura que beneficiam quase todos. Assim, você aceita de bom grado que 40% da renda do país sejam recolhidos em impostos, mas agora quer que sejam distribuídos em âmbito global, e não nacional: você não vê nada de especial em suas obrigações para com seus concidadãos. Em vista das desigualdades globais, isso geraria um aumento maciço no fluxo de ajuda aos países pobres; uma grande proporção dos 40% da renda recolhidos em impostos seria enviada para esses países. O corolário desse redirecionamento da tributação para os pobres do mundo seria que os pobres dentro da nação ficariam numa condição radicalmente pior. Você pode achar que, do ponto de vista moral, isso não vem ao caso – as necessidades deles são menores do que as das pessoas que agora você anda vendo –, mas eles teriam razão em se sentir alarmados.

Uma segunda possibilidade é que você continue tão generoso quanto as gerações anteriores em relação aos concidadãos, mas agora quer estender o mesmo grau de generosidade para todo o mundo. Aqui a implicação é mais drástica: a tributação terá de aumentar maciçamente. A renda líquida dos qualificados, após a dedução dos impostos, precisará cair substancialmente para manter o nível de generosidade com os concidadãos e estender a mesma liberalidade à população mundial. Não é algo que um país consiga fazer sozinho, visto que uma boa parte de sua população qualificada migraria, deixando os concidadãos mais pobres numa situação ainda pior. É uma política do coração sem cérebro.

A terceira possibilidade é que o verdadeiro sentido na mudança do realce em sua identidade não consiste num aumento significativo de seu senso de obrigação para com as pessoas de todo o mundo, e sim que você reduziu seu senso de obrigação para com os concidadãos. Neste caso, você está na feliz posição de se livrar do problema. Pode-se reduzir a tributação porque aquele inconveniente "você deveria" que o impelia à generosidade foi silenciado: "Você pode ficar com o que recebe". Eles – seus concidadãos mais pobres – ficarão em situação pior. É uma política do cérebro sem coração.

O desdém dos instruídos pela identidade nacional força o caminho para a superioridade moral: *nós* nos importamos com todos; *vocês* são deploráveis. Mas essa pretensão de superioridade moral é realmente justificada? Avance uma geração e imagine que a nova identidade de "cidadão do mundo" já se consolidou o suficiente para vir plenamente refletida na política pública.[7] As políticas tributárias baseadas na identidade nacional foram suplantadas. Qual dessas três interpretações do "cidadão do mundo", acima expostas, parece a mais provável de prevalecer? Creio que o mais provável é que haja alguma composição entre a primeira e a terceira: uma generosidade um pouco maior em relação aos pobres do mundo será mais do que compensada por uma generosidade bem menor em relação aos pobres da nação.

O IMPASSE

Atualmente, as sociedades prósperas modernas enfrentam um impasse. O fato puro e simples é que o âmbito da política pública é inevitavelmente *espacial*. Os processos políticos que autorizam a política pública são espaciais: as eleições nacionais e locais geram representantes com autoridade sobre um território. E as próprias políticas têm, ao fim e ao cabo, uma aplicação espacial: o ensino e a assistência médica têm uma área de cobertura; a infraestrutura é espacialmente específica; os impostos e os benefícios são administrados espacialmente. Não podemos nos afastar deste fato: *nossas comunidades políticas* são espaciais. Na verdade, são predominantemente *nacionais*. Mas nossas identidades e as redes sociais que lhes dão sustentação vêm se tornando cada vez menos espaciais.

A era social-democrata de 1945 a 1970 se construiu sobre a excepcional história que expandiu nosso sentimento de comunidade, que passou a abranger países inteiros. Nossas identidades espaciais e redes sociais já encolheram devido ao divisor da qualificação, que surgiu em decorrência da complexidade crescente. Agora, o que começamos a vivenciar é mais uma onda de ataques contra a identidade espacial comum, à medida que se instauram as mudanças comportamentais decorrentes dos smartphones e das mídias sociais. Os smartphones estão na ponta extrema do individualismo – a selfie postada indiscriminadamente para os "amigos" na esperança de atrair uma enorme quantidade de "curtidas". Vemos o definhamento da comunidade espacial e, na verdade, vivemos isso quando nos sentamos em espaços públicos, como trens e cafés, cercados por gente próxima a nós mas que nem vemos, pois ficamos espiando a tela de nossos celulares. O espaço nos une por meio de políticas públicas, mas não está mais nos unindo socialmente. Ele está sob a dupla investida dos sucedâneos de comunidades, que são as câmaras de eco digitais, e de um retraimento mais radical, passando da interação direta para o isolamento de um ansioso narcisismo. Minha previsão é que, a menos que haja uma reversão desse distanciamento entre nossas comunidades políticas e nossos vínculos, nossas sociedades vão se degenerar, tornando-se menos generosas, menos confiantes e menos cooperativas. Essas tendências já estão em andamento.

Em princípio, poderíamos reformular nossas unidades políticas em moldes não espaciais. É de se presumir que alguns *tecnogeeks* do Vale do Silício já vislumbrem esse futuro: a comunidade política na qual cada indivíduo tem a livre escolha de entrar ou sair, onde quer que esteja morando. Cada uma delas teria sua moeda – cada qual com seu bitcoin. Cada uma teria suas próprias alíquotas tributárias, seus benefícios de assistência pública, seu atendimento à saúde; existem projetos de ilhas flutuantes fora de qualquer jurisdição nacional. Parece atraente? Em caso afirmativo, tente pensar no que seria mais provável acontecer. Os ricos certamente escolheriam entrar naquelas entidades políticas artificiais que oferecessem alíquotas tributárias baixas. Os bilionários já vivem fazendo isso, separando o local jurídico de suas empresas do local onde recebem seus rendimentos, enquanto eles mesmos vão para Mônaco. Os doentes, por sua vez, optariam por fazer parte de entidades com generosa assistência médica, que certamente descumpririam suas responsabilidades inexequíveis.

A unidade política não espacial é uma fantasia, de modo que a única opção real é reviver os vínculos espaciais. Infelizmente, visto que a unidade mais prática para a maioria das comunidades políticas é nacional, precisamos de um senso de identidade nacional comum. Mas sabemos que as identidades nacionais podem ser perniciosas. Será possível criar vínculos que sejam suficientes para uma comunidade política viável, mas que não sejam perigosos? Esta é a pergunta principal que precisa ser tratada na ciência social. Da resposta depende o futuro de nossas sociedades.

Os nacionalistas quase chegaram a se apossar da noção de identidade nacional como propriedade intelectual deles. Com efeito, parecem pensar que fazem parte de uma tradição contínua de identidade nacional, mas não é verdade. Em muitas sociedades, a identidade nacional tradicional era genuinamente inclusiva, abrangendo todos na sociedade. Wittgenstein, judeu austríaco que morava na Inglaterra, reconheceu sua clara obrigação de voltar à Áustria para lutar por seu país na Primeira Guerra Mundial. Em contraste com essa forma tradicional de nacionalismo, os novos nacionalistas querem definir a identidade nacional por critérios como a etnicidade ou a religião. Essa variante do nacionalismo é relativamente recente, herdeira do fascismo, e essa nova definição da identidade nacional excluiria milhões de indivíduos que são cidadãos vivendo na mesma sociedade. Os novos nacionalistas não só pretendem muito explicitamente dividir a sociedade num "nós" e num "eles", como também provocam mais uma divisão dentro do "nós" definido por eles mesmos, devido às inúmeras pessoas a quem ofendem. A ascensão dos novos nacionalistas divide amargamente a sociedade. Marine Le Pen não uniu a França: dividiu-a, com dois terços contra ela; Donald Trump polarizou profundamente a sociedade americana. Assim, tal nacionalismo não é sequer uma forma viável de restaurar a perda da identidade comum, que lhe dá impulso; pelo contrário, ele destruiria qualquer perspectiva nesse sentido. Isso, por sua vez, corroeria a confiança e a cooperação propiciada por ela, e a mútua consideração e a generosidade advindas dela.

O outro grupo, os "cidadãos do mundo" instruídos, está abandonando sua identidade nacional. Dedicam-se aos prazeres de sinalizar sua superioridade social, persuadindo a si mesmos de que esse comportamento egoísta indica uma elevação moral. A inescapável conclusão é que esses dois grupos de cidadãos de importância recente ameaçam destruir a identidade comum construída a tão imensos custos.

Precisamos sair desse impasse. Na expressiva imagem de Wittgenstein, que viu muitas pessoas presas em ideias confusas, precisamos mostrar à mosca a saída da garrafa.

Entra o patriotismo.

PERTENCIMENTO, LUGAR E PATRIOTISMO

Para funcionar de uma maneira que todos floresçam, uma sociedade precisa de um sólido senso de identidade comum. A questão pertinente não é se isso é verdade; os que negam a coesão são tão tolos quanto os que negam a mudança climática. Demonstra-o o sucesso da Dinamarca, da Noruega, da Islândia e da Finlândia, os países mais felizes do mundo, e do Butão, o país mais feliz da Ásia. Mas, infelizmente, esses cinco países constroem a coesão social com uma estratégia que não está disponível para a maioria das demais sociedades. Construíram uma identidade comum em torno de uma cultura comum muito característica. Duvido que o conteúdo efetivo dessa cultura tenha especial importância: o *hygge* e os mosteiros budistas pouco têm em comum. Mas as sociedades, em sua maioria, sempre foram – ou agora passaram a ser – diversificadas demais em termos culturais para que essa fosse uma opção viável. Em vez de deplorar esse aspecto de nossas sociedades, precisamos elaborar uma estratégia viável para reconstruir a identidade comum que seja compatível com a modernidade.

Os métodos do passado que conseguiram construir uma identidade comum num país inteiro não têm mais serventia. Na Britânia pré-histórica, a identidade comum talvez tenha sido construída pelo enorme esforço conjunto de Stonehenge – "um empreendimento unificador que refletia a visão de uma só cultura insular".[8] Na Inglaterra do século XIV, tal identidade foi construída pela guerra com a França, fundindo um amálgama radicalmente improvável: normandos; anglo-saxões, cujos líderes tinham sido massacrados pelos normandos; vikings, que tinham massacrado os anglo-saxões; britões, cuja cultura fora extirpada com a tomada dos anglo-saxões. Na Europa oitocentista, ela foi construída pelo mito da pureza étnica. Nos meados do século XX, foi construída pela guerra e sustentada por idiossincrasias culturais; os americanos tinham o beisebol; os ingleses, o chá; os alemães, a salsicha com cerveja. Conforme nossas sociedades se tornaram multiculturais, até o beisebol, o chá e a salsicha com cerveja vêm perdendo cor: nenhuma dessas abordagens seria muito capaz de nos fornecer uma estratégia robusta.

Uma estratégia que parece atraente é construir a identidade comum em torno de valores comuns. Essa abordagem goza de popularidade porque todos acreditam em seus valores e supõem que são os corretos para servir de base a uma identidade comum. O problema é que se encontra uma variedade assombrosa de valores em qualquer sociedade moderna; esta é uma das características definidoras da modernidade. Se exigirmos valores comuns, terminaremos com algo tremendamente exclusionista: "Se você não compartilha nossos valores, caia fora daqui". Donald Trump e Bernie Sanders são ambos americanos, mas desafio você a encontrar *um* valor que tenham em comum e que diferencie os Estados Unidos das outras nações. Poderíamos colocar o mesmo desafio – com as devidas substituições dos líderes políticos – para a maioria das sociedades ocidentais. Os únicos valores a que todos aderem numa sociedade são tão mínimos que não bastam para diferenciar um determinado país de muitos outros e, assim, não definem um campo viável em que se poderiam construir obrigações recíprocas.

À medida que a identidade nacional se tornou antiquada, a identidade de valores se intensificou, e o resultado não é simpático. Ela tem se reforçado porque temos mais facilidade em limitar nossas interações sociais àqueles com quem concordamos – o fenômeno da "câmara de eco". Longe de ser uma via para a coesão social, essas câmaras de eco baseadas em valores estão fraturando as sociedades ocidentais. O nível de insultos, humilhações e ameaças de violência – em suma, de ódio – que se encontram nas redes com base nos valores agora provavelmente ultrapassa as ofensas étnicas e religiosas.

Assim, se os valores como critério para uma identidade comum batem nos mesmos obstáculos da etnicidade e da religião, haverá mais alguma coisa? Não deveríamos, em vez disso, viabilizar a pauta dos "cidadãos do mundo", dissolvendo as nações e transferindo o poder político para as Nações Unidas? Na verdade, como indica o próprio nome de *Nações* Unidas, a organização pressupõe que as unidades constitutivas da autoridade política são as nações, não os indivíduos, pela evidente razão de que, na maioria das sociedades, a nação é a maior entidade efetiva viável de identidade comum. Se o poder político se concentrasse em nível mundial, as pessoas dificilmente acatariam suas decisões: o poder não se converteria em autoridade. O governo mundial seria uma espécie de versão global da Somália.

A resposta para uma identidade viável e inclusiva está diante de nós. É um senso de *pertencimento ao lugar*. Por que, por exemplo, vejo-me como um yorkshiriano? Sim, gosto dos valores de Yorkshire: linguagem direta e despretensão. Mas não é bem isso. Pouco tempo atrás, eu estava num programa matinal na rádio com a baronesa Sayeeda Warsi, a primeira muçulmana a ocupar um ministério no governo britânico. Era a primeira vez que nos víamos, e uma conversa na rádio em que devíamos falar sobre nossos novos livros não era uma ocasião muito propícia para criar naturalmente vínculos. Mesmo assim, logo me senti à vontade com ela: crescera em Bradford e falava com a maravilhosa pronúncia com que eu também fora criado e que me fora removida depois de meio século em Oxford. Assim, imagino que me senti mais à vontade com ela do que ela comigo. Mas, na essência, compartilhávamos aquele senso de pertencimento ao mesmo lugar, com seus pequenos indicadores de pronúncia e vocabulário; notei que nós dois pedimos que nosso chá na BBC fosse "misturado", não "fervido".

Podemos situar esses pequenos episódios num quadro de considerável generalidade. As pessoas têm uma necessidade fundamental de *pertencer*. As dimensões principais do pertencimento são *quem?* e *onde?* As duas se estabelecem na infância e geralmente duram por toda a vida. Respondemos a *quem?* identificando algum grupo – é nisso que a economia da identidade tem se concentrado até o momento; respondemos a *onde?* identificando algum lugar como *lar*. Pergunte a si mesmo o que você entende por *lar*. Para a maioria das pessoas, significa o lugar onde cresceu.

O conceito mais viável de nacionalismo disponível para a modernidade está na criação de um vínculo entre as pessoas com um senso de pertencimento ao mesmo lugar. O lugar tem várias camadas, como uma cebola. O centro é nosso lar; mas boa parte da identidade que atribuímos a nosso lar é a região ou cidade onde ele está situado. Analogamente, a cidade deriva grande parte de seu sentido do campo, e na Europa uma parte do senso de pertencimento abrange a União Europeia. A população do país típico terá aparência variada e valores diversos: mas compartilhará a localização de seus lares. Será suficiente?

Uma razão para termos esperança de uma resposta afirmativa é que a identidade baseada no lugar é uma das características que a evolução imprimiu profundamente em nossa psique. Não é um dos valores adquiridos relativamente recentes, adicionados pela linguagem. Além de ser profundamente entranhada, a identidade baseada no lugar é poderosa. Um conceito-padrão nos estudos de conflitos é a proporção entre atacantes e defensores necessária para que os atacantes vençam. É claro que isso é afetado pela tecnologia militar, mas, de modo geral, ao longo da história do conflito humano, os defensores lutam com mais garra do que os atacantes e, assim, a proporção necessária é de cerca de três atacantes para um defensor. Um dado muito surpreendente é que essa proporção é a mesma em várias espécies diferentes. Rastreando essas espécies na árvore evolucionária, a territorialidade parece ter se implantado por volta de 4 milhões de anos atrás.[9] O instinto de defender o território tem raízes muito profundas; estamos ligados a uma noção de lar.

Assim, devido à herança genética de nossas "paixões", temos um forte senso de pertencer ao lugar. Mas, como vimos no Capítulo 2, os valores adquiridos, gerados pelas narrativas, também são importantes. As narrativas ajudam a memória, permitindo-nos ler nosso lugar não só como um retrato de seu estado atual, mas como uma evolução: o apego à nossa cidade como é agora aumenta ao entendermos as camadas de transformação pelas quais ela se tornou o que é. Essas memórias são de conhecimento comum a todos os que crescem na cidade; reforçam nossa identidade comum.

Todavia, há décadas os políticos *mainstream* têm evitado deliberadamente as narrativas de pertencimento. Na verdade, têm-nas criticado vigorosamente. Nossos políticos estão no centro das redes sociais nacionais, são nossos comunicadores-chefes. Ao desgastar ativamente o senso de pertencimento comum, aceleram a decadência das obrigações recíprocas das quais depende nosso bem-estar. Suas narrativas éticas são maciçamente utilitaristas ou rawlsianas, e eles se consideram no topo do *Estado paternalista*. As narrativas de pertencimento a seu país ficaram entregues, por omissão, aos nacionalistas, que as sequestraram para sua própria pauta divisionista e, nesse processo, o *Estado ético* definhou.

Em 2017, o presidente Macron, da França, rompeu esse padrão de descaso. Inaugurou um vocabulário que diferencia duas formas de identidade cobrindo a nação: o nacionalismo e o *patriotismo*, descrevendo-se como patriota, mas não nacionalista. As narrativas do patriotismo, definido como pertencimento a um território comum, podem ser usadas tanto para tomar de volta o pertencimento sequestrado pelos nacionalistas quanto para restaurá-lo como elemento central na identidade das pessoas. Uma nova pesquisa realizada entre a população britânica fornece outros dados que confirmam a viabilidade dessa estratégia. A pesquisa examinou as associações que a palavra "patriotismo" despertava entre a população, comparando-a a vários outros conceitos políticos.[10] Os resultados são extremamente encorajadores: as quatro principais associações com "patriotismo" são "atraente", "inspirador", "causa satisfação" e "fala ao coração". Nisso, ele contrasta com *todas* as ideologias examinadas no levantamento. Um dado muito marcante é que o "patriotismo" obtém essas reações favoráveis em todas as faixas etárias e entre pessoas agrupadas em suas preferências sociais e políticas que, tirando isso, são desconcertantemente divergentes.

O patriotismo também se distingue claramente do nacionalismo no tipo de relação que as nações mantêm entre si. O discurso usado pelos nacionalistas, alardeando que colocam seu país "acima de tudo", retrata as relações internacionais como um jogo de soma zero, em que o vencedor é quem for mais inflexível. O patriotismo, tal como exemplificado pelo presidente Macron, promove um discurso de cooperação em benefício mútuo. Ele está procurando muito explicitamente construir novos compromissos recíprocos dentro da Europa nas questões econômicas, dentro da OTAN quanto à segurança do Sahel, e globalmente quanto à mudança climática. Ainda assim, Macron está trabalhando pelos interesses da França. Quando uma empresa italiana tentou comprar o estaleiro mais importante da nação, ele interveio para garantir a proteção dos interesses franceses: Macron não é um utilitarista. Mas o fundamental é que o patriotismo, em contraste com o nacionalismo, não é agressivo.

Como ocorre com todas as narrativas, se as ações não forem coerentes com elas, as narrativas de pertencimento comum ao lugar perderão credibilidade. No centro da cebola está o lar: se nosso apego ao lar for fraco, as camadas externas também se enfraquecerão. Uma das razões pelas quais os mais jovens estão perdendo o senso de pertencimento é que ficou muito mais difícil comprar casa própria. A proporção de pessoas com casa própria numa determinada população é um indicador prático desse âmago do pertencimento, e a retomada da casa própria requer uma política pública inteligente, como veremos mais adiante.

Embora o lugar seja o fundamento psicológico de um senso de pertencimento comum, ele pode ser suplementado pela ação dotada de propósito. Um país é a unidade natural para grande parte das políticas públicas e, assim, nossa identidade comum deriva do propósito comum por trás de ações que reforçam nosso mútuo bem-estar. As narrativas de ações dotadas de propósito podem mostrar que, aceitando a identidade comum que define o domínio da reciprocidade, o cumprimento de nossas obrigações uns com os outros pode melhorar gradualmente a situação de todos nós. Ouça o que os políticos estão dizendo sobre a ação dotada de propósito e divida suas narrativas entre as que constroem e as que corroem uma identidade comum. É claro que, em época de guerra, as narrativas de ação dotada de propósito implicam maciçamente um benefício mútuo e, assim, reforçam a identidade comum; durante o período do milagre de 1945-1970, era essa a forma que predominava nas narrativas públicas. Hoje em dia, nossos políticos estão despejando despreocupadamente narrativas de ações dotadas de propósito que fornecem bases lógicas para pensar nossos interesses como opostos aos interesses de algum outro grupo. Eles têm encorajado ativamente as pessoas a formarem identidades oposicionistas, e tais identidades são socialmente perniciosas. Cada narrativa de interesses opostos pode ser verídica tomada isoladamente, mas, cumulativamente, tornam-se tão corrosivas que o bem-estar coletivo se deteriora.

Os políticos são, acima de tudo, comunicadores. A construção de uma identidade comum numa sociedade com culturas e valores diversos é necessária para o mútuo bem-estar, mas é complexa: constitui um dever básico da liderança. Ao se afastar das narrativas de pertencimento comum, seja de lugar ou de propósito, os políticos têm contribuído inadvertidamente para a erosão das capacidades dos Estados paternalistas em cumprir com suas obrigações. Felizmente, ainda temos bastante futuro pela frente.

4
A empresa ética

Na Grã-Bretanha de minha juventude, a empresa mais respeitada no país inteiro era a Imperial Chemical Industries. Somando inovação científica e grande escala, a empresa veio a se cercar de enorme prestígio, e trabalhar para ela era motivo de orgulho. Isso se refletia nas palavras com que anunciava sua missão: "Nossa meta é ser a melhor empresa química do mundo". Mas, nos anos 1990, a ICI mudou de lema, que passou a ser: "Nossa meta é maximizar o valor para o acionista". O que acontecera, e por que isso tinha importância?

As empresas estão no cerne do capitalismo. O desprezo geral pelo capitalismo – ganancioso, egoísta, corrupto – se deve em larga medida à deterioração do comportamento delas. Os economistas não têm ajudado. Milton Friedman, laureado com o Prêmio Nobel, expôs clamorosamente a fórmula mágica – apresentada pela primeira vez em 1970, no *New York Times* – de que o único objetivo de uma empresa é o lucro. Com a difusão das ideias de Friedman por todos os escalões administrativos, essa noção veio a se implantar como padrão nas escolas de administração e, assim, infiltrou-se em grandes empresas como a ICI. As consequências não tardaram.

Se há uma característica do capitalismo moderno que as pessoas consideram detestável é a obsessão em lucrar. Atualmente, perante a escolha entre "O objetivo primário da empresa deve ser o lucro" versus "O lucro deve ser apenas uma consideração entre muitas outras", as pessoas que concordam com Friedman perdem de três para um, diferença que se mantém uniforme entre os diferentes grupos etários e de opiniões sobre outros assuntos.[1]

Quem tem razão, Friedman ou a opinião pública? Temos uma pista no que aconteceu na ICI. O lema de sua nova missão, inspirada em Friedman, aumentou a motivação dos funcionários da empresa? Algum funcionário de alguma empresa algum dia acordou de manhã pensando "hoje vou maximizar o valor para os acionistas"? A mudança no lema da empresa refletia uma mudança no enfoque de sua diretoria. Antes, a meta da ICI era ser uma empresa química de categoria mundial, o que implicava dar atenção a seus empregados, a seus clientes e a seu futuro. Agora ela tentava agradar os acionistas com dividendos. Se você tem menos de quarenta anos, dificilmente terá ouvido falar da ICI. Isso porque a mudança de enfoque se demonstrou um desastre: a empresa entrou em declínio e foi vendida.*

A opinião acadêmica agora concorda com a opinião pública. Em 2017, a British Academy lançou "O futuro da corporação" como seu programa central. Liderado por Colin Mayer, professor de finanças na Universidade de Oxford e ex-diretor da faculdade de administração da mesma universidade, o programa tem como proposição central que a finalidade das empresas é cumprir suas obrigações para com seus clientes e funcionários. O objetivo não é a rentabilidade; esta é uma imposição que precisa ser atendida a fim de alcançar aqueles outros objetivos numa base sustentável. Por que os negócios deram tão errado, e como a política pública pode corrigi-los?

---

* As anedotas às vezes acertam. Em janeiro de 2018, fiz a conferência pública anual no banco central do Paquistão e utilizei a ICI como exemplo de empresa que perdeu seu senso de propósito. No final da apresentação, um senhor de aparência muito distinta se aproximou; vim a saber que ele tinha sido alto executivo da firma. Preparei-me para pedir desculpas pelas limitações de meu conhecimento, mas, pelo contrário, ele apertou minha mão e confirmou que o valor para o acionista se transformara, reunião após reunião, na obsessão dos administradores da ICI. A seu ver, aquela perda de um verdadeiro propósito havia destruído a empresa.

EMPRESA ÉTICA OU LULA-VAMPIRA-DO-INFERNO?

Uma grande empresa não precisa se comportar como uma lula-vampira-do-inferno.* Pense numa grande empresa, talvez a Unilever, a Ford ou a Nestlé. O que você acha que o empregado típico de uma empresa dessas diria sobre o propósito dela? Imagina que ele diria "é ganhar dinheiro para os donos"? Poucas empresas realmente operam com tal filosofia. O mais provável é que os funcionários da Unilever respondam que estão trabalhando para fornecer sabonetes e alimentos a preço acessível, muitas vezes em sociedades com tanta pobreza e tantas doenças que a contribuição deles se torna mais valiosa do que atividades de autopromoção das ONGs. Numa viagem à Indonésia, topei com um grupo de trabalhadores da Nestlé. Estavam tocando uma fábrica de laticínios que transformara as oportunidades para os agricultores locais. Num período de distúrbios públicos, os agricultores foram até a cidade e cercaram a fábrica para protegê-la contra os saqueadores. Desses propósitos as pessoas podem se orgulhar: são empresas que criam empregos em que as pessoas podem contribuir para sua sociedade.

Mas, em algumas empresas, os trabalhadores realmente consideram que o propósito é faturar. E foi o que um banco de investimentos proclamou sem rodeios, em alto e bom som, colocando no saguão de entrada um lema escarninho que anunciava sua missão: "A única coisa que fazemos é ganhar dinheiro". Incentivados por essa filosofia infame, seus funcionários espertos desenvolveram aos poucos o refinamento lógico da coisa: "A única coisa que fazemos é ganhar dinheiro *para nós mesmos*". Isso abriu novas estratégias possíveis para os empregados mais espertos, que a administração da empresa, treinada em Friedman, não tivera a presença de espírito de perceber. Viu-se que havia uma maneira

---

* Esta foi a imagem usada para criticar a Goldman Sachs. Se era uma caricatura da Goldman Sachs, pesquisas recentes sugerem que não é uma caricatura das lulas-vampiras-do-inferno. Ao que tudo indica, elas têm de fato a malevolência astuciosa, gananciosa e associal que os economistas têm erroneamente atribuído aos seres humanos.

altamente eficiente para os empregados faturarem para si mesmos. Consistia em envolver a empresa em transações em que o funcionário recebia um bônus, mas que expunham a empresa ao risco oculto de prejuízos futuros. Claro que esse comportamento dos funcionários levou a empresa à falência. Ela se chamava Bear Stearns, e sua falência desencadeou a crise financeira de 2008-2009, que infligiu custos globais numa escala só igualada nas guerras mundiais.* Estima-se que o custo, só para os Estados Unidos, foi na faixa de 10 trilhões de dólares.

O destino da ICI e da Bear Stearns ilustra um ponto fundamental: uma empresa precisa de um senso de propósito. Os diretores-executivos podem usar sua posição para construir esse senso de um propósito em comum. De fato, é de responsabilidade central e competência da alta administração. Já vimos isso em ação: Robert Wood Johnson construindo o credo que expressava o propósito da Johnson & Johnson e que se demonstrou vital décadas depois.

Cinquenta anos atrás, a empresa de maior sucesso em todos os tempos e lugares era a General Motors. Era altamente rentável e enorme. Mas em 2009 foi à falência. Como seu inexorável declínio foi muito significativo, o caso da GM tem sido analisado em grande detalhe, tanto em seu desenrolar (com o reiterado recurso a consultores administrativos para diagnosticar o que estava errado) quanto retrospectivamente. O que matou a GM? A Toyota.[2]

Quando os veículos da Toyota começaram a entrar no mercado americano, a avaliação inicial da alta administração da GM foi de que se tratava de um problema localizado. Somente as pessoas que moravam na Costa Leste e na Costa Oeste estavam comprando Toyotas; todo o mercado do interior continuava firme. Assim, o fenômeno era totalmente explicável: o pessoal costeiro era mesmo

---

* A Bear Stearns foi resgatada pelo JP Morgan por determinação do Tesouro americano, mas a notícia de sua falência desencadeou uma corrida para um banco muito maior, o Lehman Brothers, que era tido como grande demais para ser resgatado, mas que se mostrou grande demais para falir sem acarretar consequências catastróficas.

um pouco esquisito, mas a coisa passaria. Para o azar da GM, esse diagnóstico complacente se demonstrou equivocado, e a contaminação se alastrou para o interior. O novo diagnóstico foi tecnológico: os japoneses tinham robôs. A Toyota mostrou um admirável espírito de cooperação durante todo o processo e convidou a GM para inspecionar sua fábrica no Japão. A instrução do diretor-executivo da GM à equipe que visitou a fábrica foi a de "fotografar tudo: se eles têm robôs, nós teremos robôs". Depois da implementação completa dessa estratégia, ficou definitivamente provado que, fosse lá o que a Toyota estivesse fazendo de diferente, não eram os robôs. Na fase seguinte, a Toyota teve suficiente generosidade para propor que a GM se unisse a ela numa *joint venture* na Califórnia, fabricando o mesmo carro. Quando esses carros idênticos saíam da linha de montagem, recebiam alternadamente o símbolo da GM e da Toyota e eram comercializados em consonância com isso. Àquela altura, a Toyota já construíra um renome muito sólido quanto à confiabilidade: seus veículos eram praticamente perfeitos. De fato, quando chegamos aos Estados Unidos em 1998, minha esposa e eu compramos um e, vinte anos depois, ainda estamos com ele. Esse renome estava rendendo dividendos no mercado: os carros idênticos que saíam daquela linha de produção californiana, quando tinham o símbolo da Toyota, eram vendidos por 3 mil dólares a mais. Assim, se havia uma diferença na qualidade, qual era a explicação?

Décadas antes, a Toyota inaugurara um novo estilo de relação com sua força de trabalho. Os operários na linha de montagem eram organizados em pequenas equipes, chamadas de "círculos de qualidade", e eram responsáveis pelo controle de qualidade. (Ironicamente, o conceito de "círculos de qualidade" tinha sido concebido nos Estados Unidos. Foi adotado com grande entusiasmo no Japão, provavelmente porque condizia com a cultura japonesa.) A medida fundamental era pedir a cada grupo que localizasse defeitos o mais rápido possível no trecho da linha de montagem que lhe cabia. O mantra promovido pela administração era "defeitos são tesouros". Se um operário localizasse um defeito, o que devia fazer? A medida de maior impacto adotada pela administração da Toyota foi instalar cordões Andon, pendurados ao longo de toda a linha de montagem. Qualquer operário na linha de montagem que visse um defeito devia puxar o cordão mais próximo, o que paralisava instantaneamente toda a linha. A produção em linha de montagem é um sistema tão integrado que sua paralisação tem um custo enorme. Na fábrica da Toyota, custava 10 mil dólares *por minuto*. Um operário que parasse desnecessariamente a linha infligiria em poucos minutos à empresa custos que ultrapassavam em muito seu valor produtivo ao longo de um ano todo. Assim, essa política indicava que a administração realmente confiava que seus trabalhadores trabalhavam *para* a empresa, e não contra ela. Em outras palavras, ela dependia de trabalhadores que tinham um senso de propósito consonante com o da empresa. Duvido que eles pensassem "estou tentando maximizar o valor para o acionista".

Era uma concepção de controle de qualidade totalmente diferente da utilizada pela GM, que era a concepção convencional de checar uma amostra dos carros prontos. Finalmente, um novo diretor-executivo entendeu o problema: a cultura precisava mudar. O confronto entre a administração da GM e o Sindicato dos Trabalhadores Automotivos Unidos seria suplantado pela confiança mútua. "Se eles têm robôs, nós teremos robôs" foi substituído por "Se eles têm cordões Andon, nós teremos cordões Andon". Por ordens do diretor-executivo, os cordões foram instalados ao longo das linhas de montagem da GM. O diretor-executivo podia anunciar uma mudança de cultura, mas os humildes gerentes da linha de montagem, que sabiam avaliar melhor as atitudes dos operários comuns, sabiam o que se seguiria. Ao longo das décadas havia-se acumulado uma série de antipatias que não se dissolveriam da noite para o dia. Diante da possibilidade de causar danos tremendos à empresa, alguns trabalhadores fizeram questão de aproveitá-la. Puxavam-se aqueles cordões Andon a falsos pretextos, a produtividade despencava, e a responsabilidade recaía sobre os gerentes da linha. Diante disso, eles amarraram os cordões Andon no teto.* A

---

* Compare-se essa providência dos gerentes de base da GM à dos gerentes de base da Johnson & Johnson durante a crise do Tylenol e o que está por trás dessa diferença.

tentativa do diretor-executivo de mudar a cultura resultou numa demonstração muito clara de que a gerência não confiava na força de trabalho. Intensificaram-se as identidades oposicionistas.

    Havia uma história equivalente em relação aos fornecedores. Ao longo dos anos, a Toyota construiu uma relação de cooperação com seus fornecedores: os dois lados enfrentavam o mesmo desafio de fabricar partes de melhor qualidade que aperfeiçoariam o produto final. Isso demandava uma perspectiva de longo prazo. No decorrer do ciclo do mercado, às vezes era a Toyota que ficava em posição de vantagem frente aos fornecedores, e às vezes o poder passava para os fornecedores. Se cada lado explorasse sua vantagem temporária, os dois sairiam perdendo no longo prazo. Aos poucos aprenderam a confiar um no outro. Em contraste, a GM se orgulhava de bancar a durona, espremendo os fornecedores ao máximo sempre que podia. Quando a GM percebeu que precisava mudar, era tarde demais. Tal como ocorreu com sua força de trabalho, a GM se viu prensada pelo sistema vigente de crenças com que operava.

    Por muitos anos, a força de trabalho da Volkswagen, sediada na cidade de Wolfsburg, diria a você que o propósito da empresa era fazer carros realmente bons. Oxford foi outrora a Wolfsburg da Grã-Bretanha: sede da British Motor Corporation. O contraste entre as culturas dos respectivos trabalhadores era semelhante ao contraste entre a Toyota e a GM. Lembro-me de assistir perplexo enquanto a multidão num jogo internacional de futebol, num estádio alemão, acenava orgulhosamente bandeiras com "VW" na frente das câmeras de tevê. Seria inconcebível uma manifestação dessas por parte dos trabalhadores da BMC, e as greves acabaram levando a empresa britânica à falência. Mas, em 2016, a Volkswagen foi atingida por um grande escândalo. Seus veículos a diesel tinham sido equipados com um dispositivo que fraudava os testes de emissão de poluentes feitos nos Estados Unidos. O que motivara os funcionários que haviam projetado esse dispositivo? Estavam pensando apenas num bônus pessoal? Duvido. É mais provável que esses funcionários estivessem plenamente alinhados com o propósito da empresa, mas não haviam aceitado o propósito da legislação americana que criara os testes. É bem possível que considerassem a legislação um meio indireto para os Estados Unidos reduzirem as importações dos carros alemães, ou simplesmente consideraram que o teste não passava de uma mera formalidade. Claro que estavam totalmente errados em agir assim: não haviam atualizado sua concepção de "um bom carro" levando em conta a poluição. Inclusive em termos de consequências para a empresa, essas escolhas acabaram sendo desastrosas. Mas é um grave e insultuoso engano imaginar, como fazem muitos que, como eu, ocupam um cômodo emprego no setor público, que os trabalhadores no setor privado são movidos pela ganância e pelo medo. Os dados sugerem que a satisfação no trabalho é, na verdade, consideravelmente maior no setor privado; por exemplo, é muito menos frequente que as pessoas usem a desculpa de uma doença para não irem trabalhar.

Assim, não há nada intrinsecamente sórdido no capitalismo. O lucro é não tanto um propósito e sim uma obrigatoriedade que impõe disciplina numa empresa. Todavia, os casos da Bear Stearns, da ICI e da GM indicam que algo saiu muito errado. E o que foi?

QUEM CONTROLA A EMPRESA?

A resposta é que o poder de controle veio a ficar com as pessoas erradas. O capitalismo tem o nome que tem porque a propriedade da empresa cabe às pessoas que entram com capital de risco. O princípio da coisa é que os que estão assumindo o risco são os que mais precisam ter controle e mais têm um incentivo para inspecionar os administradores. Esse princípio, porém, tem-se afastado cada vez mais da realidade.

Se uma empresa vai à falência, muitas pessoas sofrem; o risco não recai apenas sobre as pessoas que forneceram o capital e se estende muito além delas. Provavelmente quem mais perde são os trabalhadores que estão há muito tempo na empresa, pois acumularam qualificações e renome que só têm valor naquela empresa. Além disso, se a empresa é um empregador importante na cidade, todos os que têm casa própria no local terão uma perda patrimonial significativa.

Os clientes também sofrerão. No lado mais trivial, quando a Monarch Airlines faliu em 2017, 100 mil pessoas ficaram encalhadas. No lado mais sério, as cadeias modernas de fornecimento criam interdependências entre empresas, de modo que uma falência se transmite como um vírus na economia global. É por isso que a falência de um banco de investimentos de porte médio como o Lehman Brothers provocou tamanha devastação na crise financeira.

Aqueles que forneceram capital à empresa sob a forma de empréstimos sofrerão prejuízos, junto com os que compraram ações, mas somente os acionistas terão o poder conferido pela propriedade. Em contraste, os acionistas podem nem sofrer nada. Como professor titular, tenho direito a uma pensão proveniente de um fundo que abrange todas as universidades. O que financia esse fundo são as ações que ele tem em várias empresas; assim, se uma empresa falir, minha aposentadoria será afetada? Felizmente não, porque a responsabilidade passa coletivamente para todo o sistema universitário; segundo o contrato, mesmo que algumas universidades falissem, a responsabilidade passaria para as demais. Como as universidades enfrentariam o faltante para completar o total requerido? Ao fim e ao cabo, a responsabilidade por minha aposentadoria é capaz de se transferir a gerações de estudantes. Aos estudantes que estão lendo isso, asseguro-lhes que têm minha profunda gratidão. Mas, em troca por arcarem com esse risco, qual é o grau de controle que vocês têm sobre a administração das empresas que têm entre seus acionistas o fundo que financia minha aposentadoria?

A empresa tem de prestar contas a alguém motivado a cuidar do desempenho dela no longo prazo, com formação suficiente para detectar erros administrativos. Se a propriedade das ações é altamente fragmentada, há aí um problema do carona [*free-rider*]: ninguém tem muito incentivo para entender se a estratégia de longo prazo da administração é inteligente. Na Alemanha, os bancos desempenham esse papel de supervisão, tendo ações em nome de seus proprietários e se envolvendo ativamente na administração da empresa. Nos Estados Unidos e em grande parte do mundo, o papel é desempenhado pelas famílias que fundaram empresas de sucesso e mantêm uma participação acionária com força de bloqueio. Apenas um país implantou integralmente a concepção de Friedman. Milhões de acionistas impõem que as empresas lucrem e prestem contas; venderão suas ações no mercado, a menos que os lucros continuem aumentando. A Grã-Bretanha tem sido cobaia de uma ideologia econômica. Os bancos britânicos têm evitado qualquer envolvimento na administração de empresas. As famílias fundadoras se livraram de suas ações por causa do fisco. O controle jurídico das empresas se encontra exclusivamente nas mãos dos acionistas, e 80% deles são fundos de pensão e companhias de seguro. Estes, por sua vez, adotam o mantra "Se não gosta da empresa, venda as ações". Suas decisões agora se baseiam sobretudo em algoritmos de computadores, fazendo inferências sofisticadas a partir da movimentação recente no preço das ações: cerca de 60% das operações no mercado de ações são automatizadas. Os superastros do mercado financeiro são os melhores cérebros matemáticos da sociedade, que criam algoritmos geniais para detectar padrões no impulso do preço. O que falta é qualquer conhecimento direto sobre a empresa, a administração, os empregados e as perspectivas da firma, o que só é possível adquirir com um longo envolvimento com ela.

Por que a administração de uma empresa haveria de se importar se um fundo de pensão vende suas ações? Na Grã-Bretanha, a ameaça suprema para a administração é ser adquirida por uma rival, o que fica mais fácil quanto mais baixo for o preço da ação da empresa. Duas fabricantes de chocolates – a Hershey nos Estados Unidos e a Cadbury na Grã-Bretanha – ilustram o contraste nas consequências da propriedade. A família Hershey reteve uma participação acionária com cláusula de bloqueio, ao passo que a família Cadbury, um exemplo de filantropia quacre, vendeu sua parte no mercado. Quando a Kraft tentou aumentar sua presença no mercado do chocolate, escolheu a Cadbury como alvo, e os fundos de pensão, como era previsível, venderam suas ações: a Cadbury deixou de existir como entidade separada. Assim, para se evitar esse destino, o poder efetivo se encontra no conselho diretor da empresa. Como medida preventiva, o conselho examina os lucros trimestrais para decidir se mantém ou dispensa o diretor-executivo. O diretor-executivo típico, hoje em dia, fica apenas quatro anos no cargo.

Aos poucos, o salário do diretor-executivo passou a ficar cada vez mais vinculado a indicadores de desempenho no curto prazo. O problema é mais agudo na Grã-Bretanha e nos Estados Unidos, países onde os mercados financeiros são mais "desenvolvidos" e os diretores-executivos ficam por menos tempo na função. Gradualmente, isso veio a afetar a forma de remuneração dos diretores-executivos de empresas não financeiras. Refletindo os riscos mais acentuados, a remuneração dos diretores-executivos se acelerou muito mais do que a remuneração média de suas empresas. Nos últimos trinta anos, na Grã-Bretanha, deixou de ser 30 vezes maior do que a remuneração média dos empregados e passou a ser 150 vezes maior; assim, são um modelo de contenção comparados a seus análogos americanos, cuja remuneração salarial em comparação à remuneração média da empresa passou de 20 para ser 231 vezes mais alta. No entanto, durante esse período não houve nenhuma melhoria geral, avaliada por medidas objetivas, no desempenho da empresa. A remuneração maior, evidentemente, não decorre de um desempenho melhor; tampouco é apenas um pagamento por riscos adicionais. As pessoas que fazem parte dos comitês de remuneração das principais empresas constituem mais um grupo em rede. Como em todos esses grupos, as narrativas constroem gradualmente um sistema de crenças. Com o tempo, como expus no capítulo anterior, nossas sociedades se dissociaram das identidades nacionais e passaram para identidades baseadas na qualificação. Tem-se um microcosmo desse vasto processo no grupo de pares de um diretor-executivo, que deixaram de ser os colegas de trabalho na empresa e passaram a ser os colegas diretores-executivos em outras empresas. Em decorrência disso, as normas do grupo no comitê de remuneração sobre o que seria "justo" se elevaram. Um executivo conta que ouviu o seguinte: "Ele recebe 5 milhões de dólares e eu só recebo 4 milhões: *não é justo*". O que está no centro disso não é sequer ganância; muitos diretores-executivos não são hedonistas, mas workaholics compulsivos. É a fonte do apreço entre pares, agora transformada, nascendo de identidades redefinidas. O diretor-executivo que recebe 4 milhões talvez nem pensasse no que teria comprado com o milhão de dólares que não recebeu, mas sim no ar de condescendência do colega de 5 milhões na próxima vez que se encontrassem em Davos.

O setor financeiro praticou o que pregava. Se se devia incentivar o desempenho no curto prazo nas empresas com uma remuneração altamente acelerada, então eles mesmos deviam adotar o mesmo MODELO. Não mostraram qualquer pudor a esse respeito. Encabeçaram a marcha ascendente da remuneração dos diretores-executivos em comparação à dos trabalhadores da empresa; nos bancos, essa diferença agora chegou a 500 para 1, sem ser abalada pela crise financeira. Isso mudou a composição ética das pessoas que lutaram para chegar ao topo. O Deutsche Bank contratou Edson Mitchell como diretor-executivo, que transformou a cultura do banco, substituindo a seriedade germânica pelo excesso desenfreado: "Contratou mercenários... não se importavam com a ética".[3] Havia um vazio ético: nas sextas à noite, as equipes financeiras debandavam e iam assistir lubricamente aos shows de *pole dancers*; contratavam-se prostitutas para entreter o pessoal de escalão mais alto durante as festas de Natal; e Mitchell sentia explícito desprezo pelas obrigações com a família. Aquela instituição, que logo inflou e se tornou o maior banco do mundo, era dirigida por gente de ética mais condizente com a administração de um bordel. Mitchell morreu num desastre aéreo; seu banco teve um destino semelhante.

Descendo na cadeia alimentar, os gerentes de investimentos são julgados pela avaliação trimestral dos títulos e ações no portfólio que têm sob sua responsabilidade. A administração dos ativos parece se prestar a essa abordagem exatamente porque o desempenho é avaliado segundo uma única métrica. Mas é muito difícil criar incentivos que premiem o que realmente se deseja. Os gerentes de investimentos recebem bons prêmios pelo desempenho no curto prazo e, por causa disso, julgam as firmas em que investem usando os mesmos critérios.

AS CONSEQUÊNCIAS DE PERMITIR O CONTROLE DOS PROPRIETÁRIOS

Será essa, ao fim e ao cabo, uma boa estratégia para um fundo de pensão? A responsabilidade por uma empresa se torna uma luta desesperada para manter os lucros trimestrais em aumento constante, até que as opções de compra de ações entram em cena e o diretor-executivo pode ser demitido de uma hora para outra. Assim, qual seria a estratégia inteligente para um diretor-executivo? Evidentemente, proceder a mudanças que elevem os lucros trimestrais o máximo possível no mais breve tempo possível. Eis a avaliação de Carolyn Fairbairn, diretora-geral da Confederação da Indústria Britânica, preocupando-se que "há uma fixação no valor do acionista em detrimento do propósito".[4] A CIB é o grupo lobista das maiores empresas britânicas: sua diretora-geral dificilmente seria uma idealista radical.

Se um diretor-executivo precisa aumentar os lucros trimestrais, o que poderá fazer? Vejamos três opções. A opção 1 é construir uma empresa como a Johnson & Johnson, com boas relações de confiança entre a firma e seus funcionários, fornecedores e clientes. Essa opção é muito compensadora no final, mas o problema é que leva muito tempo. A opção 2 é cortar todas as despesas que não são indispensáveis à produção. Isso parece levar a empresa a eficiências valiosas para a sociedade, ainda que sejam dolorosas para a própria empresa. Mas, visto que os diretores-executivos anteriores já teriam cortado toda a gordura, a principal categoria restante de despesas que seria fácil cortar sem afetar a produção é o investimento. Claro que, no devido tempo, o corte de investimentos afetará a produção, mas "no devido tempo" o diretor-executivo já pode ter saído da empresa. A opção 3 é não perder tempo com qualquer decisão concreta sobre a produção ou o investimento, mas arrumar as contas da empresa. Quem não é contador imagina que a profissão tem regras claras para fazer a contabilidade, mas, na prática, existem muitas áreas cinzentas que permitem aumentar, diminuir ou transferir os lucros de uma subsidiária para outra.[5]

Se você fosse um diretor-executivo, que opção escolheria? Podemos ver as consequências da opção 2 nas grandes corporações americanas e britânicas. Apesar da alta rentabilidade, as empresas estão optando por não investir. Temos indicadores surpreendentes desse comportamento na comparação entre o índice de investimento de empresas de capital aberto operando nas bolsas de valores e o índice de investimento de empresas de capital fechado, cujas ações não podem ser vendidas no mercado financeiro. O índice de investimento das empresas de capital aberto é de 2,7%; o das empresas de capital fechado é de 9%. Na Grã-Bretanha, que tem o maior setor financeiro em relação à sua economia na comparação aos principais países, o investimento das grandes corporações em pesquisa e desenvolvimento é muito inferior à média nas economias avançadas.[6]

Não admira, pois, que as empresas que perseguem lucros trimestrais são as que têm um registro de desempenho no longo prazo – mesmo pelo critério da rentabilidade – pior do que as empresas capazes de adotar uma perspectiva a prazo mais longo. Mas, se o diretor-executivo anterior já cortou os investimentos até o osso, talvez você prefira ficar com a opção 3. É difícil detectar a manipulação, a menos nos casos em que a fraude já tenha avançado tanto que é descoberta. Isso acontece periodicamente. Nos Estados Unidos, o caso lendário é o da Enron. Os equivalentes britânicos da Enron são Robert Maxwell, diretor-executivo do Mirror Group Newspapers, que foi investigado por servidores do funcionalismo público e tido como "inadequado para administrar uma empresa pública"; e Philip Green, diretor-executivo do BHS, que recebeu o título de cavaleiro. Ambos saquearam o fundo de pensão de suas respectivas empresas, deixando milhares de empregados na pobreza. Maxwell, quando a fraude estava para ser desmascarada, caiu de seu enorme iate de luxo e se afogou; Green ainda tem seu enorme iate de luxo, que seus críticos rebatizaram como *The BHS Destroyer*. Será que iates enormes devem ser tomados como claros indicadores de uma contabilidade "criativa"?

Tanto a opção 2 quanto a opção 3 trazem consequências gravemente danosas para a sociedade. Empresas importantes são administradas sem que se dê a devida atenção ao longo prazo, e os relatórios de contabilidade das empresas deixam de ser confiáveis.

E a coisa piora: até agora, temos visto que os diretores-executivos estão desviando cada vez mais as energias do processo de construção de uma grande firma no longo prazo para expedientes de curto prazo. Mas o aumento dos diferenciais de pagamento dificulta a situação mesmo para aqueles diretores-executivos e aqueles conselhos de direção que querem adotar a abordagem de longo prazo. Como mostram as histórias da Johnson & Johnson, da ICI, da Volkswagen e da Toyota, uma parte essencial da estratégia de longo prazo é persuadir os trabalhadores a se identificarem com a empresa. As narrativas só conseguem ter seu efeito mágico se não forem contrariadas pelas ações. Se você diz aos trabalhadores que "estamos todos juntos nisso" e, ao mesmo tempo, embolsa para si quinhentas vezes mais do que recebe o empregado médio, provavelmente o que você diz será ouvido com certo ceticismo. Um operário na linha de produção pode pensar: "Já que você está usando seu poder para saquear a empresa, vou puxar aquele cordão Andon da próxima vez que eu quiser dar uma paradinha". "Faça o que eu digo, não faça o que eu faço" raramente funciona.

Assim, a atual estratégia dos fundos de pensão é sensata? Evidente que não. Eles têm a clara obrigação de poderem pagar, chegada a hora, pensões decentes a seus contribuintes. E a capacidade de cumprirem tais obrigações depende de uma única coisa: o retorno sobre seus ativos no longo prazo. Isso depende do desempenho no longo prazo do conjunto de empresas de que são acionistas. No conjunto, os fundos de pensão não conseguem ter um desempenho melhor do que o mercado, e assim a capacidade de cumprirem suas obrigações depende do desempenho de longo prazo das empresas na economia. Ao desviar as administradoras dessa tarefa, os fundos de pensão reduziram sua capacidade de cumprir obrigações.

O QUE PODEMOS FAZER A RESPEITO

É hora de deixar essa deprimente ladainha de insucessos e passar para soluções práticas. Felizmente, tais problemas não são características inevitáveis do capitalismo, e sim consequências de erros de política pública que podem ser corrigidos. A política pública deu errado por causa da trivialização gerada pela estridente rivalidade entre ideologias antiquadas. A ideologia da direita sustenta a fé "no mercado" e rejeita qualquer intervenção das políticas públicas. Sua solução é "tirar o governo das costas das empresas: desregular!". A ideologia da esquerda repudia o capitalismo e acusa os administradores de empresas e fundos de serem gananciosos. Sua solução é o controle estatal das empresas e a propriedade estatal dos principais setores da economia. Essas duas ideologias radicais são mal fundadas, mas, juntas, têm determinado os termos do debate público, tolhendo o pensamento produtivo.

O ponto de partida para uma nova abordagem é reconhecer que o papel da grande empresa na sociedade nunca foi plena e devidamente examinado. Os conselhos de diretoria que comandam grandes empresas estão tomando decisões de importância fundamental para a sociedade. No entanto, suas estruturas atuais resultam de decisões individuais sem coordenação entre elas, cada qual levando a alguma outra decisão que não fora prevista. O sistema de governança corporativa carece de qualquer processo remotamente análogo ao atento e intenso debate público, encarnado pelos textos federalistas, que geraram a Constituição americana e seu sistema de governança nacional. As políticas públicas em relação aos negócios têm sido incrementais e, assim, nunca trataram adequadamente a questão fundamental do controle. Qualquer solução viável precisa começar reequilibrando os interesses legalmente sujeitos ao poder de controle.

MUDANDO O PODER NA EMPRESA

Atualmente, nas economias anglo-saxônicas, a lei exige que os diretores empresariais comandem a empresa no interesse de seus proprietários. É assim, por exemplo, que se costuma interpretar a Lei das Empresas na Grã-Bretanha, embora ela permita considerações mais amplas.* Os proprietários, por sua vez, são apenas os que possuem ações da empresa. Esse sistema não é intrínseco ao capitalismo: surgiu porque, nos estágios iniciais do crescimento das empresas durante o século XVIII, as regras vinculativas estavam reunindo capital suficiente para investimentos arriscados que precisavam apenas de uma escala mínima. Esse mundo ficou para trás. O risco do prejuízo financeiro agora é rotineiramente tratado com a diversificação, a informação e os controles na governança corporativa. Há uma imensa quantidade de capital disposto a financiar investimentos de risco (como mostrou a bolha da Internet, à qual se seguiu a bolha da securitização do crédito). As pessoas agora estão dispostas a comprar ações sem direito de voto: correm os mesmos riscos dos outros acionistas, mas sem poder de controle. Os maiores riscos não diversificados agora são, provavelmente, os dos empregados com muito tempo de casa que investiram seu capital humano numa só empresa, e os dos clientes que se fecharam em estruturas de fornecimento de longo prazo, mas que costumam estar sub-representados no conselho de direção. É plenamente possível dar representação no conselho a esses dois grupos, e às vezes isso acontece; tais empresas são chamadas de "mútuas".

A empresa mais respeitada na Grã-Bretanha não é mais a ICI; é a John Lewis Partnership. Essa firma, que existe desde longa data e é muitíssimo bem-sucedida, conta com uma estrutura de poder realmente incomum. É de propriedade de um truste, que opera nos interesses dos empregados da firma. Como reflexo dessa estrutura, os trabalhadores recebem uma parcela substancial dos lucros como bônus anual. Além disso, a cereja no bolo do diretor--executivo é a mesma cereja do balconista: *paga-se a um empregado da loja a mesma porcentagem que se paga ao diretor-executivo*. Todos os trabalhadores têm voz na administração da empresa por meio

---

* John Kay me chamou a atenção para o fato de que a linguagem pormenorizada da lei incentiva os conselhos de direção a adotarem uma perspectiva mais ampla; mas, quando mencionei isso ao presidente do conselho de uma grande empresa, ele abanou a cabeça, garantindo-me que a exigência legal era a de atender exclusivamente aos interesses dos acionistas. Cada cultura interpreta seus textos à sua maneira.

de uma série de conselhos locais, regionais e nacionais, que elegem 80% do conselho diretor da companhia. A John Lewis é um exemplo de uma empresa mútua, de propriedade coletiva das pessoas com interesse direto nela, como os empregados ou os clientes, em vez dos acionistas. Quando a empresa contrata novos funcionários ou adquire novos clientes, estes vão gradualmente acumulando direitos, ao substituir os que saíram. Por sua própria concepção, a propriedade e o controle cabem aos que participam da empresa e, assim, têm interesse direto em seu desempenho.

Muitas empresas costumavam ter esse tipo de estrutura, mas ela é sujeita a uma tentação fatal. Os que detêm a propriedade e o controle agora são legalmente autorizados a transformar a empresa, passando de sua condição de mútua para uma firma cujos proprietários têm ações que podem ser vendidas nos mercados financeiros. Com isso, a safra atual de "proprietários" adquire todo o valor do capital da empresa em detrimento de todas as gerações de participantes posteriores. Na Grã-Bretanha, o espaço para a desmutualização foi criado por uma mudança na lei em 1986; na base da lei anterior, havia normas sociais que consideravam essa medida antiética. Mas a nova cultura financeira dos anos 1980 enfraqueceu as normas de obrigação. Às vezes a tentação é forte demais.

Nos Estados Unidos, uma safra de associados da Goldman Sachs, formando um grupo de pessoas mais conhecidas por uma excepcional acuidade do que por uma excepcional decência, agarrou a oportunidade oferecida pela nova ética. Com isso, puderam escapar à opressiva pobreza vivida por todas as safras de sócios anteriores. Na Grã-Bretanha, a maioria das sociedades hipotecárias (associações de empréstimos e poupança, na terminologia americana) se desmutualizou. A maior delas, a Halifax Building Society, fora uma empresa enorme, de longa existência, construída no decorrer de 150 anos, desde seus inícios modestos numa cidadezinha no norte da Inglaterra até se converter num gigante financeiro de grande eficiência em fornecer empréstimos para casa própria a milhões de pessoas e oferecer segurança a outros milhões de pequenos poupadores. A mudança na estrutura de propriedade da empresa livrou a administração dessa grandiosa companhia do peso morto representado pelo controle amadorístico de seus usuários, entregando aquele que viera a ser o maior banco da Grã-Bretanha ao exame profissional de gerentes de fundos em busca de lucros trimestrais. John Kay estava no conselho de direção e observou os resultados.[7] A administração, agora livre, decidiu que poderia aumentar os lucros trimestrais ampliando as operações, indo além do enfadonho processo de aceitar os depósitos dos pequenos poupadores e emprestá-los a quem quisesse comprar casa própria. O grande lucro estava em apostar em derivativos no mercado financeiro. Kay destacou que a aposta nesses mercados só daria retorno se outros *players* perdessem, e perguntou por que a Halifax achava que estaria entre os ganhadores. O diretor-executivo explicou que o banco recrutara uma equipe de *players* especialmente inteligentes. A única coisa que Kay comentou laconicamente sobre essa gabolice foi que ela lhe pareceu menos plausível depois de conhecer a equipe. Mas, apesar de suas dúvidas, os lucros da Halifax dispararam com essa nova estratégia, e o diretor-executivo se viu corroborado. E então ela afundou. A Halifax teve de ser resgatada por outro banco, e gradualmente foram-se revelando prejuízos enormes. Os gerentes profissionais dos fundos tinham operado com uma insânia administrativa cada vez maior que, no prazo de uma geração, levou à falência uma empresa que, como mútua, crescera durante 150 anos, desde um minúsculo início até se tornar um negócio de primeiríssima linha. Mas, pessoalmente, não posso reclamar. Muito tempo atrás, minha mãe tinha aberto para mim uma caderneta de poupança na Halifax Building Society para eu ter uns trocados, e nunca cheguei a encerrar a conta: assim, recebi uma pequena dádiva inesperada quando meus juros foram convertidos em ações, que vendi a tempo.

    Os dados sobre os resultados, portanto, favorecem que se dê força legal à representação dos interesses trabalhistas nos conselhos diretores das empresas. E essa mudança não é inviável: na Alemanha, faz muito tempo que a estrutura jurídica das empresas exige a participação dos representantes dos trabalhadores. Longe de enfrentar algum desastre, as empresas alemãs têm mostrado um êxito extraordinário. Mas o que impede que os trabalhadores e proprietários de uma empresa atuem em conjunto para explorar aqueles outros interesses que não estão representados – obviamente, os interesses dos usuários?

O HÁBITAT DAS EMPRESAS: A LUTA PELA SOBREVIVÊNCIA

As empresas existem dentro de um hábitat, e cada qual encontra um nicho ali dentro. A luta pela sobrevivência nesse hábitat é a disciplina que obriga essas empresas a atenderem aos interesses de seus clientes. Transposto da biologia para a economia, o hábitat é o mercado, e a luta pela sobrevivência é a concorrência; a força da evolução, por meio da qual as espécies vêm a se adaptar bem a seu ambiente, tem como correspondente a dinâmica benigna do capitalismo. Ao lutarem entre si para sobreviver, as firmas tentam melhorar e baratear seus produtos, e todos nós somos os beneficiários disso.

O inimigo da concorrência são os grupos de interesse. Os grupos de interesse usam seu poder para levantar obstáculos à concorrência usando várias estratégias. Num dos extremos legais do espectro está o lobby, que se transformou num setor gigantesco que consome recursos na busca de privilégios. No meio do espectro encontramos a corrupção: o abuso do cargo público para vender permissões e decisões judiciais e para autorizar monopólios. Revelações recentes indicam que, em troca de favores, o ex-presidente Zuma da África do Sul usou o cargo para gerar rendas para o império empresarial da família Gupta. No outro extremo do espectro, está a presença total do Estado.

A centralização do poder inerente ao comunismo eliminou a responsabilidade final e, assim, deixou grassarem os grupos de interesse. Muita gente reconhece isso: os mesmos estudos que mostram que o capitalismo está manchado de corrupção mostram também que a corrupção tem ligação ainda maior com o comunismo. Como ilustra o grotesco estilo de vida da dinastia Kim na Coreia do Norte ao longo de três gerações, o Estado onipotente não é um freio aos grupos de interesse, mas sim seu triunfo supremo. As sociedades comunistas eliminaram o hábitat do mercado, e o resultado foi tão disfuncional que, a despeito da intensa repressão política, o povo se manifestou indo embora. "Construa-se um muro!" não começou com Donald Trump tentando barrar a entrada de estrangeiros, mas com os regimes comunistas na tentativa desesperada de impedir a saída de seus cidadãos. Cresci com imagens de gente tentando escalar e saltar os muros, mas os mais jovens não têm essa lembrança: só podem aprendê-la pelos livros, e os livros dão prioridade a outras partes da história. Meu filho de dez anos conhece o Muro de Adriano, mas não o Muro de Berlim: faça um teste com seus filhos.

Desde que existem os mercados, os poderosos tentam restringir a concorrência em vantagem própria. Os grupos de interesse conhecem muito melhor a natureza do que lhes é vantajoso do que jamais saberão os servidores públicos. Como são grupos estritamente definidos, é-lhes mais fácil organizar uma ação comum em seu interesse próprio do que no interesse comum difuso a que se opõem. A concorrência vence esses obstáculos. Visto que as empresas do mesmo setor contam com informações semelhantes, os grupos de interesse perderão a posição de vantagem na concorrência, quer os servidores públicos tenham ou não conhecimento desses seus interesses. Quando o interesse comum reconhece o princípio de preservar a concorrência, ele pode usá-la para repelir as investidas de cada grupo de interesse. Os adversários da concorrência alegam que isso é injusto, destrutivo e ignora algum pretenso benefício oferecido pelos governantes. Por trás desses argumentos espreita o interesse próprio: é um *raciocínio motivado*.

Foi o mercado, e não a intervenção pública, que puniu a GM e a Bear Stearns. Mas, mesmo assim, às vezes a concorrência não basta. Para essas circunstâncias mais complicadas, precisamos de políticas públicas atuantes.

Embora os grupos de interesse tentem criar obstáculos artificiais para a concorrência, há em alguns setores da economia obstáculos tecnológicos decorrentes de economias de escala excepcionalmente poderosas. As economias de escala são mais acentuadas quando a atividade depende de uma rede. O fornecimento de energia elétrica requer uma rede de fios, uma grade de distribuição; o fornecimento de água requer uma rede de tubulações; o fornecimento de serviços ferroviários requer uma rede de ferrovias. Às vezes, é possível dissociar o serviço e a rede: as companhias ferroviárias podem concorrer disputando uma rede ferroviária comum; as empresas de geração de energia elétrica podem concorrer disputando uma grade de distribuição comum. Mas a rede em si é um monopólio natural. O surgimento da economia digital criou nossas indústrias em rede que podem se ampliar e ter um monopólio global. Essas empresas precisam de pouquíssimo capital em sua definição convencional – os ativos tangíveis de instalações e equipamentos. O valor delas é um ativo intangível: são suas redes.[8] Ao contrário dos ativos tangíveis, é muito difícil serem reproduzidas pelos concorrentes; são imateriais, e por isso não têm uma localização fixa sujeita a políticas públicas. O Facebook, o Google, a Amazon, o eBay e o Uber são, todos eles, exemplos de redes que tendem para o monopólio global natural em seus nichos específicos. Como monopólios naturais de propriedade privada, não sujeitos a regulações, podem representar enormes perigos.

    O mesmo processo está em andamento, de modo menos drástico, em vários outros setores da economia. O constante aumento de complexidade intrínseco ao aumento da produtividade levou à introdução de algumas características de rede em outras áreas.[9] Isso, por sua vez, vem permitindo que as principais empresas dentro de cada um desses setores se tornem mais e mais dominantes. O Walmart aplicou ao varejo as novas características da logística em rede. Os maiores bancos têm colhido frutos financeiros das economias em nova escala. O aumento geral na produtividade e nos lucros empresariais tem se concentrado nessas maiores empresas.[10] Embora não sejam tão extremos quanto os monopólios naturais, os ganhos com a escala lhes permitem receber um prêmio sobre o retorno do capital obtido por seus concorrentes menores. A concorrência na propriedade das ações nessas empresas eleva seu preço, permitindo que os acionistas originais recebam esse prêmio pela escala como um adicional inesperado.

Onde a larga escala é tecnologicamente super-rentável, seja por levar ao resultado extremo de um monopólio natural, seja por oferecer às empresas dominantes retornos excepcionais, mas menos drásticos do que um monopólio, a concorrência se vê impotente. Precisamos de um instrumento de política pública mais focado. As opções convencionais são a regulação e a propriedade pública. Cada qual tem suas limitações.

AS REGRAS REGULAM?

Por mais bem-intencionados que sejam os conselhos de direção, às vezes a regulação é essencial. Uma regra pode assegurar que todas as firmas sigam a mesma política, ao passo que deixar o assunto a critério dos conselhos levaria a variações. Por exemplo, não seria eficiente nem equitativo se algumas empresas fizessem muito mais do que outras para reduzir suas emissões de carbono.

Todavia, quando as regras são usadas para lidar com os problemas de empresas exploradoras, as limitações são consideráveis. A regulação pode pretender acabar com os monopólios naturais ou controlar o preço que eles cobram dos consumidores. Para quebrar um monopólio, é preciso que a concorrência entre no setor, mas, como as economias tecnológicas de grande escala continuam a visar o monopólio, a intervenção de uma política pública precisa ter caráter continuado. E, mesmo assim, ao bloquear as economias de escala, a política pública impõe a ineficiência. Os controles de preço visam a impedir que a empresa explore as economias de escala em benefício próprio, obrigando-a a repassar os ganhos para os consumidores. Já vimos as limitações dos controles de preço em outro contexto – a informação assimétrica. Em sua encarnação anterior, ela consistia na distância entre o que é do conhecimento da administração da empresa e o que os administradores dos fundos podem vir a descobrir. Agora, ela consiste na distância entre o que a administração da empresa sabe e o que a agência reguladora sabe. As assimetrias mais acentuadas se dão nos mercados financeiros, entre as agências reguladoras e os bancos, mas o problema é endêmico. A empresa tem um conhecimento muito melhor de seus custos e de seu mercado do que jamais uma agência reguladora viria a ter, e assim o problema nunca se resolverá por completo.

É possível sustentar que a melhor resposta de uma política pública ao problema é unir a melhor estimativa possível no controle dos preços e a imposição de uma concorrência, por meio de uma licitação para disputar o direito ao monopólio. Tem-se um exemplo dos benefícios da licitação pública no caso do governo britânico, que vendeu os direitos ao uso da rede para celulares 3G. Inicialmente, o Tesouro tentou estabelecer um preço razoável para a rede baseando-se nas informações disponíveis sobre sua provável rentabilidade, e concluiu que teria como meta um preço de 2 bilhões de libras. Felizmente, o ministério se deixou persuadir por economistas acadêmicos de que o problema da assimetria era tão grave que essa estimativa podia ser errônea e, assim, abriu uma licitação para a rede. O preço obtido foi de 20 bilhões de libras. É claro que tanto faz a empresa vencedora ter pagado 2 ou 20 bilhões, pois exploraria os clientes da rede ao máximo permitido por lei; mas, pelo menos, o que os clientes perderam com a exploração de tipo monopolista foi redirecionado como ganho inesperado para a receita do governo.

Um obstáculo a isso é a credibilidade dos compromissos do governo. Quando dão lances para esses contratos de concessão, as empresas cometem erros, embora não tão grandes quanto os que uma agência reguladora cometeria, visto que elas dispõem de informações muito melhores. Se a empresa der um lance demasiado alto, sofrerá redução nos lucros e, no limite, descumprirá o contrato porque irá à falência. Ela só estará disposta a assumir esse risco negativo se houver uma perspectiva correspondente de lucros pelo lado positivo. Além disso, se todas as empresas subestimarem o potencial de lucro, o que se demonstrará é que o lance vencedor foi muito baixo.* Mas os políticos têm um horizonte curto por causa das eleições e, assim, se se vir que uma empresa vencedora de uma licitação para gerir um serviço como monopólio seu está tendo lucros elevados, surge a tentação de derrubar a decisão da agência reguladora. Quanto mais as empresas temerem a probabilidade dessa interferência, menores serão seus lances na licitação e, assim, maiores os lucros que o vencedor auferirá, e mais provável será a interferência política... A baixa credibilidade é um círculo vicioso.

Se este fosse o único problema, a solução seria encurtar o prazo da concessão para coincidir com o ciclo político; os contratos iriam da metade de um mandato à metade do mandato seguinte, para minimizar a pressão de uma eleição iminente. Mas a precificação abusiva não é o único aspecto importante do comportamento da empresa. Para que um serviço de utilidade pública, como o fornecimento de água ou energia elétrica, seja sustentável, a empresa teria de usar boa parte dos lucros para financiar reinvestimentos. Mas, quanto menor o prazo da concessão, menor a propensão da empresa a tomar decisões de investimento socialmente desejáveis. Hipoteticamente, a agência reguladora pode tentar regular o investimento, mas isso exige um volume de informações ainda maior do que a precificação; em termos realistas, a agência reguladora às vezes nem tem ideia dos investimentos que seriam desejáveis, nem de quanto custariam. A regulação tem seus limites.

Os problemas da regulação ficam muito mais complexos diante das utilidades digitais públicas globais. Tal regulação, em muitos casos, precisaria ser global, ao passo que a capacidade reguladora continua a ser eminentemente nacional. A cooperação internacional fica ainda mais difícil porque as empresas digitais são, em sua maioria esmagadora, americanas e, assim, o governo americano é no mínimo ambivalente. Eis a avaliação de um advogado especialista em antitruste, Gary Reback: "A União Europeia conseguirá algum dia utilizar a legislação antitruste para frear o poder das tecnoempresas americanas dominantes? Não... Seu

---

* A "maldição do vencedor" sugere que isso não é muito frequente.

pouco empenho na aplicação da legislação antitruste nunca trará resultados efetivos". Além disso, as empresas teriam facilidade em acusar qualquer regulação que conseguisse ter alguma eficiência de ser antiamericana. As regras não regulam.

Assim, em vista desses problemas intrínsecos da regulação, a alternativa hoje em voga é a propriedade pública.

A PROPRIEDADE PÚBLICA

Atualmente, na Grã-Bretanha, é tão grande a insatisfação com os serviços de utilidade pública fornecidos por empresas privadas, sob supervisão de agências reguladoras, que há uma grande maioria favorável à estatização das empresas de água, energia elétrica e ferrovias para que se tornem de propriedade pública. Isso é irônico, visto que todos os serviços de utilidade pública eram, originalmente, monopólios de propriedade estatal, e o ímpeto para convertê-los em empresas comerciais foi a insatisfação pública com seu desempenho. No entanto, a lembrança pública das insuficiências da propriedade estatal está dez anos mais longe do que a lembrança do Muro de Berlim. Sob o regime de propriedade pública, esses serviços sofriam às mãos de seus empregados, refletindo-se numa altíssima incidência de greves e numa subprecificação politizada dos serviços que levava a um subinvestimento. A discussão atual se polarizou em torno da ideologia: ironicamente, a esquerda quer indústrias nacionalizadas, mas não um senso de nacionalidade; a direita quer um senso de nacionalidade, mas não indústrias nacionalizadas.

Na verdade, alguns setores têm operado melhor e outros pior sob a direção de empresas privadas reguladas, o que condiz com as amplas variações no grau de assimetria das informações. Segundo critérios razoáveis de mensuração, as ferrovias estão melhor, enquanto a água está pior. Os indicadores de que as ferrovias estão melhor com a gestão privada provêm muito claramente dos usuários: por mais que resmunguem, as pessoas mostram sua opinião na prática. O uso das estradas de ferro foi diminuindo ano após ano durante as décadas em que eram estatais, antes da privatização em 1998, e desde então tem aumentado ano após ano de maneira bastante acentuada. Os indicadores de que a água é pior vêm primariamente dos altíssimos lucros retirados como dividendos.

ENTÃO, O QUE PODE FUNCIONAR?

Já que a regulação e a propriedade pública apresentam graves limitações, há outras abordagens que não foram apresentadas? Seguem-se três.

Tributação

Nos setores em que a grande escala é naturalmente mais produtiva e mais rentável, os ganhos excepcionais com a escala constituem uma forma de "renda econômica". Essas rendas são um conceito importante em economia, que será central quando eu tratar do distanciamento entre as metrópoles e as cidades falidas. O que os economistas entendem pela expressão é o retorno sobre uma atividade *além do que é necessário* para atrair os trabalhadores, o capital e a iniciativa de que ela depende. Se as rendas se evaporassem, quem as recebia até então ficaria em situação pior, mas a atividade não seria afetada. O monopólio privado obtém rendas econômicas; e também, mas de forma menos evidente, as maiores empresas naqueles setores em que ser a maior significa ser excepcionalmente produtiva. O futuro da tributação está em ter melhores resultados para pegar essas rendas. Ao contrário de outros impostos, essa tributação não desestimula a atividade produtiva; pelo contrário, incide sobre algo que não foi obtido graças ao esforço do trabalho, ao adiamento de um prazer optando-se pela poupança ou à coragem necessária para se lançar a uma iniciativa de risco.

Naqueles setores em que ser o maior veio a significar ser o mais produtivo, é defensável o uso de alíquotas empresariais diferenciadas, dependendo do tamanho da empresa. Os mesmos dados que os acadêmicos usam para mostrar que a grande escala é mais rentável em alguns setores poderiam ser usados para o estabelecimento de alíquotas diferenciadas. A finalidade não seria desestimular as economias de escala, mas transferir alguns dos ganhos para a sociedade. Ironicamente, já temos uma tributação diferenciada por tamanho, mas de modo distorcido: os novos monopólios em rede, como a Amazon, beneficiam-se maciçamente com esquemas fiscais escusos, evitando a tributação de seus equivalentes terrestres. Como não é possível conhecer totalmente os efeitos da tributação, a abordagem inteligente seria gradual, passo a passo, começando com modestos e novos índices tributários sobre o tamanho e avaliando as consequências. Uma delas é previsível: as grandes empresas farão um lobby vigoroso com ela.

A representação do interesse público nos conselhos diretores das empresas

Muitas decisões dos conselhos diretores têm consequências que vão muito além da firma, mas não se prestam bem à regulação, que funciona como uma ferramenta brutal capaz de provocar facilmente grandes danos. Um exemplo é a tendência dos diretores-executivos em gastar pouquíssimo em investimentos: uma regulação exigindo que as empresas investissem uma determinada proporção dos lucros reproduziria algumas das piores características do planejamento econômico soviético. Uma boa decisão de investimento depende de grandes quantidades de indicadores minuciosos e de avaliações que não podem ser reduzidas a meia dúzia de regulações.

A melhor maneira de vencer essas limitações não é reforçar a regulação, e sim colocar o interesse público no meio da sala onde se tomam as decisões: o interesse público precisa ter representação direta no conselho diretor. Isso não significa que as empresas seriam geridas como entidades beneficentes, sacrificando o interesse da firma a qualquer causa que desse na veneta de um representante do "interesse público". Ainda que o propósito geral de uma empresa deva ser compatível com o benefício de longo prazo para a sociedade, o meio primário com que ela pode chegar a ele é manter o foco em sua competência principal. Mas isso significa de fato que as decisões do conselho não devem sacrificar um interesse público claro e substancial a um pequeno benefício para a empresa.

Qual é a melhor maneira de incorporar o interesse público ao conselho diretor? Seria possível alterar a lei para que a devida consideração do interesse público fosse obrigatória para *todos* os membros do conselho. Como juridicamente responsáveis, os membros do conselho, se resolvessem ignorar um aspecto importante do interesse público, poderiam enfrentar contestações civis ou penais nos tribunais. Seria possível dispor a lei de uma forma em que não se esperaria que a empresa arcasse com grandes prejuízos por causa de pequenos ganhos públicos, mas que, quando houvesse uma suposição razoável de que se estavam infligindo grandes prejuízos públicos por causa de pequenos ganhos empresariais, ela estaria sujeita a sofrer uma ação judicial. Sabendo disso, seria muito imprudente o conselho que não se desse ao trabalho de discutir tais decisões em nível de direção e de sumariar essa discussão nas atas. Gradualmente, se criaria uma jurisprudência a partir dos julgamentos anteriores e, se os resultados parecessem demasiado inclinados para um lado só, a lei poderia ser revista.

Já existe um precedente para isso nos Estados Unidos com a nova categoria de Empresas de Interesse Público. São empresas com duplo mandado: o interesse comercial e o interesse público, ambos devendo ser levados em conta pelo conselho de diretoria. A ideia é correta, mas, tal como é agora, as Empresas de Interesse Público nunca serão mais do que um simples fiapo no setor corporativo. Na verdade, sua própria existência reforça inadvertidamente que todas as outras empresas *não* devem ser dirigidas no interesse público. Seria mais apropriado ver a fase atual das Empresas de Interesse Público como uma fase-piloto. Estudando o comportamento dessas empresas, seria possível refinar melhor a ideia, chegando a uma reformulação do mandado empresarial que fosse aceita no setor corporativo.

Fiscalizando o interesse público

Toda regulação pode ser contornada com um formalismo esperto; todo imposto pode ser reduzido com uma contabilidade esperta; todo mandado pode ser contornado com um raciocínio motivado. A única defesa contra tais ações é uma fiscalização constante. Isso não significa um *Estado paternalista* à espreita: significa pessoas comuns exercendo o papel de cidadãos.

Quando uma sociedade tem um número suficiente de cidadãos que entendem o devido propósito das empresas e o aceitam como norma, tornamo-nos, nós mesmos, os esteios do bom comportamento corporativo. Nossas reações à boa e à má conduta se tornam exemplos da afável pressão do apreço e da vergonha – o sistema que mantém a extensa rede de obrigações mútuas que caracteriza todas as sociedades bem-sucedidas. Esse papel de fiscalização afável não exige que todos participem dele: existe uma massa crítica de participantes acima da qual os riscos decorrentes da má conduta corporativa se tornam grandes demais para que a empresa se disponha a corrê-los. Em qualquer grande empresa, muitas pessoas estarão inevitavelmente a par das decisões importantes. Basta que apenas algumas delas se comportem eticamente para impor uma conduta decente. De modo geral, se algumas pessoas apontam o perigo de se sacrificar o interesse público, ninguém vai querer adotar a posição explícita de que o interesse público não tem importância. Em raros casos, bastará até mesmo uma única pessoa de coragem – o denunciante [*whistleblower*]. Todas as firmas contam com um grupo grande de pessoas decentes que se disporiam a assumir uma nova identidade ao lado de sua identidade atual; teriam orgulho em se tornar guardiãs do interesse público. No auge do *boom* bancário, um dos maiores bancos de investimentos decidiu criar uma pequena unidade para promover iniciativas sociais. Quem trabalhasse na unidade perderia as bonificações que supostamente motivavam a cultura corporativa altamente energizada, e a administração ficou se perguntando se algum integrante da equipe estaria disposto a se transferir para lá. A notícia dos quatro novos cargos foi devidamente divulgada na empresa: candidataram-se mil membros da equipe bancária. Não faltam indivíduos motivados trabalhando nas grandes empresas com vistas a um propósito.

Se você incentiva sua empresa a ter um senso de propósito decente, está dando uma contribuição para a sociedade; mas continuar a trabalhar para uma empresa que não tem um propósito dotado de sentido é pessoalmente arrasador. Como veremos no próximo capítulo, o bem-estar não decorre do sucesso financeiro. Se você trabalha para uma empresa sem finalidades sociais e não tem nenhuma perspectiva realista de alterar essa situação, *mude – se for possível – de emprego*. Tenho a sorte de ter alguns sobrinhos excepcionalmente talentosos, mas o que mais admiro hoje em dia estava trabalhando como vendedor de automóveis. A empresa queria que ele usasse os truques habituais do ofício, similares aos e-mails vazados da Goldman Sachs que se referem aos clientes como "otários". Meu sobrinho, rapaz de agudo senso de propósito ético, deixou a firma e foi trabalhar num emprego que pagava menos, mas com mais oportunidade de auxiliar os clientes. Ele me diz que está muito mais feliz.

Essas novas identidades, normas e narrativas tornariam a sociedade melhor e nossa vida mais gratificante, mas primeiro precisam ser construídas. Nenhuma empresa é capaz de fazer isso sozinha. Num nível corriqueiro, se uma firma pedisse à sua equipe que mantivesse o foco da empresa no interesse público, provavelmente a equipe veria isso como mais um mero lance de relações públicas. Num nível mais aprofundado, a resposta é que a cultura corporativa predominante numa empresa reflete em larga medida a cultura corporativa predominante em outras empresas. Algumas sociedades conseguem implantar culturas de boa conduta corporativa. Se a Toyota pôde adotar a ideia americana de confiar nos operários da linha de montagem para fiscalizarem diretamente a qualidade dos carros, foi talvez porque o Japão tinha uma cultura mais sólida de cooperação entre trabalhador e empresa. Analogamente, a política de relações industriais na Alemanha do pós-guerra foi muito influenciada pelas propostas do Congresso Sindical britânico, defendendo que havia uma melhor forma de conduzir tais relações do que a prática de confronto que predominava na Inglaterra antes da guerra. A Alemanha do pós-guerra entendeu a lição sobre as relações industriais que os sindicatos britânicos haviam aprendido com as falhas do sistema britânico. As consequências da derrota quebraram os grupos de interesse e permitiram que a Alemanha desse um novo início à sua política pública, ao passo que, na Grã-Bretanha, a vitória permitiu que esses grupos continuassem entrincheirados.[11]

A reconstrução das obrigações recíprocas da conduta corporativa é um vasto bem público que precisa ser empreendido pelo governo. O Capítulo 2 apresentou um esquema geral para uma possível construção de novas obrigações. Precisamos criar uma massa crítica de *cidadãos éticos*. Os cidadãos éticos são pessoas que entendem o propósito das empresas e a contribuição vital que podem dar para a sociedade; reconhecem as normas presentes nesse propósito; incentivam as empresas a cumprirem essas obrigações pela dupla pressão do apreço e da desaprovação.

O governo entope rotineiramente os cidadãos com tantos discursos cheios de boas intenções que eles se acostumaram a não dar mais ouvidos, e assim o passo inicial indispensável é restaurar a credibilidade. Já vimos que a solução para o impasse de convencer uma audiência desconfiada é a *sinalização*. Recapitulando, um sinal é algo que revela à audiência desconfiada quem você realmente é. Como ele opera? O Prêmio Nobel Michael Spence viu que a única maneira seria com uma ação que, se você fosse o sujeito que seu público desconfia que seja, seria proibitivamente onerosa. Será, com quase toda a certeza, uma ação que, mesmo você não sendo o pilantra que receiam, terá para si um custo muito pesado. Você precisa encontrar uma ação que, para si, tenha um custo tolerável para ganhar a confiança, enquanto para um pilantra esse custo seria intolerável. Contando com essa percepção, o que um governo pode fazer na situação atual?

Lembremos que os cidadãos hoje em dia desprezam as empresas, vendo-as geralmente como gananciosas, corruptas e exploradoras. É preciso mudar essa narrativa dominante, mas, se sua primeira declaração for que as empresas são muito úteis para a sociedade, muita gente vai desligar o rádio ou a tevê. Há algumas coisas drásticas que você pode fazer. Muita gente fica indignada, e com razão, pelo fato de que nenhum executivo de banco foi para a prisão devido à conduta durante a crise financeira. Isso porque o comportamento que gerou a crise não tinha a intenção deliberada de arruinar a empresa; foi apenas imprudente. Quando um motorista mata alguém por imprudência, temos uma classificação para isso – homicídio culposo – que o diferencia do crime de assassinato, que é um homicídio intencional, doloso. Precisamos de uma tipificação equivalente para todas as empresas de importância sistêmica: *banquicídio culposo*. O fato de saber que um ex-diretor-executivo, mesmo tendo se aposentado com um acordo trabalhista milionário, pode ser arrancado do campo de golfe e levado a juízo por erros do passado provavelmente levaria os ocupantes de cargos de responsabilidade a refletir mais sobre suas decisões.

Depois de demonstrar um certo estofo, você pode passar a apresentar uma estratégia nacional em termos simples. Pode começar, talvez, pelo propósito das empresas, qual seja, beneficiar a sociedade de maneira sustentável e retomar a melhoria do padrão de vida. Exponha por que muitas empresas se afastaram desse propósito. Exponha as políticas governamentais que tentarão corrigir esse estado de coisas e – o mais fundamental – exponha as limitações dessas políticas. Então convide pessoas de toda a sociedade a assumirem esse novo papel de *cidadãos éticos*. Como todas as narrativas bem-sucedidas, a mudança não se dá da noite para o dia. Requer uma mensagem coerente e constante anunciada por muitos porta-vozes diferentes do governo e, como todas as narrativas, pode ser fatalmente minada por ações que não sejam coerentes com as palavras. Mas, na maioria das sociedades ocidentais, os líderes políticos dos governos de 1945 a 1970 conseguiram construir muitas obrigações recíprocas novas. Ainda que não fossem especificamente sobre as empresas, essas narrativas provavelmente ajudavam a explicar o predomínio da *empresa ética*. Lembre-se: naquela época, os diretores-executivos pagavam a si mesmos apenas vinte vezes mais do que pagavam a seus empregados. Agora eles se pagam 231 vezes mais do que pagam a seus empregados: a *empresa ética* cedeu caminho à *lula-vampira*. Os tempos mudaram; precisam mudar de volta outra vez.

5
A família ética

Entre todas as entidades que nos elevam acima do indivíduo, a mais poderosa é a família. Marido e mulher se vinculam publicamente a obrigações mútuas. O sentimento também vincula pais e filhos. Os pais cuidam dos filhos e, amiúde, muitos anos depois, os filhos cuidam dos pais, mas o potencial de reciprocidade raramente é apresentado como um direito. O cuidado que se recebe na velhice é bem-vindo, mas o cuidado prestado à criança é dado incondicionalmente, não é formulado como um trato. Mesmo assim, muitas vezes os filhos veem a reciprocidade como uma obrigação. Existe uma velha piada muito divertida de Yorkshire que explora essa pequena distância entre obrigação e direito. A piada mostra a inadequação ética de um filho: "Mãe, a vida toda você trabalhou muito para mim, agora... vá e trabalhe para si mesma". A rede de obrigações pode se estender muito além dos casais e dos filhos. Nas sociedades antigas, as obrigações familiares se estendiam a parentes que agora parecem muito distantes, como primos de sétimo grau.

Até as famílias são redes; na típica família nuclear de três gerações, os pais da geração do meio formam o centro, ainda que muitas vezes mantenham em circulação as narrativas transmitidas por gerações anteriores. A fórmula básica para gerar normas morais a partir das narrativas fica ainda mais evidente no nível da família do que no nível do Estado e da empresa. As famílias são unidades naturais para criar um senso de pertencimento porque somos criados nelas desde nossos primeiros instantes de vida. A proximidade física ganha reforço com as histórias de pertencimento:

ligam à família cada geração nova, criando um "nós". As histórias de obrigação destacam os deveres; outras histórias ligam nossas ações a consequências. Como todas as famílias, a minha é repleta dessas histórias, povoadas por heróis e ovelhas negras. É engraçado relembrá-las, colocando cada qual em sua categoria: pertencimento, obrigação e interesse próprio esclarecido.

Em todos os grupos em rede, essas narrativas circulam até formarem um conjunto coerente, um sistema de crenças. As bases biológicas da família abrem muito espaço para a coexistência de sistemas de crenças rivais, mas desde 1945 um só sistema de crenças foi quase universal nas sociedades ocidentais: vou designá-lo aqui como *a família ética*. Com isso, não pretendo sugerir que é o único sistema de crenças a ser ético: na verdade, guarda diferenças acentuadas em relação aos valores de muitas famílias atuais. Estou simplesmente atribuindo um rótulo à estrutura ética que esteve amplamente presente nas famílias por um longo período.

Na família ética de 1945, os cônjuges casados que formavam a geração do meio aceitavam obrigações mútuas em relação às duas outras gerações, a dos filhos e a dos pais. Muitas vezes isso significava um fardo considerável, mas, como todos passavam pelas três gerações, aceitava-se como a fase da responsabilidade. A estrutura era um sistema de crenças de grande estabilidade: uma identidade comum definindo o âmbito para uma norma de reciprocidade diferenciada, amparada pelo interesse próprio esclarecido. Era fácil estabelecer a identidade comum de pertencimento à família, visto que se tratava de uma realidade vivida no cotidiano, o âmbito da "mútua consideração". As normas de compromissos recíprocos eram extensões naturais dos sentimentos de afeto. E as normas podiam ser reforçadas por um senso de propósito: se fossem seguidas por um número suficiente de pessoas, decorriam benefícios materiais de longo prazo para todas – o "interesse próprio esclarecido".

Em 1945, quase todos pertenciam a uma família assim. Entretanto, nas décadas seguintes, houve uma mudança profunda. Em todas as sociedades ocidentais, as pessoas começaram a abandonar as obrigações para com a família. O índice de divórcios disparou, atingindo o pico por volta de 1980 nos Estados Unidos e um pouco depois no Reino Unido. E, quando se instauraram os novos divisores entre os instruídos e os menos instruídos, a diferença ficou muito acentuada.

Os choques desestabilizaram o sistema de crenças da *família ética*, que era poderoso e existia desde longa data; quando a família ética desapareceu, somou-se o distanciamento social, e esse distanciamento teve algumas consequências muito negativas.

ABALOS NO TOPO

O primeiro abalo nas normas da família ética foi tecnológico. O anticoncepcional ofereceu às jovens um controle sobre sua vida: as relações sexuais podiam ser dissociadas de sua consequência anterior, a gravidez. Isso facilitou o processo de encontrar um parceiro compatível; as relações sexuais passageiras ficaram menos arriscadas e, assim, a velha e tensa "briga por uma aliança de casamento" abriu caminho para um processo de busca muito mais confiável, que consistia em morar juntos antes do casamento. Nos perspicazes versos de Larkin, "A relação sexual começou / em mil novecentos e sessenta e três".

A liberação começou com o sexo ajudado pela tecnologia, mas logo foi muito além disso. Um profundo abalo intelectual liberou os indivíduos das restrições de muitas normas embrutecedoras da família ética. As obrigações com a família deram lugar a novas obrigações consigo mesmo: a obrigação de se realizar com suas conquistas pessoais. As leis foram alteradas para facilitar o divórcio. Um indicador das mudanças por trás dessa maior facilidade de se divorciar foi que o divórcio deixou de envolver uma questão de culpa: não havia mais uma parte culpada.

O abalo intelectual se originou no campus universitário, o que não é de admirar, e assim afetou basicamente a nova classe dos altamente instruídos. Contestou-se a própria base da ideia de família ética, qual seja, que o apreço vinha do cumprimento das obrigações.

No lugar da família, a nova ética colocou o indivíduo; no lugar do apreço por cumprir as obrigações, a nova ética colocou o apreço pela realização pessoal. A variante que apelava às mulheres era o feminismo; a variante que apelava aos homens era a *Playboy*. Ações que antes eram conceitualizadas como tentações a que se devia resistir passaram a ser concebidas como momentos de autoconhecimento que deviam ser aproveitados. Em muitas famílias da nova classe, um dos cônjuges descobria que a realização pessoal exigia um divórcio.

Quando homens e mulheres se adaptaram a essas novas normas, a natureza do casamento na elite mudou, contando com mais um abalo adicional: a enorme expansão das universidades. Com isso igualou-se a quantidade de homens e mulheres com instrução e houve mais um avanço na formação dos casais. Mulheres e homens aprenderam a encontrar parceiros com os quais podiam ter compatibilidade (algo que persiste com o fortalecimento na formação de casais por meio dos encontros on-line). A isso logo se somou a legalização do aborto, equivalente a uma segunda linha de defesa após os anticoncepcionais. As normas anteriores do casal da geração intermediária, da hierarquia de gêneros e obrigações mútuas com as outras gerações, foram substituídas, na maioria dos lares mais instruídos, pelo incentivo mútuo à realização pessoal por meio das conquistas próprias.[1]

Com a coabitação e a homogamia como critério para formar um casal, os instruídos se tornaram casais com boas afinidades e, assim, os índices de divórcio diminuíram. Os pais e mães com grandes conquistas queriam transmitir suas aspirações aos filhos e, assim, a hierarquia baseada no gênero, que antes refletia o desequilíbrio de gênero na educação, cedeu lugar ao ensino parental precoce dos filhos.

Quando eu era criança, ninguém me ajudava nas lições de casa: não recebia nenhum aconselhamento nem monitoramento dos pais; não tinha professores particulares. Meus pais não dispunham de condições acadêmicas nem financeiras para isso. Mas, para sorte minha, mesmo as crianças da elite recebiam pouca ajuda fora da escola e, assim, eu conseguia concorrer com elas. Mas agora, como pai de elite, vejo-me ensinando ciências a Alex, com onze anos, enquanto minha esposa lhe ensina latim, e também pagamos um professor particular para lhe dar aulas de reforço. Todas as outras crianças da turma dele recebem o mesmo tipo de auxílio. Houve uma mudança radical nas normas. O sistema anterior provavelmente teria se mantido se não fosse atingido por outro abalo: o enorme crescimento da classe média e um aumento correspondente na disputa pelas principais vagas no ensino universitário. Minha universidade, Oxford, recebe na graduação uma proporção significativamente menor da população britânica do que recebia nos anos 1960; ela globalizou o ingresso, o que, na prática, geralmente significa os filhos de elites estrangeiras. Todavia, com a ampliação da classe média britânica, o número de famílias querendo que os filhos entrem em Oxford é muito maior. Depois que alguns pais começaram a dar mais vantagens aos filhos com o reforço intensivo do ensino em casa, outros tiveram de correr atrás para alcançá-los ou, do contrário, veriam as oportunidades de seus filhos se deteriorarem ainda mais: as velhas normas foram atingidas por abalos que ultrapassavam o leque de circunstâncias que lhes dava estabilidade e implodiram. Em decorrência disso, a criação dos filhos entre a classe instruída passou a consumir mais tempo e, com isso, os casais reduziram o número de filhos que tinham, diminuindo o tamanho da família.[2] A esposa-troféu cedeu lugar ao filho-troféu: leitor, eu o criei.*

A nova realização pessoal da classe instruída constituiu um aumento genuíno no bem-estar de muitos de seus integrantes, embora a epidemia de divórcios tenha causado baixas. Todos temos conhecimento delas; para mim, destacam-se: a esposa que perdeu acesso ao filho por ter sido abandonada pelo marido que foi buscar realização com outra mulher; o marido que perdeu acesso à filha

---

* Aos poucos leitores que não têm senso de humor, aviso que esse trocadilho com a frase de Charlotte Brontë é brincadeira ["Leitor, eu o desposei", *"Reader, I married him"*, frase de abertura do capítulo 38 de *Jane Eyre*. N.T.]. Embora nosso primogênito tenha de fato as características de um filho-troféu, ele sentiria justa indignação e ficaria incrédulo com a insinuação de que seus pais contribuíram de alguma forma para suas realizações.

por ter sido abandonado pela esposa que foi buscar realização com outro homem. Aqueles que davam prioridade à sua realização pessoal certamente invocavam narrativas que os eximiam. Contudo, mesmo após a diminuição do índice de divórcios, isso deixou marcas nas normas sociais. Para aqueles indivíduos instruídos que se mantiveram solteiros, por qualquer razão, a norma da família ética de não ter filhos antes de um relacionamento estável tornou-se vazia: se para a realização pessoal era necessário ter um filho, então que se o tivesse, pelo menos nas sociedades ocidentais. Nesse aspecto, o Japão divergiu dos outros países desenvolvidos. Lá, a pressão para criar filhos-troféu era muito mais intensa do que nas sociedades ocidentais. Por conseguinte, a família monoparental não tinha como competir com a família biparental, e por isso as japonesas solteiras instruídas preferiam ter animais de estimação a criar filhos dos quais talvez não se orgulhassem.[3]

    O novo e intenso reforço escolar da geração mais jovem não encontrava correspondente na geração mais antiga. Na família ética, normalmente cuidava-se dos velhos dentro ou ao lado da casa da geração intermediária. Minha avó viúva morava na casa vizinha à casa de um dos filhos dela; meu avô viúvo morava com dois filhos dele. Cresci com um tio idoso no quarto pegado ao meu. Ainda se encontram essas estruturas residenciais familiares em algumas comunidades, mas já não são habituais. Não só os pais de casais instruídos tinham menor probabilidade de morar com os filhos, enquanto antes podiam até receber auxílio financeiro deles, como também agora era muito mais provável que fossem os pais a dar ajuda financeira. Isso, em parte, refletia a maior prosperidade dos instruídos aposentados, mas havia também o reforço de uma nova cooperação intergeracional entre avós e pais com vistas ao objetivo comum de criar uma terceira geração que fosse bem-sucedida. Com isso, a narrativa do interesse próprio esclarecido e dotado de propósito, que antes reforçara as normas das obrigações recíprocas na família ética, deixou de ser verídica: cumprir as obrigações com os filhos não correspondia mais a obrigações equivalentes dos filhos adultos com os pais idosos.

Da mesma forma, as obrigações mútuas se desgastaram além do núcleo familiar. A família estendida definhou sob as pressões decorrentes do menor tamanho da família e da mobilidade geográfica dos qualificados. Aqui também dou um exemplo extremado dessa mudança. Cresci com doze tias e tios num raio de oito quilômetros de casa; meus filhos estão crescendo sem nenhum. A *família ética* estendida deu lugar à *família dinástica* nuclear.

As pessoas de grande instrução, quando passaram a constituir uma classe, desenvolveram uma nova forma de família que restaurou e até fortaleceu algumas obrigações recíprocas. Vemos esse padrão nos dados. Os nascimentos extraconjugais nessa classe eram raros em 1965: apenas 5%; continuam a ser apenas 5% até hoje.[4] Depois do impulso inicial, o divórcio diminuiu; em 2010, sua incidência ficou abaixo de 1 para 6 casamentos. Com poucos nascimentos extraconjugais e poucos divórcios, o número de filhos criados em famílias instruídas com apenas um genitor também voltou a níveis muito baixos; agora recuou para menos de 1 em 10.

A nova ética da realização pessoal por meio de conquistas próprias não deixa de ter alguns aspectos negativos, mas estes não são quase nada em comparação às consequências dos abalos que atingiram a classe dos menos instruídos.

ABALOS NA BASE

Assim como os tecnocratas do Vale do Silício previram que a nova conectividade social reduziria os ódios, da mesma forma previu-se que a pílula anticoncepcional e o aborto reduziriam o número de filhos indesejados. Os dados mostram o consequente aumento da atividade sexual de metade das adolescentes de menos instrução. Nos anos 1960, apenas 5% delas tinham relações sexuais antes dos dezesseis anos; em 2000, a proporção chegara a 23%. Por outro lado, mesmo em 2000, apenas 11% das jovens que foram para a universidade mantiveram relações sexuais quando menores de idade.[5]

Mas a pílula só impedia a gravidez se viesse associada a uma prudente antecipação, e isso favorecia as mulheres instruídas. O aborto do feto demonstrou ser uma decisão que, embora cabível e aceitável dentro do novo sistema ético de crenças da realização pessoal, era tensa e complicada dentro do sistema antigo das obrigações familiares, e isso, mais uma vez, favorecia as camadas instruídas. O resultado foi uma explosão no número de adolescentes grávidas entre as camadas menos instruídas, devido a relações que nunca pretenderam ser duradouras. Essa mãe adolescente tinha quatro opções possíveis. Uma era aos antigos moldes de se casar com o pai da criança – o casamento forçado tem uma longa tradição. Outro velho modelo era o de continuar a viver com os pais, agora com seu bebê; foi o que fez minha bisavó sem maiores consequências em seu vilarejo. Uma terceira opção era imitar o novo modelo de realização individual de algumas mulheres instruídas e se assumir como mãe solteira, e para isso o Estado paternalista oferecia apoio financeiro e moradia social. Uma última opção era inaugurar um novo modelo de coabitação: os pais do bebê muitas vezes se incomodavam menos com a coabitação do que com o compromisso público. Claro que um relacionamento pode ser estável sem que as pessoas se casem, mas a maioria das coabitações não leva a relacionamentos duradouros; a média de duração é de apenas catorze meses.[6]

O abalo final na base foi econômico. Com o declínio da indústria manufatureira, os homens de meia-idade perderam o emprego. Muitos lares menos instruídos nunca haviam adotado a nova ética da realização pessoal, e muitos casais continuavam a manter as normas da família ética, em que o marido era o chefe da casa, com sua autoridade baseada no papel de provedor. Esse papel tinha uma implicação enorme: se ele era supérfluo no trabalho, também era supérfluo em casa. Tal tipo de casamento deixou de ser uma rede sólida de apreço mútuo e se tornou assimétrico; a esposa conservava seu quinhão de apreço, mas sua presença ampliava a perda de apreço do marido. Às vezes, o marido procurava reafirmar a autoridade por meio da violência; às vezes, afundava-se na depressão. Daí decorriam divórcios.[7]

Aqui também os dados comprovam. De início, tal como entre os instruídos, houve um súbito aumento nos divórcios. Mas, à diferença do que ocorreu com os instruídos, o divórcio entre os menos instruídos continuou a aumentar. Em 2010, sua incidência havia alcançado um terço dos casamentos, o dobro do índice vigente entre os instruídos.

Em lugar das obrigações com os filhos instituídas pela família ética, o Estado paternalista interveio com os "direitos da criança". Esses novos direitos não abrangiam o direito de ser criado desde o nascimento à idade adulta pelos dois genitores dos quais a criança descendia geneticamente. Pelo contrário, os "direitos da criança" obrigavam o Estado a retirar os filhos de seus genitores biológicos caso houvesse motivos para pensar que a criança era vítima de violência. Em resposta aos casos de grande repercussão de crianças que haviam morrido às mãos dos genitores, a obrigação se reforçou progressivamente. Por exemplo, um médico nos Estados Unidos, se visse uma criança com um machucado, era obrigado – a menos que se sentisse suficientemente esclarecido, além de qualquer dúvida razoável, de que o ferimento *não* fora causado pelos genitores – a avisar as autoridades, as quais, por sua vez, tinham a obrigação de retirar a criança dos genitores. Mas, em consonância com isso, os "direitos da criança" exigiam que se atendessem aos mais elevados critérios antes que essas crianças retiradas dos genitores pudessem ser adotadas por outra família, e que se desenrolasse um processo burocrático de verificação igualmente exaustivo para assegurar que qualquer decisão das autoridades para o encaminhamento das crianças ficasse acima das críticas públicas. A consequência inevitável do alto índice de retirada das crianças dos genitores biológicos e do baixo índice de alocação em novos lares foi a quantidade crescente de crianças que se viam num limbo: na Grã-Bretanha, hoje há 70 mil delas. Em termos práticos, o limbo significava que o Estado pagava a casais para receberem crianças por um prazo temporário, muitas vezes transferindo continuamente as crianças de um lar provisório para outro. É mais do que evidente que essa forma de adoção falha em todos os critérios importantes da criação infantil:

o relacionamento é de tipo comercial, enquanto as crianças precisam de demonstrações de amor; ele é explicitamente temporário, enquanto as crianças precisam de permanência; ele não desperta um senso de pertencimento.

CONSEQUÊNCIAS
DO DISTANCIAMENTO SOCIAL

As consequências desse colapso seletivo das obrigações familiares foram muito profundas para as crianças. Nos Estados Unidos, onde esses efeitos são mais acentuados – o que pode se tornar o futuro cultural da Europa –, mais de metade de todas as crianças de hoje viverá provavelmente até os dezoito anos numa família monoparental.[8] Como sugere a análise precedente, o fenômeno é altamente seletivo em termos de classe. A classe instruída, que corresponde à metade superior dos lares americanos, tem em larga medida recuperado e fortalecido as obrigações familiares para com os filhos. Por outro lado, na metade com menos instrução, a norma é a criança com um genitor – ou nenhum genitor –, correspondendo a dois terços de todas as crianças desse grupo.

Isso tem alguma importância? Infelizmente, tem. Apesar do forte e compreensível tabu em estigmatizar as famílias monoparentais, a ciência social agora demonstrou rigorosamente, e de forma causal, que as crianças se saem melhor quando são criadas por seus dois genitores biológicos desde o nascimento até a idade adulta.[9] Muitas crianças nem têm mais a opção da família monoparental. A responsabilidade pela formação das crianças tem se transferido cada vez mais dos genitores para o Estado. No entanto, o paternalismo social apresenta um histórico medíocre. Não admira; o provimento do Estado, seja no lar da criança, seja em creche ou lar de adoção, sofre com os reveses daquilo "que o dinheiro não pode comprar", como diz Michael Sandel em outros contextos. Pagar a terceiros para cuidar dos filhos pode suplementar a criação parental, mas não substitui os genitores.

Se muitas famílias na parcela menos instruída da população estão se desintegrando e virando cascas vazias, na parcela mais instruída vemos uma proliferação de dinastias. O novo modelo de ensino parental precoce adotado em lares instruídos trouxe um aumento drástico da contribuição parental. Os filhos dos instruídos estão expostos a um grau sem precedentes à interação intensiva e dotada de propósito com seus genitores instruídos.

Num processo cumulativo, o ensino parental precoce faz diferença. Começa cedo. Com efeito, agora se reconhece que a experiência pré-escolar da criança é decisiva: já é possível prever aos seis anos de idade as diferenças de desempenho que se mostrarão depois de dez anos na escola. Em suma, o que a família faz nos poucos anos antes da escola é mais importante do que aquilo que as escolas fazem nos doze anos em que têm as crianças sob sua responsabilidade.

As diferenças começam pelos objetivos e depois são implementadas por meio de técnicas. O genitor sozinho e pobre é muito mais propenso ao estresse – sua prioridade não é o ensino precoce em casa, e sim a tarefa muito mais prosaica de administrar o caos. Entre os genitores que abandonaram os estudos, dá-se à obediência quase o quádruplo do valor que se dá à autonomia; entre os que fizeram pós-graduação, tem-se o inverso. Descobriu-se que esse comportamento parental induzido pelo estresse prejudica o desenvolvimento não cognitivo das crianças, que agora sabemos ser pelo menos tão importante quanto as capacidades cognitivas.[10] Mas as capacidades cognitivas também começam a se distanciar desde cedo. O primeiro distanciamento verificado e medido se dá na linguagem: o ensino parental precoce inclui falar com as crianças pequenas. Um famoso estudo constatou uma diferença social de 30 milhões de palavras no jardim de infância. As próprias palavras são diferentes: os filhos de profissionais qualificados ouvem oito vezes mais palavras de incentivo em comparação a palavras de desincentivo; os filhos dos que dependem da assistência do Estado ouvem o dobro de palavras de desincentivo em comparação a palavras de incentivo. A seguir, vem a leitura. A leitura parental incentiva o desenvolvimento infantil e é o principal fator isolado a explicar as diferenças na aptidão escolar. E a seguir, claro, vem o dinheiro. A adoção do ensino domiciliar precoce aumentou enormemente as despesas. Mas desde a década de 1980, se essas despesas num lar americano na faixa dos 10% de renda mais alta dobraram para 6.600 dólares, elas caíram para 750 dólares na faixa dos 10% de renda mais baixa; o maior distanciamento se deu no período decisivo da pré-escola.

O mesmo padrão de grande e constante distanciamento prossegue nos anos escolares. Nos Estados Unidos, em 2001, a distância entre as faixas de renda no plano da matemática e da leitura era cerca de um terço maior do que na geração anterior. O padrão não só persiste, como também é movido pelo mesmo processo: as diferenças de fundo entre as famílias.

A consequência mais dramática desse distanciamento entre a classe instruída e a classe não instruída é uma recente descoberta de Robert Putnam a respeito das crianças americanas, numa obra de importância fundamental. Agrupando as crianças conforme suas capacidades cognitivas, ele analisou suas chances de entrarem na faculdade. Esperaríamos, claro, que os filhos da classe instruída tivessem mais chance de entrar na faculdade, visto que são propensos a herdar maiores capacidades cognitivas. Mas Putnam descobriu que os filhos da classe instruída que estão no *grupo nacional mais baixo* de capacidades cognitivas têm chances maiores de entrar na faculdade do que os filhos de famílias menos instruídas que estão *no grupo mais alto*. O novo ensino parental precoce cria não só filhos-troféu, mas tolos disfarçados.

As tendências de aumento da desigualdade social e de estagnação ou queda da mobilidade social são recentes, e os números mostram basicamente a mudança que houve entre a minha geração e a seguinte. Mas a notícia mais preocupante é que essas mudanças que foram observadas podem estar minimizando a um grau considerável a verdadeira permanência da desigualdade social. Num admirável livro recente, com o título espirituoso de *The Son Also Rises**, Gregory Clark estudou a transmissão das desigualdades

---

* Trocadilho com *The Sun Also Rises* [O sol também se levanta], romance de Ernest Hemingway. (N.T.)

familiares ao longo de várias gerações.[11] Geralmente, mede-se a mobilidade social comparando apenas uma geração e a geração seguinte, mas ele adotou uma técnica habilidosa, a de utilizar sobrenomes raros, que são mais fáceis de rastrear ao longo dos séculos. Evidentemente, o que Clark estava rastreando aqui, de modo geral, era a linhagem masculina, o que significa que, para grande parte da história, ele estava rastreando o papel do chefe da casa. O que Clark descobriu foi que o sucesso tem alta persistência, muitas vezes por vários séculos. Ele mostra que as estimativas convencionais da mobilidade social, baseadas apenas na transmissão de uma geração à seguinte, são radicalmente incoerentes com o alto grau de persistência da desigualdade, e apresenta uma explicação plausível dessa discrepância. Está-se transmitindo algum ativo ao longo das gerações, sem que se o dissipe. O que pode ser? É improvável que a riqueza financeira possa prosseguir continuamente: basta apenas um mandrião para dissipar uma fortuna, e é daí que vem o clichê do "avô rico, pai nobre, filho pobre". Clark chega a dois ativos impossíveis de dissipar. Um é genético, mas, ainda que a herança genética seja importante, é possível que os genes excepcionalmente úteis se diluam pelo cruzamento ao longo de diversas gerações. A outra possibilidade é o que Clark chama de cultura familiar. É um termo sintético para as normas e narrativas do sistema de crenças que molda o comportamento no grupo familiar em rede. Ocupando seu centro, o chefe da casa está em boa posição para induzir a continuidade. Sabemos que os genitores da elite dedicam um esforço considerável à transmissão de sua cultura[12], e talvez especialmente à transmissão daqueles atributos que levam ao sucesso, ainda que os atributos específicos mudem no decorrer do tempo.

Pode-se usar a mesma técnica de rastrear sobrenomes raros para medir o outro extremo do espectro social: famílias que ficam presas na parte de baixo da sociedade geração após geração. Clark descobriu o mesmo padrão de persistência ao longo de muitas gerações: a transmissão do fracasso de uma para a outra. Como as dívidas não são transmissíveis, a ausência continuada de riquezas em efeito cascata não é uma explicação plausível. De fato, durante a maior parte da história, a maioria das pessoas não possuía tal riqueza e, assim, a maioria das pessoas recebia a mesma herança monetária – nada.

Clark explica por que as medidas convencionais da mobilidade social baseada em duas gerações contíguas têm a propensão de exagerá-la. Simplificando para deixar esse aspecto mais claro, suponha-se que o sucesso em cada geração tenha resultado apenas da sorte e da cultura familiar. Cada geração herda uma cultura familiar e tira um papelzinho do chapéu chamado "roda da fortuna". Se as culturas familiares se transmitem intactas ao longo das gerações, a única fonte de mobilidade social é a sorte. Mas a mudança de sorte entre a primeira e qualquer geração subsequente é a mesma, quer tomemos a geração contígua ou uma que esteja distante. Nesse exemplo deliberadamente exagerado, a mobilidade social que vemos entre a primeira e a segunda geração seria a mesma que há entre a primeira e a duodécima geração. Medir apenas o primeiro caso pode gerar a ilusão de uma sociedade móvel.

RESTAURANDO A FAMÍLIA ÉTICA?

Alguns aspectos da família ética não passavam de um verniz encobrindo relações de poder e violência. Já estamos livres disso. Mas outros aspectos da "liberação" dessas relações praticamente se resumiam a um egoísmo se passando por autodescoberta. Da mesma forma, a justaposição entre a preocupação utilitarista com "os pobres do mundo" e a recusa da responsabilidade familiar era não tanto um despertar moral, e sim o fácil prazer de um exibicionismo moral: foi nessas atitudes que Dickens deu uma estocada, com o personagem da sra. Jellyby em *A casa soturna*.

Em termos mais fundamentais, a vitória da realização individual por meio das conquistas pessoais sobre o cumprimento das obrigações familiares começa a se mostrar psicologicamente falha. Num livro profundamente subversivo, *The Road to Character* [O caminho para o caráter], David Brooks parte da comemoração familiar da realização por meio das conquistas apenas para inverter a questão, sugerindo que a tendência do futuro será a restauração da realização por meio do cumprimento das obrigações com os outros.[13] À sedutora proposição de que encontramos a nós mesmos ao nos concentrarmos em nós mesmos opõe-se uma vigorosa narrativa contrária, que encontra, talvez, sua melhor expressão em *Cartas e anotações escritas na prisão*, de Dietrich Bonhoeffer, que é seu testemunho deixado enquanto aguardava a morte às mãos dos nazistas: encontramos a nós mesmos "perdendo a nós mesmos" nas lutas das outras pessoas em nossa vida diária. A liberdade se encontra não na escravidão ao eu, e sim na fuga ao eu. Bonhoeffer e Brooks têm a seu lado os novos dados da psicologia social. Nosso pesar pela realização pessoal insuficiente torna-se pequeno ao lado de nosso pesar pelas obrigações que deixamos de cumprir. O ilustre psicólogo Martin Seligman dirige um programa contínuo de pesquisas sobre o bem-estar. Sua conclusão é inequívoca: "Se você quer bem-estar, não o terá se se preocupar apenas com a realização... As relações pessoais próximas não são tudo na vida, mas são centrais".[14] A substituição da *família ética* pelo *indivíduo com direitos próprios* revela ser mais uma tragédia do que uma vitória.

Numa área aparentemente muito distante, uma grande descoberta na economia mostrou que o "mais fraco" pode ser o "mais forte". Para assumir compromissos confiáveis e se beneficiar disso, pode ser necessário que a pessoa ceda algum poder. A capacidade de assumir compromissos era um exemplo de interesse próprio esclarecido. Usando termos pomposos, uma "tecnologia do compromisso" resolveu o "problema da inconsistência temporal": os descobridores receberam o Prêmio Nobel. A tecnologia do compromisso para resolver a inflação foi dar independência aos bancos centrais; a que resolveu a criação dos filhos foi o casamento. Paradoxalmente, no mesmo período em que implantavam a tecnologia do compromisso que controlou a inflação, as sociedades ocidentais estavam sistematicamente destruindo a tecnologia do compromisso que defendera o direito das crianças de serem criadas pelas pessoas que as haviam gerado. Assim como os bancos centrais politizados têm um ímpeto inicial de energia para imprimir moeda, da mesma forma a destruição dos laços de casamento criou o ímpeto de energia da libertação. Em muitas sociedades ocidentais, o casamento traz marcas de suas associações religiosas e, assim, precisamos de um equivalente exclusivamente secular. Isso nada tem de revolucionário: em todas as sociedades ocidentais, o casamento foi anterior ao cristianismo, e é plenamente possível a convivência entre formas religiosas e seculares de compromisso público. Em ambos os casos, a tecnologia do compromisso extrai sua força da aceitação pública e explícita das obrigações mútuas: ela se baseia na força do apreço e da vergonha. Vale lembrar que a tecnologia do compromisso é de interesse dos que a utilizam. É um interesse próprio "esclarecido" na mesma acepção dos exemplos anteriores – infunde propósito ao cumprimento das obrigações. Quando entendemos a verdadeira cadeia causal que leva às consequências desejadas, o cumprimento mútuo se torna racional. Assim como o interesse próprio esclarecido complementa e reforça outras obrigações recíprocas, da mesma forma a percepção econômica do valor do compromisso público complementa a percepção psicológica do valor de cumprir essas obrigações.

Juntas, essas percepções podem se contrapor vigorosamente às aspirações um tanto surradas da realização individual por meio das conquistas pessoais. Mas não se aplicam à nova realidade do âmbito familiar ora em definhamento, com a transformação da *família ética* estendida em *família dinástica* nuclear. Como se contrapor a isso? Felizmente, há uma grandiosa consequência do avanço tecnológico que pode compensar esse processo: o aumento da longevidade.* As famílias encolheram horizontalmente, mas cresceram verticalmente, e agora muitas famílias são compostas por quatro gerações, em vez de três. A geração mais idosa nessa família alcança um leque maior. Se cada geração tiver dois filhos, o sobrevivente da mais antiga abrangerá quatro famílias nucleares e vinte pessoas distribuídas entre as três gerações mais novas. Esses patriarcas e

---

* É um desenvolvimento que me deixa cada vez mais entusiasmado.

essas matriarcas não precisam se recolher a um vazio fossilizado e sem propósito: que lhes seja dado um papel, o de regenerar a força do apreço que fiscaliza as obrigações da família ética estendida.

UM PÓS-ESCRITO PESSOAL

Dez anos atrás, minha esposa e eu enfrentamos uma escolha moral. Em mais uma volta na espiral das fortunas cada vez mais distanciadas, os netos de meu primo, ainda bebês, foram tomados a "cargo" do Estado paternalista (um eufemismo de proporções orwellianas). Em vista das normas vigentes da nova elite educacional britânica, não sofremos nenhuma pressão social da comunidade para tomá-los a nossos cuidados e, da mesma forma, nossas famílias mostraram uma compreensão analogamente generosa e pouco exigente de nossas responsabilidades. Gostaria de poder dizer que não titubeamos. Retrospectivamente, é difícil reconstituir os fios do pensamento, mas uma influência importante foi o que aquela geração mais antiga esperaria de nós. Mesmo já falecida, ela exerceu uma forte pressão moral em nosso sentimento de autorrespeito. Outra grande influência, em vista de nosso longo contato com a cultura africana, era nosso respeito pela norma africana da família ética estendida. Por coincidência, o Estado facilitou, pois a nova legislação previa um caminho para que a família estendida contornasse o torturante processo de adoção. Amparados pela opinião oficial e familiar unânime, cumprimos rapidamente o processo em meros oito meses daquele crucial período inicial, numa enxurrada de formulários, inspeções e cheques. Durante aquele ano todo, num país de 65 milhões de habitantes, apenas 60 crianças foram adotadas pelos procedimentos convencionais: daí aquela estatística de 70 mil crianças presas no limbo da adoção temporária, número que vem crescendo ano a ano.

Quando nossos dois pequeninos chegaram em casa, nossos amigos africanos reagiram com um afável "bem-vindos ao clube". Nossos amigos britânicos nos falaram que fomos "corajosos", maneira de dizer que "vocês vão se arrepender". Dez anos depois, estamos longe de nos arrepender e temos mais clareza sobre as obrigações familiares. Essa situação deveria ser normal em nossas sociedades tanto quanto é na África. Mas, numa sociedade próspera e ética, o que fizemos nem deveria ser necessário.

6
O mundo ético

Como seria um *mundo ético*? Cada ideologia tem suas receitas próprias. A ideologia utilitarista iria querer um governo paternalista mundial, encarregado de providenciar transferências fiscais para alcançar "a maior felicidade do maior número". Os advogados rawlsianos vêm ganhando influência crescente nas declarações de "direitos humanos" da ONU. À cacofonia somam-se as comoventes celebridades populistas: Angelina Jolie, porta-voz dos corações sem cérebro, quer a "paz mundial".

Se, em lugar disso, aplicarmos os preceitos centrais do Capítulo 2, poderemos conceber um *mundo ético* análogo a um *Estado ético*, uma *empresa ética* e uma *família ética*.

> *Preceito 1* – Reconhecimento das obrigações com outras sociedades, que não dependem de reciprocidade: os *deveres de resgate*. Abrangem obrigações com grupos de refugiados, sociedades enfrentando desespero de massa e sociedades carentes dos mais básicos rudimentos de justiça.
> *Preceito 2* – A construção de *obrigações recíprocas* de alcance muito maior entre os países dispostos a ir além.
> *Preceito 3* – Essa reciprocidade se ampara no reconhecimento de serem integrantes de um mesmo grupo, baseado em ações com propósito comum que promovem o *interesse próprio esclarecido* de cada participante.

A situação internacional de 1945 estava o mais longe que se possa imaginar desse mundo ético. Havia quatro pesadelos constantes. A geração de meus pais passou um terço de sua vida adulta em guerras globais. Viveram o colapso da próspera economia global em que haviam nascido, desembocando numa corrida de protecionismo oportunista ao estilo "dane-se o vizinho", que levou a um mútuo empobrecimento. Viveram uma era de impérios – britânico, francês, russo, japonês, austríaco, português, belga, germânico, italiano – que estavam se desfazendo sob as pressões de seus flagrantes absurdos éticos. E viveram os horrores infligidos pela ideologia fascista e pela ideologia marxista que haviam assumido o controle da Alemanha, da Rússia, da Espanha e da Itália. Além dessas calamidades herdadas, o final da Segunda Guerra Mundial legou mais duas: a perspectiva de que os agressivos regimes comunistas novos, que controlavam cerca de um terço do mundo, tentariam assumir o controle do restante; e a realidade imediata de uma enorme concentração de refugiados em decorrência da desarticulação da Europa Central.

Seria compreensível se os líderes políticos da época tivessem sido acometidos por uma sensação avassaladora de "não vá por aí". Mas, em vez disso, começaram a montar um mundo ético, usando esses três conceitos centrais. Reconheceram as obrigações com outras sociedades, que surgem independentemente da reciprocidade – os *deveres de resgate* –, e começaram a cumpri-las. Começaram a lidar com o imenso potencial inexplorado das *obrigações recíprocas* entre as nações, construindo novas entidades com finalidades específicas. Reforçaram as entidades com cadeias causais que substituíram a busca oportunista do interesse próprio imediato pelo *interesse próprio esclarecido*. Foi uma conquista assombrosa, e valeu a pena: gradualmente, o mundo mudou para melhor.

Mas a feliz geração de líderes que herdou esse sucesso não entendeu o processo que o produzira. O hábil pragmatismo que construíra o sucesso a partir das cinzas da catástrofe cedeu lugar às atraentes narrativas dos ideólogos utilitaristas e rawlsianos que vêm destruindo gradualmente essa herança. No mundo atual, a ética não está tão ausente quanto estava em 1945, de forma alguma, mas nisso também há muito trabalho a se fazer. Essa história da realização pessoal, da deterioração e da tarefa que temos pela frente forma a estrutura do presente capítulo.

CONSTRUINDO UM MUNDO ÉTICO

A percepção fundamental dos líderes em 1945 foi de que o comportamento oportunista das nações tomadas individualmente precisava ser substituído por obrigações recíprocas, fazendo-se valer pela pressão de seus pares. Mas a pressão dos pares depende do reconhecimento de uma identidade em comum, algo que faltava nos anos 1930. Gradualmente vieram a se construir novas organizações com integrantes dispostos a aceitar obrigações mútuas, com um senso de pertencimento em torno de ações dotadas de propósito.

A prioridade mais premente era a segurança internacional. Em resposta ao clima de medo criado pela União Soviética, formou-se uma nova entidade em 1949, a Organização do Tratado do Atlântico Norte (OTAN). O princípio central eram as garantias de segurança recíproca entre seus membros. A identidade que os unia era a de democracias diante de uma mesma ameaça. Havia alguns caroneiros, mas a nova obrigação era reforçada por uma narrativa fundada no interesse próprio esclarecido, de alta credibilidade: ficamos juntos ou nos danamos. As ações correspondiam às palavras, e os momentos cruciais foram a Crise dos Mísseis de Cuba, em 1962, e a preparação de mísseis de cruzeiro, no começo dos anos 1980. As novas obrigações recíprocas conseguiram manter a paz, enquanto se acumulavam as várias tensões comunistas internas.

Embora a nova ameaça fosse a União Soviética, o grande medo na Europa continuava a ser a Alemanha. A França travara três guerras sangrentas contra a Alemanha em meros setenta anos. O interesse próprio esclarecido era ainda mais óbvio, mas o que o atravancava eram os ódios gerados pelas guerras. A solução foi adotar um processo realisticamente vagaroso de esforços comuns e modestos, mas reiterados, iniciando-se em 1951 e se expandindo para formar a Comunidade Econômica Europeia (CEE). Como na OTAN, o princípio central da CEE era a aceitação de obrigações recíprocas.

Para desmontar o protecionismo ao estilo "dane-se o vizinho" dos anos 1930, formou-se mais uma entidade: o Acordo Geral sobre

Tarifas e Comércio, o GATT. Entre 1947 e 1964, ele realizou seis rodadas de liberalização comercial mútua. Aqui, também, o motor central era o interesse próprio esclarecido; todos reconheciam ao que levara o protecionismo.

Em resposta à Grande Depressão dos anos 1930, criou-se outra associação de nações. O Fundo Monetário Internacional (FMI) era um banco público em que os países podiam ingressar mediante pagamento, comprometendo-se a seguir uma série de regras e a se submeter a uma supervisão, e em troca teriam direito a empréstimos durante alguma crise. Na verdade, era um gigantesco sistema de seguros mútuos.

O princípio comum da reciprocidade que dava sustentação a essas entidades ganhou reforço com a Organização para a Cooperação e Desenvolvimento Econômico (OCDE), concebida para criar pressão entre os pares. Incentivava a comparação por meio de tabelas da liga (como, por exemplo, o PISA ou Programa Internacional de Avaliação de Alunos para a classificação do desempenho educacional de cada país-membro) e de avaliações por pares das políticas públicas nacionais.

Essas organizações com finalidades específicas, cada qual com um conjunto definido e limitado de membros, com obrigações recíprocas dentro do grupo e interesses próprios esclarecidos e plausíveis, transformaram gradualmente o mundo. Cada qual se desenvolveu em seu ritmo próprio, mas suas realizações cumulativas foram assombrosas.

A OTAN teve um grande arranque em 1989, com a dissolução da União Soviética e o fim da Guerra Fria. Dentro da Europa, a CEE consolidou aos poucos a democracia em países como a Espanha, a Grécia e Portugal, enquanto aprofundava a integração comercial e permitia que os membros mais pobres alcançassem os mais ricos. Quando chegou à sua rodada final em 1986, o GATT já lançara as bases para os enormes ganhos econômicos da expansão posterior do comércio global. O FMI ajudou a evitar crises, e seu maior socorro financeiro em todo esse período foi durante uma crise política britânica em 1976, evitando que se realizasse a previsão de uma manchete do *New York Times*, que dizia: "Adeus, Grã-Bretanha, foi um prazer conhecê-la". O país foi salvo porque Keynes e outros altos integrantes do governo britânico de uma geração anterior haviam criado o FMI precisamente para esse tipo de eventualidade. Deviam ser reconhecidos como heróis nacionais.

Além dessas entidades de obrigações recíprocas, os líderes mundiais construíram novas organizações para atender a deveres de resgate. Aqui também foram perspicazes. Em vez de deixar esses deveres de resgate a cargo dos países prósperos tomados individualmente, montaram instituições globais que utilizavam o princípio da reciprocidade entre essas nações prósperas para impor a outras nações novas normas de cumprimento de suas obrigações. O Alto Comissariado das Nações Unidas para os Refugiados (ACNUR) foi criado para fornecer assistência aos refugiados; o Programa Alimentar Mundial foi criado para fornecer alimentos durante as crises de fome; a Organização Mundial da Saúde foi criada para fornecer melhores condições de saúde para as sociedades mais pobres. Mas a organização suprema foi o Banco Mundial. Os membros eram divididos em dois grupos: os países ricos, que se obrigavam mutuamente a contribuir, e os países mais pobres, que eram os destinatários das verbas reunidas.

Na época, eram reações coletivas inéditas ao dever de resgate, ações nobres que complementavam o surgimento das obrigações recíprocas. Ninguém questionava que tais deveres de resgate deviam ser atendidos, coletivamente. Vista em retrospecto, essa concordância unânime foi admirável.

Em paralelo com as novas entidades e organizações de deveres de resgate, os líderes mundiais de 1945 ressuscitaram um governo protomundial: uma assembleia das nações. No lugar da Liga das Nações, criada após a Primeira Guerra Mundial, mas que falhara e se finara, surgiu a Organização das Nações Unidas, cujo Conselho de Segurança supervisionaria a ordem mundial. Tal como ocorreu com a Liga das Nações e a despeito de sua enorme boa vontade, raramente tem-se mostrado eficaz. Os cinco membros permanentes do Conselho de Segurança compunham um grupo suficientemente reduzido para viabilizar a reciprocidade, mas, devido à polarização ideológica entre os Estados Unidos e a União Soviética, foi impossível congregar a confiança necessária para um interesse próprio esclarecido. Paradoxalmente, a ONU obteve seus maiores sucessos ao se converter numa entidade dos excluídos: o "Grupo dos 77", formados por aqueles países sem voz efetiva nas organizações de tipo fechado.

A EROSÃO DO MUNDO ÉTICO

Essas entidades haviam trabalhado em reciprocidade, baseando-se nas normas da lealdade e da equidade. Quando o pragmatismo cedeu lugar à ideologia, essas normas foram substituídas pelas normas de assistência e igualdade defendidas pelos WEIRDs, com as decorrentes reivindicações de inclusão de todos, com base na necessidade. Em resposta a essa nobre ambição, as entidades ampliaram o número de membros e também suas aspirações.

A OTAN passou de seus doze membros originais para o grupo atual de 29 países, avançando para o Leste. Enquanto o grupo original tinha alguns elementos genuínos de reciprocidade, a expansão veio a ser basicamente uma extensão de uma garantia americana de segurança a países sem capacidade militar. A Comunidade Econômica Europeia (CEE) deixou de ser um grupo de seis membros e se tornou uma União Europeia (UE) de 28 membros. O campo de aplicação das regras se ampliou enormemente, passando do comércio e da democracia para abranger inúmeros aspectos das políticas públicas. O GATT se integrou e se dissolveu na Organização Mundial do Comércio (OMC), expandindo-se até congregar quase todos os países do mundo e ampliando analogamente seu âmbito regulatório, cobrindo a agricultura, o setor terciário e a propriedade intelectual. Da mesma forma, o FMI se expandiu, abrangendo entre seus membros quase todo o globo, e ampliou sua esfera de competência.

Com a expansão dos grupos definidos, o elemento de coesão que sustentava a vigência das obrigações recíprocas começou a se enfraquecer.* Em reação a isso, as organizações podiam ou perder eficácia ou se transformar numa espécie de império comandado por um núcleo interno de membros, que impunham as regras aplicando penalidades aos membros súditos. Algumas organizações optaram pela primeira via, outras pela segunda.

Vejamos primeiro a via para a ineficácia. Na OTAN, a reciprocidade decresceu mesmo entre os membros originais. Hoje, apenas cinco dos 29 membros cumprem o compromisso da entidade de gastar 2% do PIB com a defesa. Em consequência disso, o comprometimento americano começou a se enfraquecer. Mas o exemplo clássico de uma entidade eficaz que se transformou numa organização mundialmente inclusiva marcada pela ineficácia foi a Organização Mundial do Comércio. Enquanto o GATT realizou seis rodadas mundiais mútuas em seus primeiros dezessete anos de existência, a OMC não conseguiu concluir sequer uma única rodada em 23 anos.

Passemos agora à via para o império. A expansão e transformação da CEE na União Europeia, e do FMI de um banco mútuo para uma organização de fundos mundiais para países pobres transformaram ambos em organismos de tipo imperial, por meio dos quais alguns governos diziam a outros governos o que deviam fazer. Na União Europeia, o interesse próprio esclarecido, que infundira um senso de propósito na obediência às regras, deu lugar a um amplo leque de normas prescritivas, postas e impostas por um grupo interno que, atualmente, anda às turras com três grupos de pleiteantes: membros do Leste, membros do Sul e a Grã-Bretanha. Não quero criticar as normas nem exagerar o problema; a União Europeia continua a ser, em outros aspectos, uma organização de imenso valor e tem potencial para fazer ainda mais. No entanto, a União Europeia deixou de ser uma entidade de inequívoco apoio mútuo; é cada vez mais uma entidade em que os países poderosos dizem aos outros países o que devem fazer.

---

* Por isso o governo britânico ficou tão interessado na ampliação da União Europeia.

O FMI se transformou num fundo global como o Banco Mundial, cuja razão de ser era cumprir os deveres de resgate. Os deveres de resgate, por sua própria natureza, não são recíprocos nem condicionais. Mas as duas organizações passaram a ser dominadas por um núcleo interno de países doadores que converteram os deveres em poder. Os doadores, primeiramente, tornaram o apoio condicional, dependendo da adoção de determinadas políticas econômicas. Mas essa ideia, que por si só já era muito ruim, logo foi sequestrada por ONGs de grande poder político. Atualmente, a ajuda ocidental tem como condição a concordância com exigências em relação aos direitos humanos e ao meio ambiente, muitas vezes tão rigorosas que não são cumpridas nem mesmo nas sociedades ricas. Por exemplo, todos os projetos do Banco Mundial precisam ter "avaliações do impacto ambiental". Ficou impossível obter financiamento para projetos de hidrelétricas porque ONGs consideraram que eles infringiam os direitos humanos. Mesmo a ampliação viária urbana foi bloqueada por ativistas ocidentais dos direitos humanos.* Impuseram-se a projetos do Banco Mundial em países pobres critérios de emissão de carbono consideravelmente mais rigorosos do que os utilizados em países de alta renda – questão que gerou aguda indignação, em vista das graves faltas de energia na África.** Repito que não quero exagerar o problema: as duas organizações ainda praticam o bem em enorme escala e são nossos meios básicos para praticá-lo em escala ainda maior. Mas foram ocupadas e têm sido usadas para outra pauta.

---

* Kim, presidente do Banco Mundial, comentou comigo sua frustração: mesmo oferecendo substanciais indenizações a posseiros oportunistas, que haviam se mudado para áreas destinadas à ampliação viária, o lobby dos direitos humanos teve poder suficiente para bloquear a iniciativa.

** Como me explicou um ex-presidente africano altamente respeitado: "Falei a meus ministros que nunca deviam dizer 'não' ao Banco Mundial ou ao FMI; era perigoso demais. Mas eles nunca faziam realmente o que nos diziam: não podíamos confiar neles".

RECONSTRUINDO UM MUNDO ÉTICO

Precisamos que ambas funcionem: as entidades recíprocas e as obrigações de resgate. Precisamos das entidades porque um governo mundial paternalista não é exequível nem desejável: suas tentativas de impor regras a todos nós seriam sufocadas pela desobediência a elas. Em vez de reviver as velhas entidades, talvez fosse mais fácil formar uma entidade nova, de finalidades múltiplas, que refletisse as realidades do atual poderio econômico e militar. Essa entidade teria de encontrar muitas oportunidades de obrigações recíprocas que sejam globalmente benéficas. O G20 tem envergadura suficiente, mas na prática é grande demais, heterogêneo e espasmódico demais para ser de real eficácia, e está cheio de caroneiros. O G7 é menor e mais concentrado, mas agora a composição de seus membros, ao excluir a China e a Índia, não é correta. Um grupo menor composto por China, Índia, Estados Unidos, União Europeia, Rússia e Japão abrangeria a economia e a capacidade militar global a um grau suficiente para terem como interesse próprio e coletivo a solução de vários problemas mundiais, mesmo que países não membros resolvessem aproveitar a carona. E cada membro saberia que, se decidisse ir de carona, os outros membros fariam o mesmo: todos são grandes demais para serem caroneiros.

A formação de um grupo desses enfrenta dois desafios. Um é que os seis países não têm nada em comum e seus interesses geopolíticos individuais são conflitantes. Todavia, para problemas globais que avultam no horizonte, como a mudança climática, epidemias e Estados frágeis, eles terão um interesse comum cada vez maior. Também virão a reconhecer uma característica própria em comum: eles, e apenas eles, têm uma dimensão coletiva suficiente para solucionar esses problemas, ao passo que, individualmente, cada um deles é grande demais para ir de carona com os outros cinco. O outro desafio é a previsível oposição dos idealistas com coração e sem cérebro: e os excluídos? Contudo, é do grande interesse dos excluídos ter um grupo suficientemente reduzido para superar o problema de uma ação coletiva mundial. Outros podem se unir aos compromissos assumidos, desde que os seis concordem informalmente que devem agir. Devido às características heterogêneas dos seis, é muito difícil que haja alguma questão em que os seis concordem, mas que traga desvantagens a todos os demais. Esta é a nova entidade de que precisamos. Levará anos para se formar, mas a lógica que sustenta uma ação eficaz em questões globais e críticas pode nos levar gradualmente a ela.

Ao lado dessas entidades, precisamos de organizações que atendam com maior eficácia a nossos deveres de resgate. Essa é minha praia: passei minha vida adulta inteira procurando incentivar as pessoas de sociedades prósperas a reconhecerem que temos esses deveres para com os outros. Temos sido péssimos em cumpri-los; a vontade de receber aplausos tem prejudicado a eficácia prática, como podemos ver pelos exemplos abaixo.

Os refugiados*

Começo com nosso dever de resgatar refugiados. Existem 65 milhões de pessoas no mundo que deixaram seus lares, movidas pelo medo ou pela fome. Um terço delas se tornaram refugiadas. Lutam para voltar a ter alguma normalidade na vida: encontrar um local para viver que não lhes seja estranho, encontrar trabalho para sustentar a família, ficar junto com outras pessoas de sua comunidade. São necessidades razoáveis, mas o governo do país vizinho pode ter dificuldade em atender a elas. Muito provavelmente, seus próprios cidadãos são pobres e mal conseguem atender a suas próprias necessidades.

As sociedades realmente têm para com seus vizinhos obrigações que, sendo naturalmente recíprocas, podem ser maiores do que os deveres não recíprocos de resgate. Mas, frente a uma calamidade em massa, drástica como um êxodo de refugiados, há também um dever global de resgate. Um país vizinho que os acolha terá razão em reclamar se você não o ajudar e o largar sozinho com suas

---

* Esta seção se baseia em Betts e Collier (2017).

dificuldades. Embora ele deva permitir que os refugiados atravessem a fronteira e entrem em seu território, você é mais rico: então vocês dois deveriam cooperar, para que ele cumpra seu dever de hospitalidade como vizinho e você cumpra seu dever de resgate. Aqui podemos nos conduzir tanto pelo princípio do coração, que exige *solidariedade* com a sociedade à beira da crise, quanto pelo princípio do cérebro, que nos diz para dividirmos nossas responsabilidades de acordo com nossas *vantagens relativas*.

    O conselho do cérebro não é complicado. A sociedade vizinha é a que está em melhor posição para oferecer abrigo. Fica perto, fácil para ir e voltar, e provavelmente guarda semelhanças suficientes para oferecer um ambiente familiar; enquanto escrevo, o movimento de refugiados mais recente se dá da Venezuela para a vizinha Colômbia. As sociedades prósperas têm as empresas internacionais que podem fornecer emprego e dinheiro, tanto para ajudar os lares de refugiados na transição para a autonomia quanto para pagar à sociedade hospedeira todas as despesas em que incorre. Esta, e não o caos da política dos refugiados desses últimos anos, é a estratégia do futuro.

O HIV positivo*

Geralmente, a força da reciprocidade em uma sociedade gera para com os concidadãos obrigações que ultrapassam as obrigações que temos em nível global. Mas às vezes temos obrigações para com alguns cidadãos de outro país que ultrapassam as de seus concidadãos. Os portadores de HIV em países pobres fazem parte dessa categoria. Com os medicamentos antirretrovirais, as pessoas infectadas com o HIV podem levar uma vida normal por muitos anos, a menos de mil dólares por ano. Reconheça-se o crédito moral do presidente Chirac da França e do presidente George W. Bush ao admitirem que, se havia algum dever de resgate, era esse. Sem o dinheiro, milhares de pessoas pobres identificáveis na África ficariam entregues à morte certa e iminente. Ambos viram que seus países tinham

---
* Esta seção se baseia em Collier e Sterck (2018).

riqueza suficiente para que as pessoas se dispusessem a financiar coletivamente essas despesas para salvar vidas.

E então qual foi a reação dos WEIRDs? Os economistas da área de saúde, imbuídos da ideologia utilitarista, foram contrários a esse uso do dinheiro. Passando totalmente por cima da força moral do dever de resgate, argumentaram que seria possível salvar um maior número de anos de vida com o mesmo dinheiro, reduzindo ligeiramente os riscos de mortalidade com intervenções preventivas numa variedade de outras doenças. Numa relação custo-benefício, seria melhor deixar todos os portadores de HIV morrerem. Enquanto isso, os populistas com coração e sem cérebro se manifestavam contra outra maneira óbvia de salvar vidas. O HIV normalmente é transmitido nas relações sexuais. Se fosse possível convencer as pessoas a não terem vários parceiros, ao mesmo tempo o índice de transmissão cairia maciçamente; foi o que conseguiu o presidente Museveni, da Uganda, com transmissões radiofônicas à nação. Mas as campanhas para uma mudança no comportamento enfrentaram oposição, pois poderiam inadvertidamente estigmatizar os portadores de HIV, ao sugerir que eles tinham uma potencial responsabilidade moral pelas consequências de seus atos. Lembremo-nos: as vítimas não podem ser agentes morais.

O dever de resgate do desespero em massa

Atualmente, muitos jovens africanos alimentam uma esperança: fugir para a Europa. Isso é uma tragédia. É manifestamente inviável como solução para o desespero em massa, e o êxodo dos melhores e mais inteligentes muitas vezes vem a se somar aos problemas de uma sociedade pobre. Num mundo ético, toda e qualquer sociedade deveria poder oferecer esperanças plausíveis a seus jovens. O papel das sociedades prósperas não é atrair alguns jovens brilhantes para uma vida de marginalidade em nossas sociedades, e sim oferecer oportunidades aos muitos jovens que permanecem em suas sociedades.

Todos os deveres de resgate começam pelo respeito aos que estão sendo resgatados. Resgatar significa restaurar e aumentar a autonomia, e não impor autoridade sobre as pessoas. Em vez de uma compassiva cesta básica mediante uma mixórdia de condições sociais e políticas, o apoio internacional deveria ter como objetivo atrair empresas éticas para as sociedades que precisam desesperadamente delas, ao mesmo tempo restringindo as atividades de negócios corruptos. Os países frágeis precisam desesperadamente dos empregos que as empresas modernas podem oferecer, mas são poucas as empresas decentes que querem ir para esses países: os mercados pequenos e os riscos altos afastam as firmas. Para mudar essa situação, é necessário ter verbas públicas que compensem as empresas pelo benefício público que trazem ao gerar empregos. Em 2017, o Banco Mundial e a Grã-Bretanha tomaram a iniciativa pioneira de dar apoio financeiro a suas agências – a IFC (International Finance Corporation – Corporação Financeira Internacional) e a CDC (Commonwealth Development Corporation – Corporação para o Desenvolvimento da Comunidade das Nações), respectivamente – que trabalham com empresas. A reação dos populistas com coração e sem cérebro foi de horror: a ajuda estava sendo desviada de suas belas e fotogênicas prioridades.

CONCLUSÃO

O cérebro e o coração juntos podem nos guiar pragmaticamente para novas entidades recíprocas, capazes de atender às novas inquietações globais e de oferecer uma efetiva recuperação aos que precisam ser resgatados. Uma geração anterior de líderes globais herdou uma situação muito mais alarmante e, mesmo assim, conseguiu atuar nessas duas frentes, legando à geração seguinte um mundo muito melhor, ainda longe da perfeição, mas já transformado. Essa herança permitiu que seus sucessores se embalassem nos prazeres da ideologia e do populismo. Agora estamos pagando o preço pelo resultante enfraquecimento das entidades e pela contaminação dos deveres de resgate. Mas, se voltarmos a uma abordagem pragmática, poderemos não só restaurar o *mundo ético*, como também torná-lo melhor do que nunca.

PARTE TRÊS

Restaurando a sociedade inclusiva

7

O divisor geográfico: metrópoles prósperas, cidades falidas

Londres, Nova York, Tóquio, Paris, Milão. No mundo ocidental, a metrópole deu um salto à frente do resto do país, e esse divisor está presente quer seja medido em renda, aumento do número de empregos ou preço das casas. É relativamente recente, datando mais ou menos de 1980; até então, as diferenças de renda entre as regiões vinham se estreitando. Os Estados Unidos foram o caso típico; durante um século, as diferenças estiveram se reduzindo a um índice de cerca de 2% ao ano. Desde 1980, todavia, ao lado do súbito sucesso registrado na metrópole, muitas cidades do interior sofreram bruscos declínios econômicos. Novas análises da OCDE mostram que nos países de alta renda, nas duas últimas décadas, a diferença de produtividade entre as regiões mais avançadas e a maioria das demais se ampliou 60%. A Grã-Bretanha é típica: a população tem se deslocado anualmente do norte para o sul desde 1977, e a diferença de renda continuou a aumentar. Em 1997, a economia total da Grã-Bretanha interiorana era 4,3 vezes maior do que a de Londres. Em 2015, passara a ser 3,3.

Isso se manifestou num novo divisor político, o que não é de se admirar. As queixas ressentidas do interior foram recebidas pela metrópole com uma arrogância desdenhosa: a depreciativa expressão americana, "cidades por onde a gente só passa de avião" [*flyover cities*], foi superada recentemente pelo comentarista político do *Financial Times*, Janan Ganesh, com seu "acorrentadas a um cadáver". Onde está a empatia nessas expressões? Onde está qualquer noção de obrigação recíproca? Foram brutalmente descartadas, evaporando-se com a perda de uma identidade comum que, antes, unia a metrópole e o interior. Refletindo esse fenômeno, a metrópole votou maciçamente contra as campanhas revoltosas de Trump, do Brexit, de Le Pen e do movimento Cinco Estrelas, enquanto as cidades falidas se sentiam atraídas por elas.

Assim, quais são as forças econômicas que têm movido esse novo divisor, e o que se pode fazer a respeito?

O QUE MOVE O NOVO DISTANCIAMENTO?

Sob as forças que estão causando o novo distanciamento, há duas relações simples que remontam à revolução industrial. Uma delas é a que existe entre a produtividade e a especialização, que se expressa em "é fazendo que se aprende". Quando as pessoas se especializam num número menor de tarefas, podem desenvolver uma habilidade maior. A outra relação se dá entre a produtividade e a escala: a expressão usual para ela é "economia de escala".

Para aproveitar a escala e a especialização, as pessoas precisam se reunir em cidades. Para operar em grande escala, a empresa precisa ter um grande conjunto de trabalhadores, um grande conjunto de clientes e estar situada perto de outras empresas similares. Conforme se especializam, os trabalhadores precisam trabalhar perto de outros com habilidades especializadas complementares. As cidades fornecem a proximidade que possibilita todas essas ligações. Mas as cidades conectadas requerem enormes investimentos em metrôs, ruas, estradas, edifícios de muitos andares, aeroportos e centrais ferroviárias. Até os anos 1980, somente cidades da Europa e da América do Norte podiam se permitir tais investimentos.

Os ganhos de produtividade com essa facilidade de conexão foram gigantescos, e muitas cidades passaram a abrigar um grupo de empresas de algum setor específico que lhes permitia vantagens imbatíveis na concorrência mundial. Minha cidade natal de Sheffield criou uma constelação dessas, especializada em siderurgias de aço, com uma mão de obra condizente, altamente especializada. Por volta de 1980, o operário típico dessas cidades tinha níveis de produtividade espantosamente maiores do que operários trabalhando em partes do mundo que não dispunham desses polos industriais. Visto que a renda costuma corresponder à produtividade, as pessoas também eram espantosamente mais prósperas.

A partir de 1980, mais ou menos, essa situação foi alterada por dois processos simultâneos, mas distintos: uma explosão no conhecimento e a globalização. A explosão no conhecimento turbinou a antiga relação entre especialização e urbanização, levando a um crescimento espetacular nas cidades maiores. A globalização abriu novas possibilidades de canalizar os ganhos decorrentes da escala, mas também expôs os polos estabelecidos a uma nova concorrência, às vezes acabando com eles.

A revolução no conhecimento e a ascensão da metrópole

Desde os anos 1980, houve um aumento exponencial na economia do conhecimento. Foi decorrência, em parte, de um crescimento inédito nas pesquisas de base nas universidades e, em parte, de uma expansão complementar nas pesquisas aplicadas, feitas nas empresas. O potencial de aproveitar a matéria em benefício humano tem como único limite as leis fundamentais da física. Ainda estamos no começo desse processo, pois é extremamente complexo dominar o mundo material. Estamos nos aventurando nesse mundo complexo passo a passo, o que pode vir a revolucionar gradualmente a produtividade. Mas a única maneira de nossas capacidades humanas limitadas conseguirem dominar a complexidade é pela especialização sempre crescente de nossos indivíduos mais capacitados. O último que podia ter alguma pretensão a conhecer tudo, até onde sabemos, morreu no século XV. Hoje, as pessoas mais inteligentes têm um conhecimento muito maior numa única área restrita, na qual chegaram às fronteiras do conhecimento, e estão mais distantes da fronteira de todas as outras áreas. Isso se aplica não só à pesquisa, mas também às qualificações com valor comercial. Por exemplo, o direito se tornou mais complexo e, assim, as especialidades jurídicas ganharam contornos mais definidos. A expansão das universidades não só gera pesquisas, mas também forma pessoas preparadas para dominar essas novas habilidades.

No entanto, a relação fundamental entre especialização e cidades ainda se mantém. A especialização extrema só é produtiva se os diversos especialistas estão próximos. Assim, uma maior especialização exige concentrações maiores de especialistas complementares e acesso a um conjunto igualmente maior de potenciais consumidores. Em Londres, um advogado especializado está próximo de colegas de outras especialidades, próximo dos clientes com demanda dessa sua especialidade e próximo dos tribunais. O mesmo advogado que tivesse seu escritório numa cidade pequena passaria boa parte do ano desocupado.

Essa concentração de especialidades se baseia na excelente conectividade oferecida pela metrópole. Em Londres e arredores ficam os dois grandes aeroportos internacionais da Grã-Bretanha; a capital conta com o ramal ferroviário do Eurostar, de alta velocidade, que a liga a Paris e Bruxelas; ela é o ponto de conexão de todas as principais linhas ferroviárias e da maioria das rodovias da Grã-Bretanha. Dispõe do metrô: na Central Line de Londres, o trabalhador médio pode se conectar com qualquer um dos outros 2,5 milhões de trabalhadores em apenas 45 minutos. É também onde fica a sede do governo, de modo que qualquer atividade que dependa da proximidade com as políticas públicas tem em Londres o melhor local para se instalar.

A remoção das barreiras ao comércio internacional intensificou os benefícios da concentração de pessoas altamente especializadas ao ampliar o mercado potencial, passando de nacional a global. O principal mercado para os serviços concentrados em Londres costumava ser a Grã-Bretanha; agora é o mundo. Assim, o mercado agora tem demanda para advogados ainda mais especializados, cuja produtividade e capacitação ganham um reforço proporcional. Com isso, recebem vencimentos espetaculares.

Ademais, uma grande população de pessoas altamente remuneradas cria um mercado de serviços de entretenimento. A proximidade é importante: restaurantes, teatros, lojas se agrupam para atender a todos os caprichos de pessoas com muito dinheiro e pouco tempo. E essa concentração de bens de luxo atrai ainda outro fluxo: o dos ricos globais. Londres, Nova York, Paris têm moradores bilionários que enriqueceram em outros lugares, mas gostam de gastar suas fortunas nessas cidades.

Voilà – a metrópole próspera!

A revolução da globalização e o fim das cidades grandes do interior

Mas não foi isso que aconteceu em Sheffield, em Detroit ou em Lille. Lembro-me de uma pessoa que visitou a Sheffield de 1960 e exclamou: "Nossa, que cidade próspera!". Em 1990, ninguém diria isso.

Os polos de empresas líderes em sua área, como a que havia na Sheffield dos anos 1960, apresentavam larga vantagem sobre novos concorrentes, mas não eram invulneráveis. Sheffield não dispunha de nenhuma vantagem natural na produção de aço. A característica que levara as empresas a se concentrarem na cidade consistia nos cursos d'água velozes que forneciam energia para as máquinas de esmerilhamento: no século XX, sua única vantagem era que as empresas e os trabalhadores qualificados já estavam lá. Cada empresa ficava porque havia outras lá. A mão de obra era produtiva, mas isso se refletia nos salários e, assim, as empresas não eram especialmente lucrativas.

No outro lado do mundo, uma economia de mercado emergente, a Coreia do Sul, estava criando um novo setor siderúrgico. Ao criar seu polo, ela contava com uma vantagem diferente: uma mão de obra muito mais barata. Em 1980, já se tornara um pouco mais lucrativo fabricar aço na Coreia do Sul do que em Sheffield, e assim as empresas coreanas começavam a ser mais competitivas nos mercados mundiais do que as empresas de Sheffield. O setor siderúrgico de Sheffield começou a se retrair, e o setor siderúrgico da Coreia do Sul começou a se expandir. Com a retração do polo em Sheffield, reduziram-se os ganhos decorrentes da proximidade entre as várias empresas interdependentes, conhecidas como "economias de aglomeração". Consequentemente, os custos subiram. Já na Coreia do Sul, a expansão do polo levou à redução dos custos. O resultado foi bombástico: o setor siderúrgico de Sheffield, mencionado pela primeira vez em *Os contos da Cantuária*, de Chaucer, despencou com uma rapidez assombrosa. Os trabalhadores qualificados, que por sua vez já eram filhos de trabalhadores qualificados, viram-se no desemprego, sem perspectivas de conseguir um emprego qualificado. A tragédia humana desse impacto conjunto foi notável a ponto de ser registrada num filme, *Ou tudo ou nada*. O humor trocista e pungente do filme, tendo essa catástrofe como pano de fundo, capta bem o que aconteceu. Como nasci em Sheffield, essa experiência foi muito amarga para mim, mas se repetiu em muitas cidades antes prósperas, como Stoke, onde implodiu o setor de olaria que se iniciara com Josiah Wedgwood. Estes e todos os outros exemplos são pequenos em comparação ao que ocorreu em Detroit desde a década de 1980.

Essas cidades se recuperam? Os ideólogos da direita acreditam que, desde que o governo não intervenha, as forças do mercado corrigirão o problema. Infelizmente, não passa de mera crença ideológica. Para um efetivo conhecimento, precisamos de especialistas.

O mercado reage ao colapso de um polo, mas não o substituindo por outro. Pelo contrário, a reação inicial é uma forte queda no preço dos imóveis comerciais e residenciais. Os donos de casa própria ficam com o problema da desvalorização do imóvel e têm dificuldade em se mudar para cidades prósperas, onde as casas são muito mais caras. A queda no preço dos imóveis comerciais realmente atrai algumas atividades, mas de ramos mais vulneráveis da economia nacional: depósitos que atendem à região local; fábricas de baixa produtividade que só conseguem sobreviver se a área for muito barata; call centers que dependem de terreno barato e mão de obra informal a baixo salário. Quando a cidade é ocupada por essas atividades, os salários e preços dos imóveis se recuperam parcialmente, mas a cidade empaca num beco sem saída. Essas atividades são pouco qualificadas e, assim, a mão de obra não participa mais da sempre crescente produtividade da especialização complexa.[1] As grandes empresas da metrópole se mantêm na fronteira tecnológica e, assim, a população metropolitana se beneficia com as rendas em crescimento, mas a tecnologia e os rendimentos não têm efeito de gotejamento nas cidades falidas. Por exemplo, novos dados sobre os Estados Unidos mostram que os empregos de alta tecnologia e altos salários vêm se concentrando cada vez mais nos polos maiores.[2] Em termos mais pomposos, reduz-se a velocidade de difusão tecnológica dos setores mais avançados para os mais atrasados.[3]

Eis aí – sem o "voilà!" – a cidade falida.

CORRIGINDO O NOVO DISTANCIAMENTO

A análise precedente ajuda a explicar por que as metrópoles em todas as economias avançadas dão um grande salto à frente, enquanto muitas cidades do interior sofrem um declínio humilhante. O que se pode fazer a respeito? Há inúmeras "soluções" que parecem familiares. São disseminadas a rodo pelos ideólogos, embora levem a um beco sem saída por excesso de confiança.

Ao tratar do novo distanciamento, os populistas vão pelo lado mais fácil. Visto que o distanciamento é *novo*, propõem atrasar o relógio e voltar ao que era antes. Sua política para isso é o protecionismo, é reverter a globalização dos mercados. Antes que os leitores ridicularizem essa reação, temos de reconhecer que não é uma tolice explícita. Se para muitas pessoas o passado era, em muitos aspectos, melhor do que o presente, realmente há de parecer viável e seguro adotar a estratégia de restaurar a economia anterior. Essas mesmas pessoas aprenderam a não confiar nas alegres promessas de que, se aceitarem mais mudanças, tudo vai melhorar.

Apesar disso, a estratégia de voltar os ponteiros do relógio está fadada ao fracasso. A razão principal é que as economias de mercado emergentes, como a Coreia do Sul, que criaram os novos maiores polos mundiais, não têm absolutamente interesse algum em atrasar o relógio. A globalização lhes permitiu alcançarem reduções inéditas na pobreza. Se a Coreia do Sul continuar a dominar o setor siderúrgico, não haverá protecionismo britânico que baste para restaurar o predomínio de Sheffield no mercado mundial. Conseguiria no máximo reservar o mercado de aço *britânico* para Sheffield, mas esse mercado não teria dimensões suficientes para restaurar a alta produtividade que Sheffield tinha no passado e, nesse processo, o custo mais alto do aço no país prejudicaria todos os setores que precisam dele.

Embora o protecionismo não possa restaurar Sheffield, um conjunto de políticas restritivas teria o potencial de reverter a prosperidade de Londres. Assim como o polo siderúrgico de Sheffield se demonstrou vulnerável à relocação, da mesma forma o polo financeiro de Londres poderia vir abaixo. Sua vistosa prosperidade é uma afronta aos valorosos esforços da Inglaterra interiorana, e assim algumas partes do país teriam prazer em ver sua derrocada. Mas essa estratégia também seria tola. Uma metrópole como Londres é melhor até do que um campo petrolífero – nunca se esgota. Por mais irritante que seja essa galinha dos ovos de ouro, existem estratégias melhores do que torcer seu pescoço. Infelizmente, no momento em que escrevo, a Grã-Bretanha está disposta a fazer exatamente isso, com uma estratégia do Brexit, que levaria a uma mudança coletiva e coordenada do setor financeiro para outras cidades europeias.

Por que não pegar os ovos de ouro? Em outras palavras, por que não usar as receitas arrecadadas com a tributação da metrópole para redinamizar as cidades do interior?

Os ideólogos vão espumar diante dessa proposta. A direita vai pontificar sobre os efeitos desestimulantes de uma tributação elevada, ao mesmo tempo resmungando contra a transformação do interior numa gigantesca Benefits Street*, cheia de parasitas e

---

* Refere-se ao nome de uma série documentária que retrata a vida numa rua de Birmingham, em que 90% dos moradores viviam de assistência social e benefícios do governo, em situação de desemprego, com alta incidência de pequena criminalidade e falta de incentivo em procurar trabalho. (N.T.)

aproveitadores: vai se dizer "acorrentada a um cadáver". A esquerda pode exagerar em seu entusiasmo de depenar a City, desencadeando inadvertidamente um êxodo de empresas alarmadas que desmontará as economias de aglomeração.

Ambas têm a seu lado elementos de verdade suficientes para convencer seus adeptos, mas não para estar certas. A direita enxerga a verdade de que o objetivo não pode ser a transformação das cidades do interior numa Benefits Street. O bem-estar se baseia na dignidade e no senso de propósito, e não só no grau de consumo que você pode se permitir. A estratégia de suplementar empregos pouco compensadores fornecendo benefícios públicos não substitui a geração de empregos que requerem qualificações das quais um trabalhador possa se orgulhar. Assim, o objetivo são empregos produtivos, não suplementações públicas dos salários de empregos improdutivos. A esquerda enxerga a verdade de que a riqueza exibicionista dos que se refestelam com as especialidades metropolitanas, altamente remuneradas, é eticamente ofensiva. Essas pessoas pensam que suas rendas são fruto de seu trabalho; vou mostrar que não é o caso.

A estratégia que proponho a seguir se divide naturalmente em duas partes: tributar a metrópole e restaurar as cidades do interior. Essas duas partes se baseiam em duas análises distintas.

A TRIBUTAÇÃO E A METRÓPOLE: "É FRUTO DE NOSSO TRABALHO"?

A tributação deve se guiar pela ética e pela eficiência. A ética importa tanto por causa de seu valor intrínseco quanto pelo fato de que uma tributação sem ética enfrentará resistência e evasão. A eficiência importa porque os impostos criam distorções entre os preços; por exemplo, o preço que um consumidor paga por um produto fica maior do que o montante que o produtor recebe. Essas defasagens dos impostos distorcem a alocação de recursos e, assim, reduzem a eficiência.

O que as ideologias da esquerda e da direita pensam saber sobre a tributação polariza e envenena nossa política. Uma dose de pragmatismo seria libertadora: novos impostos inteligentes podem superar os atuais impostos nos dois critérios, o da ética e o da eficiência.

A base ética para um imposto provavelmente é mais importante do que sua eficiência para o esquema tributário. A administração tributária depende essencialmente da aceitação e da obediência voluntária. O método filosófico usual para a análise das proposições éticas é o *raciocínio prático*. Embora tenha papel central na política tributária, o raciocínio prático não costuma fazer parte da metodologia econômica convencional. Em decorrência disso, os economistas vêm ignorando em larga medida os aspectos éticos da tributação. Como consultores de ministérios da Fazenda, é muito frequente proporem impostos que quebram promessas que consideram tolices (e é muito provável que essa avaliação deles seja correta). Com efeito, os economistas parecem pensar que estão corrigindo problemas éticos simplesmente ao levar em conta *a desigualdade de renda*, que é analisada segundo o cálculo utilitarista padrão.* Como descobriu Jonathan Haidt, *equidade*, para a maioria das pessoas, significa não tanto igualdade, mas sim *proporcionalidade* e *merecimento*. Apesar disso, estes têm sido ignorados.[4] Esqueça o merecimento: se o desocupado tem menos dinheiro do que o trabalhador esforçado, uma transferência aumenta a "utilidade". Esqueça a legitimidade: se alguém que fez sua poupança ou pagou sua previdência se aposenta com mais dinheiro do que alguém que passou a vida na praia, uma transferência aumenta a "utilidade". Esqueça a obrigação: e aí você verá o quadro da coisa. Os economistas utilitaristas até alertariam que algumas transferências podem gerar desincentivo e ser, portanto, *ineficientes*, mas não admitiriam que são *não éticas*. Essa cegueira diante de considerações éticas mais abrangentes é um exemplo de um fenômeno maior: essas pessoas são WEIRDs.

---

* Supõe-se que cada dólar adicional na renda tem menos "utilidade" e, assim, uma transferência de quem tem alta renda para alguém com renda menor aumentará a utilidade total e, assim, trará uma melhoria.

Ao aceitarmos que as questões de merecimento devem ter presença expressiva no esquema tributário, são grandes suas implicações para os ganhos derivados da aglomeração. A primeira pessoa a enxergar isso foi Henry George, jornalista e economista político americano do século XIX. Depois que explicou sua ideia, ela fez o maior sucesso.

A grande ideia de Henry George

George fez uma defesa ética da tributação diferenciada de ganhos decorrentes da aglomeração. Entendeu qual era sua peculiaridade ética e concluiu que a política adequada era tributar os terrenos urbanos em valorização.

Podemos captar essa percepção dele com uma sequência de perguntas. Comecemos com: *quem fica com os ganhos derivados da aglomeração?* Para entender corretamente, eis uma versão estilizada da revolução industrial. De início, todo mundo é agricultor. Começa a industrialização numa nova cidade, e as pessoas se mudam para lá, para trabalhar nas fábricas. Conforme cresce o polo industrial, as pessoas ficam mais produtivas do que eram na agricultura: é essa produtividade adicional que se chama de "ganho de aglomeração". A produtividade adicional se reflete nos salários porque as empresas concorrem entre elas disputando os trabalhadores. Mas, para trabalhar nas fábricas, as pessoas precisam morar perto e, assim, precisam alugar um terreno de quem tenha imóveis na área em que a cidade está se formando. Dessa forma, os ganhos decorrentes da mudança para a cidade são o salário maior *menos esse aluguel.** Enquanto esse aluguel for menor do que a diferença de produtividade entre a agricultura e a indústria, as pessoas continuarão a se mudar para a cidade. Mas, à medida que se mudam, os aluguéis aumentam. Esse processo continua até que o preço do aluguel come toda a diferença de produtividade. Nessa altura, não há mais incentivo

---

* Para simplificar as coisas, suponhamos que, além dessa diferença entre os salários mais altos e as rendas anteriores na agricultura, as pessoas não se importam com as diferenças entre a vida na cidade e a vida no campo.

para se mudarem; no jargão econômico, chegamos ao equilíbrio. Mas o interessante é que chegamos a uma frase que é o clímax da coisa e responde nossa pergunta: *todos os ganhos decorrentes da aglomeração resultam em renda para os donos de imóveis*. Para quem está na extrema direita do espectro político e pode estar se sentindo um pouco incomodado, posso garantir que isso não é marxismo: George não era socialista. Mas era um economista inteligente; muitos anos após sua morte, dois economistas demonstraram sua conclusão num teorema. Tiveram a decência de lhe dar o nome de Teorema de Henry George.[5]

Henry George então fez outra pergunta, incompreensível dentro de um arcabouço econômico convencional: *Os donos de imóveis merecem ter esses ganhos?* Embora incompreensível para os economistas, é uma pergunta absolutamente compreensível para qualquer outra pessoa. Não precisamos de teoremas para responder: precisamos é de raciocínio prático. Para ver se alguém merece determinada renda, rastreamos até encontrar uma ação sua que tenha gerado a renda que recebeu. Mas, quando rastreamos os ganhos decorrentes da aglomeração, as ações que geraram os ganhos foram executadas por todos os que trabalham na cidade. Trabalhando na cidade, cada pessoa contribuiu para o aumento geral da produtividade. Os ganhos decorrentes da aglomeração são gerados por *interações entre massas de pessoas* e, assim, constituem uma realização coletiva que beneficia a todos. É o que os economistas chamam de bem público. Então, qual foi o papel dos donos de imóveis nesse processo? Quanto ao que fizeram, seria a mesma coisa se estivessem deitados em alguma praia. Na verdade, é bem possível que passassem o tempo assim. Receberam aqueles proventos porque possuíam imóveis numa área que recebeu um grande afluxo de gente. Nada fizeram para gerar os ganhos decorrentes da aglomeração. No vocabulário da economia, que confunde um pouco, isso é classificado como "renda econômica".

O aspecto importante é que, por critérios éticos sensatos, os donos de imóveis merecem menos o ganho decorrente da valorização imobiliária do que se tivessem trabalhado para isso, ou se esse ganho refletisse um retorno sobre o capital que tivessem acumulado por meio da poupança. Não significa que essa sua pretensão não tem base alguma. Eles podem fundar sua pretensão aos ganhos decorrentes da aglomeração a título de serem os proprietários legais do imóvel. Mas isso vai de encontro à pretensão coletiva de todos os trabalhadores da cidade a esses ganhos, que se baseia no *merecimento*. Quando há esse tipo de choque entre dois critérios sensatos, o pragmatismo nos sugere tentar uma conciliação, em vez de nos recolhermos ao pedestal do dogma. E é aí que entra a tributação. Suponhamos que a sociedade concorde com uma alíquota tributária sobre *aquelas rendas em que o merecimento e o título a elas coincidem*: o agricultor gera uma produção que ele merece devido ao trabalho, tendo também título a ela por ser o dono da área cultivada. Suponhamos que se tenha concordado com uma alíquota de 30%. Ela refletiria o fato de que a pretensão do dono da terra a essa renda é significativamente mais frágil do que a pretensão do agricultor à sua renda. Além disso, somente com a tributação sobre os ganhos de aglomeração e com a utilização das receitas arrecadadas para beneficiar toda a cidade é que os trabalhadores que geraram o ganho poderão receber uma parte sua – a qual, pelo raciocínio acima exposto, eles merecem.

A ideia de Henry George foi uma aplicação inicial do raciocínio prático, baseada na distinção de *merecimento* entre o aluguel e outras formas de rendimento. Ele teve o cuidado de diferenciar entre a renda gerada pela valorização do imóvel e o retorno do capital, que sustentava ser eticamente legítimo: sua proposição não era marxista nem populista.

As concepções de George eram excêntricas? Pelo contrário, seu bom senso ético encontrou ressonância: *Progresso e pobreza* foi o livro americano mais vendido em todo o século XIX.

Infelizmente...

Henry George criou uma sólida defesa ética da tributação pesada sobre a valorização dos terrenos urbanos. Apesar da grande repercussão entre o público, suas políticas nunca foram devidamente implantadas. Os que estavam ganhando fortunas com a propriedade de imóveis no centro das cidades grandes eram contrários à taxação. Em vez de apresentarem contra-argumentos éticos, o que fizeram foi usar parte de suas fortunas em franca explosão para comprar influência política. Na Grã-Bretanha, o homem que era dono de extensas áreas no centro de Londres, o duque de Westminster, ganhou um conveniente assento na Câmara dos Lordes: tornou-se o homem mais rico do país. Nos Estados Unidos, um homem cujo principal negócio consistia na compra e venda de imóveis em Nova York é atualmente presidente do país.

Nunca é tarde demais para instituir esse imposto. O eleitorado é muito mais instruído do que na época de Henry George e, assim, deve ser mais fácil criar uma coalizão política que vença a resistência dos grupos de interesse. Além disso, desde os anos 1980 tem ocorrido um grande aumento no crescimento urbano, refletindo o grande aumento nos ganhos derivados da aglomeração. Lembremos que isso decorre do salto na complexidade e do concomitante aprofundamento da diferenciação nos graus de qualificação. Assim, agora os ganhos de aglomeração disponíveis para uma taxação são muito maiores do que na época de Henry George e, portanto, é cada vez mais ridículo que as políticas públicas não estejam fazendo nada a esse respeito. Pelo contrário, estamos presos na armadilha das velhas disputas ideológicas sobre a tributação.

Mas o "infelizmente" que dá título a essa seção não é uma queixa sobre as atuais deficiências nas políticas públicas. É porque o mesmo aumento de complexidade que alimenta os novos ganhos metropolitanos decorrentes da aglomeração também invalidou o Teorema de Henry George. Sua proposição de que podemos captar esses ganhos com a tributação imobiliária deixou de ser correta. A defesa da tributação dos ganhos continua a ser muito sólida, mas para isso é necessária uma remodelação inteligente da tributação. A análise por trás das duas últimas frases é nova: meu colega Tony Venables e eu topamos com ela depois de trabalhar em algo aparentemente desvinculado da questão (o que acontece com uma frequência surpreendente nas descobertas acadêmicas).[6] Tentarei dar uma pequena noção do entusiasmo que se sente diante de uma nova descoberta. As ideias podem ser apresentadas de maneira bastante simples: na verdade, foi assim que topamos com elas. Você pode chegar à fronteira do pensamento econômico nesse assunto explorando dois cenários simples:

Cenário 1: Uma metrópole onde os trabalhadores têm qualificações diferentes e diferentes necessidades de moradia

O primeiro cenário é uma variante de nossa história dos agricultores e da indústria, só que dessa vez são pessoas com diferentes qualificações e necessidades de moradia que decidem se se mudam ou não para uma metrópole. O alto grau de conectividade oferecido pela metrópole confere mais produtividade às qualificações: quanto mais qualificado você é, mais sua produtividade vai aumentar estando na metrópole. Mas, conforme as pessoas mudam para a cidade, o preço dos aluguéis sobe. Então, quem vai e quem fica? É bastante claro que quem ganha mais com a mudança é o indivíduo sozinho com altíssimas qualificações. Assim, o advogado especialista em direito empresarial que fica trabalhando muitas e muitas horas no escritório e passeia à noite na cidade antes de ir para sua quitinete tem uma produtividade muitíssimo maior do que se trabalhasse numa cidade pequena, e não vai gastar em aluguel uma parcela muito alta de seus vencimentos também altíssimos. Em economia, muitas vezes é bom procurar as pessoas para as quais a escolha é indiferente, neste caso, a escolha entre se mudar para a metrópole ou ficar numa cidade pequena. Sabemos que, no caso delas, o ganho em produtividade empatará com a diferença de aluguel que terão de pagar, mas quem são essas pessoas? Algumas são apenas semiqualificadas: são sozinhas e só precisam de um lugar para dormir, mas o que recebem não é muito mais do que recebem numa cidade pequena. Outras podem ser altamente qualificadas, mas, como têm uma família grande, precisam de uma residência onde caiba toda ela, e o aluguel consome a diferença nos proventos.

Essas pessoas são importantes para a análise (em economia, são chamadas de *marginais*), porque o que querem é apenas viver na metrópole; se os donos dos imóveis cobrassem um aluguel mais alto, essas pessoas iriam embora, e os proprietários ficariam sem inquilinos. Essas pessoas "marginais" determinam os aluguéis que os proprietários podem cobrar. Aquele advogado especializado em direito empresarial pagará por sua quitinete o mesmo aluguel que o solteiro semiqualificado que aluga a quitinete vizinha. Chegamos aqui à conclusão: o advogado empresarial consegue ficar com alguns ganhos de aglomeração.

Generalizando: por causa das diferenças de qualificação e necessidade de moradia, muitos dos ganhos decorrentes da aglomeração não vão mais para os donos de imóveis, mas ficam com aquelas pessoas sozinhas altamente qualificadas, que não precisam de muito espaço para morar. Quando Tony Venables e eu simulamos o que aconteceria numa metrópole como Londres ou Nova York, descobrimos que cerca de *metade* de todos os ganhos decorrentes da aglomeração acaba ficando com essas pessoas, e não com os donos de imóveis. Quando acrescentamos outra camada de diferenças, dessa vez entre cidades menores, a proporção resultante para os proprietários diminui ainda mais. A implicação fundamental é que, por maiores que sejam os impostos sobre os donos de imóveis, o governo não consegue capturar a maior parte dos ganhos de aglomeração.

É uma má notícia, porque o argumento ético em favor da taxação se mantém forte. Para vermos isso melhor, esboço um segundo cenário.

Cenário 2: Uma metrópole que precisa do império da lei

Esse cenário é um pouco mais detalhado e realista e traz uma conclusão de mais impacto. Existem dois produtos, alimentos e serviços, e muitos países. Os alimentos podem ser produzidos em qualquer lugar, mas os serviços só podem ser produzidos em países em que vigore o império da lei. Podemos entendê-lo, em muitos aspectos, como representante da boa governança. O império da lei, por seu lado, precisa que os cidadãos comuns cooperem e trabalhem juntos na defesa dele. Se cada cidadão simplesmente encostar o corpo e deixar para os outros, ou seja, se todo mundo for de carona, o bem público do império da lei deixa de existir. Nesse cenário, na maioria das sociedades, as pessoas vão de carona e o império da lei é raro. Em decorrência disso, apenas as poucas sociedades em que vigora o império da lei têm condições de produzir serviços: nas demais, todas produzem apenas alimentos.

Os ganhos decorrentes da aglomeração se aplicam aos serviços, mas não aos alimentos, e assim, nas poucas sociedades que têm o império da lei, haverá uma metrópole onde se produzem esses serviços. Como não são muitos os países capazes de criar serviços, vão vendê-los nos mercados mundiais a preço mais alto do que o dos alimentos, e assim os países exportadores de serviços vão ser mais prósperos do que os países exportadores de alimentos.

A seguir, examinamos quem se beneficia dessa prosperidade nos países exportadores de serviços. Suponhamos que existam em todos os países dois tipos de trabalhadores: os especialmente inteligentes e todos os demais. Suponhamos também que ser inteligente de pouco serve na agricultura. Em contraste, ser inteligente tem valor potencial para produzir serviços, mas isso depende da quantidade de gente inteligente reunida: um trabalhador inteligente do setor terciário que esteja isolado não é mais produtivo do que um agricultor, mas, quanto mais os inteligentes se reúnem na metrópole, mais produtivos todos eles se tornam. Por fim, acrescentamos o tema usual dos aluguéis; quando os inteligentes se concentram na metrópole, os aluguéis sobem.

Assim, quem fica com os ganhos de aglomeração? E essas pessoas merecem? Como no cenário anterior, os ganhos são divididos entre os trabalhadores que moram na metrópole e os donos dos imóveis. Poderíamos esmiuçar e ver qual será essa divisão, mas não vem ao caso para as finalidades de momento. A conclusão é que, nesse cenário, apenas um grupo merece inequivocamente ficar com esses ganhos, porque é o único responsável pelas ações que são essenciais para gerar os ganhos: a saber, os cidadãos comuns de toda a sociedade que sustentam coletivamente o império da lei. Mas eles não ficam com *nenhum* desses ganhos. Alguns dos ganhos vão para os trabalhadores inteligentes do setor de serviços, e os restantes vão para os donos de imóveis. Visto que o grupo que tem uma pretensão ética incontestável a uma parte dos ganhos não recebe nada, temos aí um sólido caso em defesa da tributação. Mas, como no cenário anterior, os impostos prediais e territoriais por si sós não atingirão os ganhos que vão para a força de trabalho metropolitana inteligente.

Esses dois cenários apresentam um importante traço em comum, qual seja, os trabalhadores inteligentes que ficam com os ganhos de aglomeração acreditam sinceramente que os merecem. Essa crença deles se baseia no fato de que seus vencimentos são altos porque sua produtividade é alta. E acreditam que têm produtividade alta porque desenvolveram uma especialização altamente qualificada (cenário 1) ou porque são especialmente inteligentes (cenário 2). Tais proposições, com efeito, têm um grau de verdade suficiente para ser compreensível que essas pessoas acreditem nelas, até por lhes ser conveniente. Mas essas proposições não encerram *toda* a verdade. A produtividade da metrópole depende de bens públicos que são fornecidos por toda a nação, tais como o império da lei e investimentos anteriores na infraestrutura da conectividade. São bens públicos que oferecem alguns benefícios a todos, mas beneficiam desproporcionalmente os trabalhadores metropolitanos qualificados. Em termos mais fundamentais, os ganhos de aglomeração são, por sua própria natureza, produzidos *coletivamente*. Eles resultam de interações entre milhões de trabalhadores, e não apenas do esforço individual de cada trabalhador altamente remunerado. Os superqualificados merecem ficar com uma *parte* de sua alta produtividade. Mas não merecem toda ela. E tampouco merecem o mesmo tanto de um trabalhador que não mora na metrópole e cuja produtividade não é igualmente aumentada pelos outros.

O argumento da eficiência em favor da tributação dos ganhos de aglomeração

Até aqui, considerei apenas a ética de tributar os ganhos decorrentes da aglomeração. Mas há outro aspecto da tributação que empolga os economistas: a eficiência. Os economistas têm razão em ficar empolgados com ela, e até que enfim a área tem a oferecer algumas percepções importantes sobre a tributação dos ganhos de aglomeração.

A principal percepção é o conceito de *renda econômica*. Renda econômica é qualquer pagamento que uma pessoa recebe por fazer algo que ultrapassa o que a induziria a fazer aquilo. Por nosso critério anterior de ética, é um conceito que nem vem ao caso. Só porque um supertenista se dispõe a jogar por um valor mais baixo do que o prêmio que recebeu num campeonato não deslegitima que fique com ele. O supertenista recebe rendas econômicas por seu talento excepcional, mas, como esse talento pertence a ele, o provento decorrente também pertence a ele. Mas é quando passamos da ética para a eficiência que o conceito de rendas econômicas se mostra realmente útil. Por definição, a taxação da renda não afeta a decisão de trabalhar e, assim, os rendimentos não se dão em detrimento da eficiência. Os ganhos de aglomeração são rendas econômicas: pelo critério da eficiência, são o alvo ideal da tributação.

No cenário simples em que todos os ganhos de aglomeração vão para os donos de imóveis, é evidente que, ao tributarmos seus ganhos, não teremos qualquer mudança no comportamento deles que possa estorvar a cidade. Vale lembrar que os deixamos descansando na praia: ao taxá-los, talvez tenham de trabalhar como todos nós. Mas, mesmo nos outros cenários, a taxação dos aluguéis é eficiente. O advogado empresarial em sua quitinete perderá uma parte daquele enorme excedente de sua renda sobre o aluguel, mas, enquanto o deixarmos em situação financeira melhor do que ficaria trabalhando numa cidade pequena, ele continuará a trabalhar na metrópole. Analogamente, em nosso outro cenário, podemos taxar os trabalhadores inteligentes produzindo serviços na metrópole sem mudar o comportamento deles enquanto os deixarmos em situação financeira melhor do que a situação em que estariam trabalhando como agricultores.

Em termos de eficiência tributária, a descoberta das rendas econômicas equivale à descoberta do Santo Graal: arrecadação de receita sem danos colaterais. Se parece bom demais para ser verdade, prepare-se: pode ficar ainda melhor. Para isso, precisamos de outro conceito econômico muito prático: a *caça à renda* [*rent-seeking*].

A caça à renda é uma ameaça; eis um exemplo. Suponhamos que um legislativo aprove uma lei concedendo monopólio a um grupo de produtores. Por que o legislativo fez uma coisa dessas? Porque os grupos de pressão, os lobbies, pressionaram e aliciaram os legisladores com recompensas. A regulação gerava rendas; o grupo de pressão estava *caçando renda*. A insigne economista Anne Krueger mostrou que a atividade lobista e outras formas de caça à renda aumentarão até que cada dólar a mais gasto no lobby empate com o dólar adicional de renda. Os recursos aplicados na caça à renda são totalmente desperdiçados.

Os ganhos decorrentes da aglomeração são rendas: então atraem os caça-rendas?

Os economistas nunca fizeram essa pergunta, e por uma razão simples. Se o Teorema de Henry George está correto e os ganhos vão apenas para os donos de imóveis, então não há espaço para caçar renda. O suprimento de terra é fixo e, assim, não é passível de atividade lobista ou de qualquer outra ação de pressão. Mas o Teorema de Henry George está errado. Numa metrópole, a maioria dos ganhos de aglomeração vai para aqueles com alta qualificação e pouca necessidade de moradia. Subitamente abrem-se muitas oportunidades de caça à renda. As pessoas conseguem empregos muito concorridos pressionando parentes que tenham boas relações; pagam professores particulares para os estudos adicionais que lhes valem mais credenciais; vão a centenas de entrevistas. Ou reduzem a necessidade de moradia postergando o casamento ou adiando a decisão de ter filhos. Tudo isso é uma maneira de caçar renda. O comportamento se distorce na disputa de ficar com as rendas lucrativas da aglomeração. A caça à renda não aumenta o tamanho do bolo; apenas inflige uma perda coletiva do bem-estar às pessoas que ainda estão na metade da carreira concorrendo entre si. Potencialmente, essas perdas decorrentes da caça à renda se dão em massa.

Ao tributar os ganhos de aglomeração, reduzimos a pressão para a caça à renda. Ainda valeria a pena conseguir tal ou tal emprego na metrópole, mas, como não seria mais tão lucrativo, as pessoas estariam menos propensas a chegar a medidas extremas. Adiar a decisão de ter filhos para poder continuar num apartamento caro de Londres ou do centro de Nova York pode se tornar um sacrifício grande demais. Hoje em dia, são assombrosamente altas as rendas econômicas da aglomeração em nossas cidades grandes e prósperas. Não só a disputa por elas está provavelmente causando danos aos disputantes, mas o próprio ímpeto dessa disputa pode cegar as pessoas aos danos irreversíveis que podem causar à sua própria vida.

Juntando tudo: como é possível tributar os ganhos de aglomeração?

Como ideia geral, agora vem-se reconhecendo a sensatez de tributar as rendas econômicas. O defensor recente mais importante é Robert Solow, criador da teoria do crescimento econômico agraciado com o Prêmio Nobel, que sustenta que as rendas econômicas aumentaram e que a tributação deveria passar da renda salarial para a renda econômica. Com essa chancela, agora juntarei os dois blocos de argumentos. A taxação dos ganhos decorrentes da aglomeração é uma política inteligente por razões tanto de ética quanto de eficiência. Esses dois critérios são importantes, e há poucos outros impostos capazes de atender a ambos.

Por razões éticas, os argumentos em favor de se taxarem os ganhos de aglomeração metropolitana têm excepcional solidez. Quanto a tributos, geralmente o melhor que podemos esperar é dizer que o ônus está repartido de maneira equitativa, mas, neste caso, é necessária a taxação das rendas para ajustar melhor a relação entre ganhos e merecimento. Da mesma forma, por razões de eficiência, geralmente o melhor que podemos esperar de uma taxa é que cause poucos danos colaterais. São poucas as taxas capazes de atender até mesmo a essa modesta condição, mas a taxação dos ganhos de aglomeração pode chegar a *aumentar* a eficiência, por reduzir a caça à renda.

A questão pertinente é: como se pode, em termos práticos, taxar os ganhos? Lembremos que eles estão distribuídos entre donos de imóveis urbanos e trabalhadores qualificados urbanos. Portanto, para capturar esses ganhos por meio da taxação, é preciso ter níveis diferentes de taxação desses dois grupos.

Um ponto de partida sensato é pegar a valorização dos preços prediais e territoriais urbanos. A melhor maneira para fazê-lo é cobrar uma taxa anual como porcentagem dos valores do terreno e da construção.* As receitas arrecadadas com esses impostos têm um destino *nacional*: serão necessárias para financiar a redistribuição para outras cidades duramente golpeadas pelas mesmas forças que beneficiam a metrópole. Hoje em dia, em vez de ter uma taxação maior do que outras fontes de renda, a valorização imobiliária metropolitana tem uma taxação menor. Em muitos países, entre eles a Grã-Bretanha, quase nem chega a ser taxada. É uma distorção do sistema tributário de proporções monumentais. No século XIX, os políticos se angustiavam loucamente com "os pobres que não merecem ser pobres". Os políticos do século XXI deviam se angustiar loucamente com o legado de descaso em nossas políticas públicas; agora temos muitos milhares de "ricos que não merecem ser ricos". Infelizmente, não poucos deles são políticos. A direita quer proteger os ricos; a esquerda quer acabar com eles. Precisamos diferenciá-los. Alguns são de imensa utilidade para sociedade; outros apenas arrebanham os frutos do esforço coletivo.

Mas o ponto central de nossa análise é que grande parte das rendas não vai para os donos de imóveis: vai para os trabalhadores

---

* É melhor ter um imposto anual do que um imposto de uma vez só sobre a valorização, porque, quando se implanta um imposto único, as incorporadoras adiam investimentos que aumentariam o valor do terreno e preferem aplicar os recursos em lobbies para acabar com o imposto, alegando que ele está matando os investimentos. Com um imposto anual, reduz-se muito esse incentivo estratégico ao adiamento, tecnicamente conhecido como "valor de opção".

metropolitanos qualificados. Para captar essas rendas, faz-se necessária uma inovação tributária: as alíquotas dos impostos precisam ser diferenciadas não só pela renda salarial, como é hoje em dia, mas também pela combinação entre alta renda *e* localização metropolitana.

Os trabalhadores metropolitanos com qualificação apenas modesta não ficam com nenhuma renda da aglomeração. Uma grande maioria dos trabalhadores de qualificações modestas trabalha nas cidades do interior e, assim, o pagamento de um trabalhador de qualificação modesta em Londres, que prepara o cafezinho do advogado, vai ser o mesmo do interior, mais o tanto adicional necessário para cobrir a diferença do aluguel que se paga por uma moradia em Londres em comparação ao aluguel de uma moradia no interior. Assim, a alíquota básica do imposto que é cobrado nacionalmente daqueles de renda salarial modesta é igualmente apropriada para os que trabalham na metrópole. Mas o advogado empresarial de altos vencimentos em sua moradia realmente fica com rendas da aglomeração que deveriam ser repartidas com os outros. Assim, ele deveria pagar o imposto numa alíquota mais alta do que se estivesse trabalhando numa cidade do interior, onde não ficaria com essas rendas. Isso não tem nada de mais: se ele trabalhasse em Nova York, já pagaria 8% a mais de imposto de renda do que se recebesse o mesmo numa cidade menor. Paga isso porque *trabalha* lá, mesmo que *more* fora da cidade. Se ele trabalha em Londres, não paga – mas poderia pagar. Com alíquotas modestas do imposto sobre as rendas econômicas, não haveria muita mudança nas decisões de emprego e, assim, o imposto seria muito menos prejudicial do que os impostos atuais. O problema, plenamente possível de resolver com as técnicas modernas de análise fiscal, seria descobrir o patamar máximo do imposto suplementar sobre os altos rendimentos dos trabalhadores metropolitanos antes que os custos de eficiência empatem com os impostos atuais. A única diferença entre o que Nova York já faz e essa proposta é para onde vai o imposto. Em Nova York, a receita arrecadada com aquele imposto de 8% sobre os vencimentos vai para o município; em minha proposta, iriam para a nação, para ajudar na recuperação de cidades como Detroit e Sheffield.

O que tudo isso significa é que a alíquota básica de imposto, que é a única paga pela maioria das pessoas, continuaria a ser aplicada em âmbito nacional. Mas cada alíquota aplicável a vencimentos mais altos traria um suplemento metropolitano que incidiria sobre as rendas da aglomeração embolsadas por aquele grupo qualificado. Como os ganhos de aglomeração são muito maiores para os mais altamente qualificados, os suplementos seriam progressivamente maiores nos níveis mais altos de vencimentos.

Visto que os órgãos tributários sabem onde as pessoas moram e trabalham, essa proposta se mostra de uma surpreendente simplicidade em termos práticos: com efeito, como no exemplo de Nova York, muitos impostos já são geograficamente diferenciados.* O obstáculo mais provável é a desproporcional influência política dos moradores urbanos ricos, quando menos por terem uma representação maciçamente desproporcional no legislativo. Embora tenham elevado apreço por sua dignidade moral própria, provavelmente eles receberiam essa proposta de um imposto eticamente justo e economicamente eficiente com uma profunda e farisaica indignação. Mas vale lembrar que, na medida em que estamos tributando rendas econômicas, os argumentos previsíveis sobre o desincentivo e o merecimento são interesseiros: prepare-se para uma avalanche de "raciocínios motivados". A tributação não só tem fundamento analítico, como também é uma resposta adequada à nova arrogância urbana.

RECUPERANDO AS CIDADES INTERIORANAS: "ACORRENTADAS A UM CADÁVER"?

Como é possível recuperar cidades como Sheffield, Detroit e Stoke? O propósito de tributar a metrópole não é financiar benefícios

---

* Nos Estados Unidos, os impostos de renda variam entre os estados e as cidades. No Reino Unido, as alíquotas do imposto de renda agora são diferentes na Escócia e na Inglaterra. A presente proposta se distingue desses esquemas não na administração e sim na destinação das receitas arrecadadas.

sociais para os moradores desses lugares, mas sim cobrir os custos de restaurá-los como polos de trabalho produtivo. Como vimos, o mercado não substitui um polo falido por um novo polo; em vez disso, a cidade vem a ser ocupada aos poucos por atividades de baixa produtividade. Mas por que as forças do mercado não conseguem gerar um novo polo e, se os mercados não conseguem, por que havemos de pensar que o governo conseguiria?

Um polo de sucesso reúne no mesmo local muitas empresas diferentes, algumas concorrendo entre si. O fato de estarem reunidas lhes permite aproveitar as mesmas economias de escala e, assim, todas se beneficiam com os custos mais baixos. Formado o polo, o que o mantém são as forças do mercado: nenhuma empresa quer sair, pois sabe que amanhã as outras empresas ainda estarão lá, e não em outro lugar. Mas *formar* um novo polo é muito mais difícil. Exatamente por causa da interdependência das empresas, uma empresa terá tendência muito maior de se mudar para um novo local caso preveja que muitas outras tomarão a mesma decisão. Mas como ela vai saber se outras farão isso? Se a pioneira segue em frente, alguma outra empresa pode ir também, como a segunda empresa no local; se isso acontecer, alguma outra pode decidir se tornar a terceira. Mas não existe um mecanismo de mercado para gerar e revelar tais decisões. A formação de um polo enfrenta um problema de coordenação e, assim, precisa de um coordenador. O Vale do Silício se coordenou em torno da Universidade de Stanford; o que poderia funcionar em lugares menos favorecidos?

Soluções do setor privado para a coordenação

O problema da coordenação surge porque a decisão de cada empresa depende de outra empresa. Em economia, esses efeitos são conhecidos como *externalidades*; já que afetam outras empresas, e não tanto a própria empresa em si, ela não os leva em conta em suas decisões. Mas existem, *sim*, soluções de mercado para essa interdependência: pensar localmente ou pensar mais amplamente.

Pensar localmente...

Há um setor da economia que desempenha um papel natural na coordenação das empresas: é o setor financeiro. Em seu lado positivo, o setor financeiro reúne o máximo de informações sobre as empresas e aloca o capital com vistas a oportunidades futuras. Um banco cuja atividade estivesse legalmente restrita a uma determinada cidade entenderia que seu futuro dependia do sucesso da economia local. O banco interiorizaria os efeitos que eram externos a cada empresa que financiasse. Para essa interiorização não ser um franco suicídio, o banco precisaria estar a par das oportunidades e interdependências de cada empresa. Seria, pois, muito diferente das instituições do setor financeiro descritas no Capítulo 4. Esses bancos não serão meras fantasias? Muito pelo contrário, antes de uma mudança legislativa em 1994, constituíam a norma nos Estados Unidos. Na Grã-Bretanha, temos de recuar mais, mas nomes como The Midland Bank e The Yorkshire Bank são testemunhas de um passado de atuação local, e os bancos locais ainda são habituais na Alemanha. Em princípio, a mudança para bancos globais poderia fortalecer o potencial financeiro para cidades que precisassem de uma nova indústria, dando acesso a um maior *pool* de capital. Mas, na prática, os bancos globais têm pouco incentivo para investir no conhecimento local. Quando uma cidade começa a se contrair, as filiais locais recebem instruções de reduzir o crédito, e o dinheiro recuperado é transferido para outras cidades. O retorno a atividades locais incentivaria o setor financeiro a cumprir seu papel socialmente útil: gerar e avaliar informações sobre a economia real.

Pensar mais amplamente...

É possível superar essa necessidade de coordenação com uma megaempresa: uma empresa como a Amazon, que é tão grande que as economias de escala de um polo que ela obtém exclusivamente com suas próprias operações bastam para se lançar como pioneira. A própria empresa é, em si mesma, um polo, e sua localização atrairá todo um círculo de fornecedores. Em muitos setores, não é bom ser tão grande assim: as eficiências de um polo correm o risco de ser superadas pelas dificuldades de administrar um elefante. Então é raro ser grande a ponto de ser seu próprio polo. A quantidade de empresas nessas condições é muito menor do que a quantidade de cidades falidas com prefeitos que acolheriam uma megaempresa de braços abertos. O problema de quais cidades falidas conseguem atrair as megaempresas também tem uma solução de mercado, mas não é bonita. Uma megaempresa arguta, procurando um novo local, organizará um leilão em que as cidades dão lances, disputando entre elas o prêmio de ficar com a empresa. O prêmio consiste nos ganhos de aglomeração que reverterão do novo polo para a cidade. Novas pesquisas comparando as cidades vencedoras e as cidades perdedoras nesses leilões confirmam que tais ganhos realmente existem.[7] A teoria do leilão nos revela qual será o lance vencedor: será o que empatar com o prêmio.* Assim, o mercado "resolve" o problema de coordenação enfrentado por uma cidade falida, entregando todos os ganhos de um novo polo à megaempresa que o cria. Enquanto escrevo, a Amazon está realizando um leilão entre cidades americanas para o local de uma nova sede. A empresa tem tamanho suficiente para fazer reviver uma cidade falida e impiedade suficiente para pegar os benefícios para si mesma.

Soluções do setor público para a coordenação

O governo como coordenador de decisões empresariais causa arrepios nos fundamentalistas do mercado. Mas estou escrevendo essa seção em Singapura e, aqui à minha mesa, tenho uma vista panorâmica de uma cidade extraordinariamente próspera, prosperidade essa alcançada graças ao planejamento público. Quando visitei a cidade pela primeira vez, em 1980, ela acabava de aumentar o salário mínimo a fim de expulsar de lá um setor que o governo reconhecia estar condenado – a confecção de roupas. A estratégia recebeu críticas

---

* Pode até ultrapassar o valor do prêmio, num fenômeno conhecido como "a maldição do vencedor".

ferozes dos fundamentalistas do mercado: o salário mínimo só criaria alto desemprego. Nos Estados Unidos e na Europa, o governo como coordenador tem, de fato, uma história constrangedora de intervenções politicamente tendenciosas, mas o leste asiático traz correções importantes: a coordenação pode dar certo. O fundador de Singapura, Lee Kuan Yew, também entendeu a economia e a ética da aglomeração, e isso se refletiu em suas políticas: "Não vi nenhuma razão pela qual os proprietários particulares de terrenos e imóveis houvessem de lucrar com um aumento no valor do imóvel gerado pelo desenvolvimento econômico e pela infraestrutura paga com fundos públicos".[8]

Eis uma abordagem que, à superfície, parece ser a que menos distorce as questões. Se é para submeter a metrópole a uma tributação suplementar, por que não usar a receita arrecadada para financiar uma redução correspondente na tributação de empresas em cidades falidas, depois deixando ao mercado determinar quais empresas irão para lá? Isso, porém, não resolve o problema da coordenação e falha pela mesma razão pela qual o mercado opera para *manter* os polos depois de formados, mas não para *criá-los*. O fato de saber que as empresas que forem para uma cidade falida pagarão impostos menores não ajuda a empresa pioneira a saber quais empresas se mudarão nem para onde ou quando se mudarão. Os prefeitos continuariam a não ter outra opção, a não ser ofertar lances para megaempresas. Mas o leilão da megaempresa agora traria mais uma distorção. Já que todas as cidades falidas contariam com a mesma vantagem fiscal, continuariam a ter o mesmo incentivo para concorrerem entre si no leilão. Tal como antes, a megaempresa embolsa um pagamento igual ao valor do prêmio para a cidade, mas agora ainda ficaria com o subsídio fiscal como bônus. Então, o que pode funcionar?

Compensar os pioneiros

As cidades falidas precisam atrair empresas que tenham dinamismo suficiente para criar um novo polo a partir de sua presença. Todavia, é pequeno o número dessas empresas pioneiras, porque, a não ser que outras empresas venham atrás, o provável é irem à falência. Mesmo que venham outras empresas, a pioneira ainda estará em desvantagem em relação a essas que vieram depois. Quando as empresas pioneiras procuram os trabalhadores qualificados de que precisam, dificilmente os encontram. Como é que os trabalhadores locais vão ter tais qualificações, se não havia empresas que as usassem? Assim, a pioneira terá de trazer trabalhadores qualificados de outro lugar para poderem treinar gradualmente os empregados locais, o que decerto não sai barato. Mas, se uma segunda empresa decide se instalar na mesma cidade, será mais fácil conseguir os trabalhadores qualificados de que precisa – pode roubar alguns trabalhadores treinados pelo pioneiro. Em decorrência disso, os custos de implantação da segunda empresa serão menores do que os da pioneira, permitindo-lhe maior retorno sobre o capital.

Em outras palavras, os pioneiros de polos enfrentam o que é conhecido como *desvantagem do primeiro entrante*. Isso é bem específico: em geral, as pioneiras têm a *vantagem do primeiro entrante*, mas isso se aplica a empresas pioneiras de novos *mercados* e de novas *tecnologias*. Ser a primeira a entrar num mercado permite que a empresa que chegou na frente dos posteriores ingressantes se firme, pois ela cria uma lealdade à marca – pense-se na Hoover; ser a primeira numa tecnologia permite que a empresa registre patente – pense-se na Apple. Mas se a empresa é pioneira num novo *polo* que venderá sua produção num mercado estabelecido usando uma tecnologia estabelecida, a pioneira arca com os custos que serão poupados às empresas posteriores.

Para uma cidade falida, porém, a pioneira de um polo é socialmente valiosa. Então, o que se pode fazer a esse respeito? Como a pioneira gera externalidades, o benefício público deveria ser compensado com dinheiro público. Como princípio, é bastante simples, mas sua implementação requer agências públicas especialistas competentes. Qual a melhor maneira de administrar a questão?

Bancos de desenvolvimento

Uma coisa é alocar dinheiro para um bom objetivo; outra coisa é gastá-lo de maneira eficaz. As agências que canalizam o dinheiro público para investimento em empresas são bancos de desenvolvimento, e a missão deles é investir no setor privado para promover algum objetivo público. Todos os principais governos têm bancos de desenvolvimento: o da União Europeia é enorme, o European Investment Bank; o Japão e a China têm instituições equivalentes. Um banco de desenvolvimento incumbido de se concentrar na redinamização das cidades do interior é um potencial veículo para o uso das receitas arrecadadas com os novos impostos na metrópole. Alguns bancos de desenvolvimento têm tido enorme sucesso em seus objetivos; outros degringolam e viram antros de corrupção: tudo depende de terem missão clara, critérios elevados de integridade pública e uma equipe motivada que acredita na missão e enfrenta um escrutínio realista. Aqui o adjetivo "realista" é essencial. O investimento na criação de polos é uma empreitada arriscada e de longo prazo; muitas vezes, demora anos para se saber se um investimento deu certo ou não, e muitos não darão certo. A menos que os políticos e o público entendam a quem o banco responde, este ficará cauteloso demais para ser eficaz. Um banco de desenvolvimento que esteja tentando recuperar uma cidade falida, financiando atividades com potencial de tornar os trabalhadores locais altamente produtivos, terá de ser arrojado, bem informado e muito engajado. Assim como acontece com o modelo do capital de risco, a equipe do banco às vezes terá de se envolver na administração do cotidiano, e às vezes mesmo uma equipe altamente motivada, trabalhando anos num projeto, acaba diante do fracasso. O banco só pode ser julgado por seu portfólio geral e seu histórico no longo prazo.* Mas, em vista das inadequações gerais dos mercados financeiros convencionais (tratadas no Capítulo 4), com a equipe certa, vale a pena tentar.

---

* Essas ideias refletem minhas conversas com Diana Noble, a diretora-executiva que reconstruiu a CDC, transformando-a no banco de desenvolvimento mais empenhado em seus objetivos, trabalhando para levar empresas a países pobres.

Preparando-se para as empresas: distritos empresariais

As empresas pioneiras só irão para a cidade se houver um lugar adequado onde possam operar. Elas podem comprar um edifício abandonado e adaptá-lo a suas necessidades, mas os distritos empresariais oferecem a área e a infraestrutura exclusivas que provavelmente serão necessárias para um polo. Muitos negócios consideram útil essa proximidade. É muito possível que a cidade, ao perder seu polo anterior, tenha ficado com um distrito industrial com fábricas abandonadas. As verbas públicas podem financiar uma agência para a cidade, que limpe o distrito e administre um novo distrito empresarial.

Uma questão fundamental para tais agências é o preço que pagam pela área. Quando a agência entra no mercado, a área baldia de repente passa a valer mais. Não só fica mais convidativa para comprar, mas a perspectiva de criar um polo aumenta o valor futuro do terreno. É claro que, como a agência é responsável por esse aumento do valor, é ela – e não o dono do terreno – que deve captar a valorização. Na Grã-Bretanha, esse princípio foi incorporado à Lei das Incorporadoras Imobiliárias de 1981; no entanto, os juízes não são formados em economia nem em política pública, e os advogados espertos tentam torcer o sentido das palavras empregadas na legislação – um clássico exemplo de caça à renda por meio de um "raciocínio motivado". No passado, houve advogados espertos que se saíram bem nesse saque aos bolsos públicos: a interpretação da lei usada para as avaliações fundiárias se tornou uma solução de compromisso entre seu valor sem a agência e seu valor com a agência, e os proprietários geralmente conseguem ficar com uma parte substancial do aumento do valor que deveria ir para a agência. Isso é possível corrigir, mas a redação das leis deveria ter cuidado para prevenir o efeito corrosivo dos advogados e a capacidade limitada dos juízes em avaliar ou sequer se importar com o interesse público.

Agências de fomento ao investimento

As agências que criam e administram distritos empresariais olham para dentro, para a cidade e as facilidades que oferece. As agências de fomento ao investimento olham para fora, para empresas que poderiam vir para a cidade. Se o mercado trabalhasse sem falhas, como supõem os ideólogos da direita, as agências de fomento seriam um desperdício de dinheiro. Mas os irlandeses sabem que não é bem assim. A Irlanda nos anos 1950 era uma das áreas mais pobres da Europa. Para mudar essa situação, o governo irlandês foi pioneiro em criar uma agência que incentivasse os investimentos, a qual teve um tremendo sucesso em atrair empresas internacionais e empregos.* A agência montou uma equipe que pesquisou setores industriais prováveis, criou ligações com empresas potenciais interessadas e procurou atrair uma das maiores como potencial investidora "âncora".

Quando uma dessas empresas manifestou interesse, a Irish Investment Authority [agência de investimentos da Irlanda] passou a trabalhar com ela, aprendendo a prever os problemas que enfrentaria operando no país. Depois de entender um pouco a atividade da empresa, ela procurou sanar antecipadamente esses problemas futuros, aconselhando outras agências públicas, como o governo local, sobre a ajuda que poderiam dar. Não interrompeu o relacionamento com a empresa depois que ela fez seu investimento. O funcionário da agência que ficara encarregado de entender as atividades da empresa manteve contato próximo com ela, tentando descobrir outras oportunidades. Mais de metade dos investimentos estrangeiros na Irlanda vieram dessa subsequente expansão.

É claro que a agência de investimentos e a agência que administra o distrito empresarial precisam ter uma coordenação mútua, visto que cada qual dispõe de informações úteis para a outra. Mas suas funções têm diferenças suficientes para justificar que sejam agências separadas.

---

* Agradeço ao professor John Sutton, chefe do Departamento de Economia na London School of Economics, docente de economia industrial (e orgulhoso irlandês), pelos dados e informações em que se baseia esta seção.

Polos de conhecimento: universidades locais

Hoje em dia, inúmeras cidades do interior têm universidades, e estas deveriam desempenhar um papel de destaque na recuperação de sua cidade. Se Sheffield conseguiu se recuperar do colapso de seu setor siderúrgico, foi em grande parte graças à sorte de contar com duas respeitadas universidades na cidade. Algumas áreas acadêmicas se prestam bem a gerar conhecimentos aplicáveis aos negócios. O conhecimento é uma das atividades que mais se prestam a formar um polo: é muito frequente que o conhecimento avance quando alguém liga dois avanços recentes que antes eram distintos, e por isso a proximidade de outros pesquisadores ajuda. E tampouco o conhecimento simplesmente passa da pesquisa de base para o uso aplicado. Muitas vezes é na aplicação da pesquisa de base que as pessoas percebem para onde precisam olhar para prosseguir nos avanços, e por isso a proximidade com empresas que estão aplicando o conhecimento ajuda tanto as empresas quanto as universidades. As ligações entre a Universidade de Stanford e o Vale do Silício, e entre Harvard-MIT e a prosperidade de Boston, são as expressões icônicas desse processo.

Os acadêmicos, porém, podem ser pomposos defensores da pesquisa pura, que não se contamine com sua aplicação. Claro que uma sociedade próspera deve dispender recursos nesse tipo de conhecimento, mas as universidades em cidades falidas devem reconhecer a obrigação que têm para com sua comunidade. As universidades locais precisam voltar a se concentrar naqueles departamentos com perspectivas realistas de criar vínculos com os negócios. Este é mais um uso possível das verbas públicas.

As universidades não se limitam a gerar conhecimentos que têm aplicações empresariais; elas também ensinam os estudantes – se esses estudantes têm ou não condições de ser produtivos é algo que depende do que lhes ensinam e das conexões que têm com possíveis empregadores. O pior que pode acontecer é que as universidades em cidades provinciais atingidas pela crise concentrem o ensino em áreas dissociadas da perspectiva de emprego qualificado. Estão formando pessoas com a credencial acadêmica de uma titulação, mas não com uma qualificação. Os jovens são levados a contrair dívidas sem que sua qualificação os torne preparados para quitá-las.

O local óbvio para formar novas qualificações numa cidade falida é sua universidade e a escola técnica local. Quando as coisas funcionam bem, as empresas que são atraídas para a cidade e são pioneiras de um novo polo mantêm ligações com os setores pertinentes da universidade e do instituto técnico local para trabalharem juntos na geração de pesquisas aplicadas e no treinamento dos trabalhadores. Formando uma parceria, a empresa, a universidade e o instituto técnico podem desenvolver programas que reciclam os trabalhadores mais antigos nas novas qualificações que lhes são necessárias.

CONCLUSÃO: "CUSTE O QUE CUSTAR"

O divisor geográfico entre as cidades prósperas e as cidades falidas não é inevitável; é recente e reversível. Mas não pode ser revertido com pequenos ajustes nas políticas públicas. Em termos simples, os pequenos ajustes são insuficientes, mas, em termos mais fundamentais, as dinâmicas espaciais dependem de expectativas: as empresas se estabelecerão em locais onde pensam que outras irão se estabelecer. As expectativas hoje se ancoram nas mudanças das últimas décadas e, assim, esse movimento acaba se impulsionando sozinho. Para mudar a situação, é preciso uma mudança de política pública de dimensões suficientes para criar um impacto nas expectativas, forçando-as a formarem outra configuração.

Em vista das incertezas sobre a eficácia possível de qualquer uma das políticas acima abordadas, não há base para uma ampla e súbita adoção de nenhuma delas. Precisam ser testadas num cauteloso processo de experimentação incremental. Mas esse processo não produzirá o impacto necessário. Como é possível conciliar a necessidade de uma experimentação cautelosa com a necessidade de um impacto? A solução é firmar um compromisso de políticas públicas abrangentes com o objetivo de reduzir as desigualdades geográficas. Em 2011, a Eurozona enfrentou o mesmo dilema: os responsáveis por criar políticas públicas não sabiam quais seriam eficazes em proteger a moeda, e se lançaram a uma série de experimentos. Mas esses experimentos estavam no bojo de um compromisso inequívoco, assumido pelo presidente do Banco Central europeu: "Custe o que custar". Essa frase teve um impacto instantâneo e duradouro; a especulação cedeu porque Mario Draghi excluíra para si mesmo qualquer possibilidade de fracasso. Precisamos do mesmo compromisso político em relação às cidades.

8

O divisor de classes: conseguir tudo, desmoronar

Eu e minha prima encarnamos um distanciamento que pode ser evitado. Por que aconteceu? O que se pode fazer?

Em muitas famílias, os adultos receberam mais escolarização e mais qualificação do que nunca antes na história humana; a tendência a se casar com pessoas parecidas é maior do que nunca; os homens têm adotado uma norma familiar revolucionária de igualdade e cooperação jamais vista anteriormente; os genitores estão criando os filhos de modo mais intensivo do que jamais ocorreu antes. O sucesso dá estabilidade a essas famílias; os filhos herdam o sucesso dos pais. Essas famílias estão conseguindo tudo: estão se transformando em dinastias.

Em muitas outras famílias, os adultos têm pouca escolarização, e as qualificações que adquiriram laboriosamente perderam o valor. Também são mais propensos a se casar com pessoas como eles mesmos, mas isso por causa da redução das oportunidades: a homogamia entre os instruídos diminuiu a chance das mulheres de se casarem acima de sua classe; os homens mantiveram a norma tradicional de serem os provedores, mas não conseguem mais cumpri-la; os genitores conservaram a norma tradicional de deixar o ensino a cargo da escola. As tensões crescentes do fracasso trazem instabilidade à família; os filhos herdam as instabilidades dos pais. Essas famílias estão desmoronando.

Muitas das características responsáveis pelas famílias de sucesso são boas não só para as próprias famílias, mas para toda a sociedade. Analogamente, muitas das características responsáveis pelas famílias fracassadas são não só tragédias pessoais, mas catástrofes sociais. Para reverter esse novo distanciamento, o ponto de partida é o fortalecimento das famílias que estão desmoronando. Temos de encarar o fato de que o paternalismo social não deu certo: o Estado não é capaz de substituir a família. Mas as famílias precisam de apoio mais do que nunca, abordagem que vou chamar de *maternalismo social*.* No entanto, nem todas as práticas das famílias bem-sucedidas são benignas para a sociedade. Já que você está lendo isso, é provável que faça parte desse grupo. Neste capítulo, terá de aguardar a sua vez, mas ela virá.

FORTALECENDO AS FAMÍLIAS SOB TENSÃO

As pessoas que acabam em empregos de baixa produtividade muitas vezes começam a vida com genitores mal preparados para criá-las. Como vimos no Capítulo 5, tem ocorrido um acentuado aumento no número de filhos criados em lares sem um ou sem os dois genitores biológicos. Infelizmente, isso com frequência gera danos irreversíveis. A implicação desses fatos brutais é que as políticas públicas precisam começar cedo na vida da criança, tanto ajudando a família a se manter unida quanto suplementando a criação dos filhos com outras formas de apoio.

Juntando a família

De certa forma, a proposição de que as famílias biparentais devem ser encorajadas veio a ser identificada com a direita política: "conservadorismo social". Mas somente as fileiras mais desenfreadas do anarquismo vieram algum dia a esposar o amor livre. Como diz a baronesa Alison Wolf, uma das mais respeitadas especialistas da Grã-Bretanha em políticas sociais: "Nenhuma sociedade humana conhecida jamais gerou uma liberação sexual geral. Pelo contrário,

---

* É um termo tão novo que o corretor ortográfico não o reconhece.

todas tiveram uma instituição matrimonial claramente reconhecida... As sociedades, uma após a outra, tiveram regras, muitas vezes draconianas, para forçar os homens que geraram filhos a se casarem com as mães".[1] Essas regras são solidamente fundadas. Na época em que nasce o bebê, a grande maioria das mães solteiras quer desposar o pai, e muitos pretendem se casar. Mas, cinco anos depois, apenas 35% desses casais continuam juntos e menos da metade realmente se casou.[2] Isso é importante: finalmente, pesquisas científicas sólidas podem fornecer à ciência social dados a partir de danos nos cromossomos. Os telômeros são as pontas protetoras na extremidade do DNA: quanto mais curtas, maior o dano sofrido pelas células, e a saúde se deteriora. Se a mãe tem relações instáveis, os telômeros do filho, aos nove anos de idade, são 40% mais curtos.[3] Para entender a escala desse efeito, *dobrar* a renda familiar aumenta o comprimento do telômero em apenas 5%. O dano causado pela falta de compromisso paterno é tão grande que não há como compensá-lo. Para muitos, pode ser "uma verdade inconveniente", mas isso não justifica que se negue o fato.

Não há nada de intrinsecamente conservador em incentivar o compromisso dos dois genitores com os filhos; na verdade, como aspecto central de nossas obrigações com os outros, parece se associar mais naturalmente ao comunitarismo da esquerda do que ao individualismo da direita. A cautela da esquerda se deve à confusão entre a obrigação parental com os filhos e a obsessão religiosa de que as relações sexuais fora do casamento constituem um pecado, e também com a história do casamento como instituição de opressão das mulheres. A isso se soma o prazer de uma parte da direita em estigmatizar as pessoas.

Comecemos pelo pecado. Entre as inúmeras pessoas que consideram absurda a ideia de pecado, algumas pensam que, ao rejeitá-la, estão rompendo todo o vínculo entre sexo e obrigações. O pecado é uma quebra das obrigações com Deus; se Deus não existe, então não há nenhuma obrigação a quebrar. Philip Larkin captou bem a mudança das ideias que se deu rapidamente nos anos 1960: "Não há mais Deus nem agonia no escuro/ Por causa do inferno";

podemos todos "seguir descida abaixo/ Até a felicidade".[4] Mas a "morte de Deus" não nos livra das obrigações com os outros: devidamente entendida, compromete-nos ainda mais com elas. *Deus* não é responsável pela miséria humana dos filhos com problemas: *nós* é que somos. Assim como as narrativas sociais mudaram radicalmente nos anos 1960, quando a juventude rejeitou as atitudes da geração anterior, agora uma nova geração precisa reiniciá-las, desvinculando definitivamente as obrigações sexuais e o credo religioso. Sexo, sim; ausência de responsabilidade parental, não. Quanto ao casamento como opressão das mulheres, a solução viável não é renunciar ao casamento, e sim mudar suas normas, como aconteceu em muitos deles. A renúncia ao casamento não leva ao fortalecimento materno, mas sim à escravização materna, na medida em que as mulheres lutam sozinhas para cumprir dois papéis necessários.

Agora, quanto ao estigma: as pessoas cometem erros, principalmente os jovens diante de fortes necessidades sexuais. Devemos fazer todo o possível para desencorajar os erros, mas continuarão a ser muitos. Cometido o erro, a reação moralmente apropriada da sociedade deve ser o perdão, não a condenação. O perdão reconhece explicitamente que se cometeu um erro, mas anula qualquer necessidade de punição. Em vez de um estigma, dois jovens com um filho não planejado precisam é de encorajamento para criarem o filho como um casal.

Os dados que mostram a grande influência da opinião dos outros sobre as decisões dentro de uma rede social indicam que as reações dos parentes e amigos são de grande importância: somos animais sociais.[5] Mas a política pública pode atuar como reforço. Os governos podem reconhecer o enorme valor adicional quando os dois genitores biológicos decidem viver juntos com o filho: um bônus na forma de desconto no imposto pode diminuir a carga tributária dos que são contribuintes, e é possível suplementar a renda com um valor equivalente daqueles que não são contribuintes. O compromisso dos genitores jovens com seus filhos beneficia a todos nós, e devemos estar dispostos a pagar por isso. Quando os genitores se negam a esse compromisso, todos nós pagamos por isso – e caro.

Apoiar a família no momento mais importante: antes da escola

Por que há 70 mil crianças em "acolhimento"? Porque o paternalismo social intervém esperando até que a jovem tenha um filho sem condições de cuidar dele, e então o retira dela. Isso acontece repetidamente *com as mesmas mulheres*. Por exemplo, um estudo sobre a retirada de filhos em Hackney mostrou que 49 mulheres respondiam por 205 crianças levadas para lares temporários. O maternalismo social não esperaria e depois pegaria as crianças; reconheceria que havia algo de muito errado na vida dessas mulheres e iria ajudá-las a fazer algo a respeito. Em resposta a essas estatísticas assustadoras, algumas pessoas se juntaram e fizeram exatamente isso, formando uma ONG chamada Pause.[6] Aquelas 49 mulheres tinham uma vida realmente terrível. Todas, salvo uma, eram alcoólatras ou dependentes de drogas. Metade tinha problemas mentais crônicos. Metade tinha sido criada em lares temporários, a síndrome intergeracional do fracasso que se acentuou com o paternalismo social. A ONG Pause viu que o fundamental era mudar a vida dessas mulheres em vez de retirar constantemente seus filhos, trauma que aumentava o desespero delas e prejudicava a criança que estavam gestando.* Mudar uma vida exige empatia e acompanhamento, bem como o apoio concreto para lidar com a dependência química, a moradia e o abuso de homens violentos. O sucesso depende de aumentar o amor-próprio, e não de retirar os benefícios. Foi o que a Pause tentou, aos poucos estendendo a organização pelas cidades estigmatizadas da Grã-Bretanha. Funciona?

Pouco tempo atrás, a entidade passou por uma avaliação independente. Descobriu-se que as 137 mulheres atendidas pela Pause tiveram melhorias notáveis no modo de vida. Três-quartos das que tinham problemas mentais haviam melhorado significativamente, e o consumo de drogas e a violência doméstica tinham se reduzido consideravelmente. Isso, por sua vez, levara a um número

---

* O procedimento de anunciar previamente à mãe gestante que o bebê lhe será retirado ao nascer gera um grave aumento da tensão materna, que prejudica irreversivelmente o feto.

menor de gestações: a melhor estimativa mostrava que, a cada ano, havia 27 nascimentos a menos. A Pause também apresentava uma ótima relação custo-benefício: cada libra gasta pelo programa poupava nove libras nos cinco anos subsequentes. Mas, claro, a Pause é minúscula: o paternalismo social ainda vigora largamente, dominando os gastos públicos com o sistema de acolhimento em lares temporários.

Por que, então, o paternalismo social ainda predomina, a despeito de suas falhas evidentes? É porque os profissionais da área que estão na linha de frente ficam presos na hierarquia compartimentada que visa ao controle. Eis um exemplo que mostra como essa hierarquia impede o maternalismo social; foi dado por um psicoterapeuta que coordenava uma equipe de saúde mental da comunidade, numa cidade falida e seus arredores, onde os pacientes tinham uma vida de humilhações, isolamento e estresse. Algumas mães não se atreviam a levar os filhos à escola por causa do "bullying" – e a vítima não era a criança na escola, mas a mãe no portão da escola, atacada por outras mães, todas disputando o grupo restrito de homens. A equipe percebeu que as pacientes precisavam de um espaço seguro, onde poderiam aos poucos criar amizade com outras que enfrentassem os mesmos problemas. A equipe montou um projeto para implantar cafeterias nos imóveis desocupados, alugando lojas vazias e convertendo-as em espaços atraentes. Cada café era organizado como uma cooperativa de voluntárias entre as pacientes da comunidade. Como eram locais atraentes, eram frequentados por amplos setores da comunidade, sem qualquer vestígio de estigma. A avaliação do impacto sobre a saúde mental e psicológica das voluntárias foi feita por meio do próprio testemunho delas, pelos profissionais envolvidos no atendimento e pela análise dos registros de saúde. As pessoas relataram que não estavam mais isoladas, graças às novas amizades que o trabalho permitia travarem. Se alguma delas não aparecia, uma amiga se incumbia de entrar em contato: os cafés geravam obrigações recíprocas. Com as amizades que se formaram, as pessoas podiam seguir num ritmo próprio, pensando para além de uma reação imediata à crise, sem medo de humilhações. Aos poucos, algumas conseguiram reconstituir sua vida. As recaídas e os períodos de permanência no hospital diminuíram, e as pessoas criaram amor-próprio. Passou a ser possível pensar em adquirir uma qualificação e construir um futuro: tornaram-se mães melhores, conseguiram emprego. Vê-se o apreço pelos cafés no fato de que não eram alvo do vandalismo que cercava os outros negócios locais. Com o desenvolvimento do projeto, suas finanças melhoraram e quase empataram. Ele teve um impacto impressionante e se transformou em exemplo usado em conferências. E então foi encerrado.

A hierarquia administrativa da equipe de saúde mental no NHS [Serviço Nacional de Saúde] considerou que manter um café era uma atividade periférica demais para justificar as solicitações orçamentárias: a atividade central da equipe era o tratamento. Ocorrera uma redução nos internamentos hospitalares, mas este era outro orçamento. Quando as pessoas conseguiam emprego, saíam dos programas de assistência do Estado, mas isso fazia parte do orçamento de Assistência Social. Quanto aos Serviços Sociais, para que desviariam verbas de atividades centrais para financiar algo que o NHS queria desativar? O melhor atendimento aos filhos ajudava as crianças na escola, mas a prioridade para o orçamento da Educação era a atividade central do ensino. As hierarquias dissociadas das ações práticas, administrando especialidades fragmentadas, mataram uma iniciativa que não se limitava a ver o problema e encaminhá-lo para outra instância, mas ia diretamente a seu cerne. Em cada nível hierárquico, a prioridade era o sintoma que estava sendo tratado. Como comentou o desalentado psicoterapeuta: "Sem intervenções melhores, isso se perpetuará ao longo de gerações com apenas um número relativamente pequeno de pessoas escapando a esse ciclo".

É aí que se inicia o maternalismo social; ele prossegue. Os genitores jovens às voltas com um filho fora dos planos enfrentam pressões para as quais não estão preparados. A maioria dos genitores sente instintivamente o dever de cuidar dos filhos durante a maior parte do tempo, mas criar filhos pequenos pode ser algo extremamente desgastante: são inevitáveis os momentos em que os casais se zangam com os filhos e se zangam um com o outro. É preciso ter habilidade, autocontrole e tolerância para impedir que esses momentos se convertam num dano permanente. Adolescentes que mal acabam de sair da infância mergulham numa situação em que precisam sacrificar seus desejos pessoais, controlar suas emoções e planejar o futuro. Genitores jovens precisam de dinheiro, de ajuda e de supervisão não acusatória. Este é o cerne do maternalismo social: como proporcionar tais coisas?

As famílias adéquam seu modo de vida à sua renda: com um pouco de planejamento e prudência, uma ampla maioria é capaz de atender às necessidades básicas dos filhos. A prodigalidade paternalista pode ser uma faca de dois gumes. A Grã-Bretanha fornece moradia gratuita para mães solteiras; a Itália e a Espanha, não. A Grã-Bretanha tem um dos índices mais altos de gravidez na adolescência na Europa; a Itália e a Espanha, dos mais baixos. Em 1999, a Grã-Bretanha implantou benefícios maiores para as famílias de baixa renda com filhos. Os métodos estatísticos modernos nos permitem ver as consequências dessa alteração de política pública: as famílias de baixa renda reagiram com um aumento maciço no número de nascimentos, estimando-se um acréscimo de 45 mil filhos por ano.[7] Assim, em decorrência da moradia gratuita e dos benefícios maiores, muitos filhos estão sendo criados em famílias com um pouco mais de dinheiro. Mas muitas mulheres foram incentivadas a gerar filhos que não serão bem criados. São programas de benefícios extremamente dispendiosos com efeitos ambíguos, ao passo que outros usos de verbas públicas são inequivocamente benéficos, mas pouco implementados. Vejamos um exemplo.

Casais jovens não tiveram tempo de formar uma reserva de poupança e, assim, se são atingidos por uma adversidade, estão vulneráveis. O amortecimento desse impacto é, portanto, um uso importante do dinheiro público. A adversidade mais evidente é o desemprego. Nos Estados Unidos, a crise financeira de 2008 gerou um grande e prolongado aumento nos índices de desemprego. Novas pesquisas, feitas por um de meus estudantes de doutorado, mostram de maneira muito convincente que esse aumento reforçou o abandono de crianças pequenas.[8] O efeito foi grande, e a relação causal é clara. Para cada 1% de aumento no índice de desemprego num condado, a incidência de negligência infantil aumentou 20%, afetando basicamente crianças pequenas. Mas a política pública pode ajudar a atenuar os danos causados pelo desemprego. As regras de duração do seguro-desemprego variam nos condados; onde duravam mais tempo, o impacto do desemprego sobre a negligência e o abandono dos filhos foi consideravelmente menor.

Isso quanto ao dinheiro para criar os filhos; passemos agora à ajuda para cumprir tarefas que, a fim de serem desempenhadas de maneira adequada, exigem muito. A ajuda começa com a família estendida: os outros membros da família têm a obrigação de acorrer, mas a família estendida encolheu. Meu pai tinha seis irmãos e irmãs, minha mãe três, e assim havia uma legião de tios e tias que os ajudavam a me criar. Agora, os genitores têm menos irmãos e, assim, as obrigações dos parentes existentes aumentaram proporcionalmente. Mas pais como eu têm apenas um filho, e nessas situações é preciso reviver a família estendida. As normas precisam mudar; compensando o encolhimento horizontal, a maior longevidade está ampliando verticalmente a família. Em resposta às novas necessidades, as pessoas estão, de fato, mudando suas normas de uma maneira compatível: os avós atuais se envolvem muito mais do que antes com seus netos.

Os governos também podem fazer muito mais. Muitos deles têm o bom senso de fornecer apoio financeiro a genitores com filhos pequenos, mas isso vem se amalgamando cada vez mais com o objetivo de incentivar as pessoas a conseguir emprego. Em famílias jovens em dificuldades, o período em que os adultos estão criando filhos pequenos não é o mais propício para isso. As pessoas que não têm filhos recebem um enorme benefício das pessoas com filhos: os aposentados só têm condições de viver de suas poupanças porque a geração subsequente está fazendo rodar essas economias. O período em que os genitores lutam para criar os filhos pequenos é o momento crucial para que o Estado faça as transferências monetárias que refletem essa contribuição para a sociedade.

Mas o Estado não precisa se limitar a dar dinheiro, e pode ir além; pode fornecer ajuda prática para o lar e além do lar. Criar filhos é difícil para todos os genitores novos, mas alguns casais estão em condições tão precárias que os problemas são quase inevitáveis. Onde é possível prever o problema, também é possível evitá-lo com uma intervenção preventiva intensiva.

Assim como há um limite para o que o mercado é capaz de fazer, também há um limite para o que o Estado é capaz de fazer por meio de serviços de apoio públicos. Todavia, ainda não chegamos a esse limite. Existem alguns exemplos de apoio intensivo fornecido pela esfera pública e, até onde foram avaliados, mostram sinais de êxito. Um deles é o Projeto Dundee, uma experiência modesta de apoio incondicional a famílias desfavorecidas. O apoio prático e diário a uma família jovem é dispendioso, mas é muito mais barato do que as consequências de um esfacelamento familiar.

Uma característica essencial do Projeto Dundee era sua total separação do serviço que inspecionava a família. A inspeção é necessária: na pior das hipóteses, a criança tinha de ser retirada dos genitores. Mas as condições básicas para criar uma relação de confiança entre os genitores e os funcionários que fornecem apoio não existem se não houver uma absoluta separação das funções. Na Grã-Bretanha, o Projeto Dundee serviu de inspiração para uma ampliação maciça da escala, resultando no Troubled Families Programme (TFP), mas, embora bem-intencionado, o programa foi contaminado tanto pelo objetivo adicional de levar as mães jovens a trabalharem, quanto pelo fato de ser conduzido pelos serviços sociais existentes, com seu papel de inspeção. Essa sobrecarga embotou a eficácia do TFP.

Se a integração entre o apoio e a inspeção prejudica os dois serviços, a integração entre apoio físico e apoio mental pode criar um reforço mútuo. Muitas vezes os genitores das famílias previsivelmente propensas a se tornarem problemáticas apresentam incipientes problemas mentais. As intervenções de saúde mental, como a terapia cognitivo-comportamental e os programas de controle da raiva, têm sido rigorosamente avaliadas e mostram impressionantes índices de sucesso. Esse apoio preventivo custa, mas pode evitar comportamentos que custam muito mais para a sociedade no longo prazo. O *fornecimento* de apoio à criança, o atendimento à saúde mental e inspeção devem ser unificados, mas suas *funções* precisam ficar claramente separadas.

Casais adolescentes esperando um bebê são pais sem experiência e precisam de uma orientação que não seja ameaçadora. Os ocasionais cursos noturnos provavelmente não bastam. Os avós podem ajudar, mas é muito comum que os casais com mais probabilidade de se tornarem genitores disfuncionais provenham de famílias que são elas mesmas disfuncionais. Casais jovens precisam de alguma fonte de orientação e apoio informal para além da família. Uma maneira de suplementar as famílias estendidas disfuncionais ou cada vez mais minguadas é criar um novo recurso: um análogo moderno do Corpo de Paz ou do Serviço Voluntário no Além-Mar, que inspiraram muitos milhares de jovens americanos e britânicos. Na época, o novo recurso social consistia em um número crescente de jovens instruídos buscando um senso de propósito além do enriquecimento pessoal. O equivalente de hoje é o conjunto crescente de aposentados experientes e capazes em situação financeira confortável com suas aposentadorias, mas com um ninho vazio deixando um vácuo em suas vidas. Essas pessoas foram dotadas pela vida com qualificações não cognitivas que lhes permitem ajudar de uma maneira não ameaçadora os casais jovens em dificuldade e com necessidade de apoio. Atender a um dever de resgate pode trazer um senso de propósito profundamente gratificante a uma fase da vida que, do contrário, poderia se tornar melancólica ou enfadonha. Como se dá com todos os tipos de apoio, esse papel teria de ser traçado com clareza, e os participantes teriam de ser treinados para garantir que não se deteriorasse numa relação de condescendência, culpabilização, fiscalização cerrada e denúncia. Talvez fosse melhor ser remunerado; neste caso, o pagamento dependeria da autorização dos jovens genitores, para que sentissem certa autonomia. Talvez fosse possível lhes conceder uma verba que usariam para esse fim. Em vez de ser um programa organizado pelo governo, uma nova safra de ONGs poderia recrutar as pessoas capacitadas com tempo disponível para ajudar os milhares de famílias jovens que não conseguem cumprir suas obrigações. Os governos têm pavor a fracassos e, assim, não estão equipados para iniciativas experimentais, ao passo que as ONGs têm o preparo perfeito para tentar novas abordagens.

Há boas razões para a expressão "the terrible twos" [a fase terrível dos dois anos de idade]: as crianças pequenas volta e meia se mostram impossíveis, levando até genitores experientes aos limites da paciência. A partir daí, faz bem às crianças serem socializadas em grupos fora da família: os jardins de infância. Existem sólidos argumentos em favor dos jardins de infância públicos e gratuitos. Todos os Estados fornecem ensino na idade escolar, e os argumentos para que o Estado forneça a pré-escola são ainda mais sólidos do que para qualquer outro nível de ensino. De modo geral, conforme as crianças crescem, suas necessidades educacionais ficam mais complexas e diferenciadas. A principal vantagem da pré-escola pública em comparação a outras formas está naquelas atividades que se prestam à padronização e que saem mais barato quando são feitas em larga escala. Os jardins de infância não são complexos: a característica principal que a sociedade deveria pretender deles é oferecer um espaço padronizado onde as crianças pequenas encontram outras provenientes de muitos outros setores da sociedade. A padronização e a gratuidade têm uma vantagem fundamental: ao fazer com que a decisão parental de mandar o filho para o jardim de infância seja normal entre toda a sociedade, será mais provável que aqueles pais menos preparados para tomar boas decisões façam o mesmo. O fornecimento universal de jardins de infância públicos e gratuitos alcança, assim, dois resultados altamente desejáveis: são socialmente mistos numa fase em que as crianças são mais prontamente moldadas pela influência social, e as crianças mais necessitadas de uma pré-escola provavelmente irão frequentá-la. No entanto, em vez de jardins de infância públicos, muitos países têm uma complexa multiplicação de esquemas de subsídios para o funcionamento de pré-escolas particulares, que se acumulam incrementalmente a cada nova iniciativa ministerial de atender a uma necessidade evidente. Por exemplo, o programa britânico Sure Start deu prioridade a que as mulheres obtivessem emprego e, ao concentrar o recrutamento nos "sucessos" mais fáceis que apenas preenchiam formalmente os critérios, logo se tornou manipulado: a complexidade praticamente garante que os programas tendam a ser usados pelos que menos precisam deles, e o fornecimento de pré-escolas particulares determina que o ingresso seja diferenciado. O exemplo de oferecimento público e gratuito de jardins de infância é a França, com suas *écoles maternelles*. Conhecemos esse sistema por experiência própria, quando morávamos numa cidadezinha bretã de baixa renda; não encontramos em Washington nem em Oxford nenhum equivalente oferecido pelo mercado.

As escolas como locais de apoio

Lembremos que a atividade mais importante que se dá numa escola não é o ensino, e sim as interações com o grupo de pares; as diferenças que começam na família são reproduzidas e ampliadas pelas diferenças na composição social das escolas. O Vale do Silício pensa que sua tecnologia abriu o mundo do conhecimento aos filhos dos menos instruídos. Mas os dados são bastante contrários a essas esperanças: a internet mais ampliou do que reduziu as diferenças de oportunidades. Todos agora têm acesso, mas pesquisas recentes mostram que os filhos dos instruídos aprendem a usar a internet para aumentar seus conhecimentos, ao passo que os filhos dos menos instruídos usam a internet como distração.[9]

    A mudança mais preciosa que poderia acontecer com as escolas seria propiciar maior mistura social. O grande obstáculo à mistura social são as áreas de atendimento. Como os locais que as pessoas escolhem para morar tornaram-se muito estratificados socialmente, as áreas de atendimento escolar refletem essa estratificação na escola. Uma maneira de romper esses entraves no ensino pós-fundamental é criar escolas públicas com cobertura de atendimento em toda a cidade, diferenciadas mais pelos propósitos do que pela localização. Uma escola poderia se promover como o melhor lugar para os aspirantes a esportistas profissionais; outra, para aspirantes a atores; outra, para filhos de genitores que valorizam a disciplina. A ideia aqui, baseada nos conceitos apresentados no Capítulo 2, é que os diretores de escolas tentariam desenvolver instituições com *sistemas de crença* mais ou menos específicos: tornam-se grupos em rede por onde circulam narrativas específicas. As escolas saberiam que precisam ser boas no que fazem; do contrário, os genitores morando em áreas prósperas prefeririam continuar a mandar os filhos para a escola local, apenas para ricos. Agora há novas regras permitindo a criação de tais escolas na Grã-Bretanha, e fiz parte de uma equipe que tentou começar uma delas em Oxford, cidade cujas áreas de atendimento escolar são grotescamente distorcidas. Nosso plano para um acesso de toda a cidade, na base do sorteio, enfrentou uma reação previsível: um muro de grupos de interesse e ideologia. A elite educacional local, liderada pela escola que atende à área mais próspera, sentiu-se ofendida e se ergueu em fúria. Conseguiram nos obstruir. Talvez você tenha mais sorte.

As escolas como organizações

A atividade pedagógica das escolas poderia melhorar. É um tema maciçamente estudado, com imensa bibliografia a respeito, mas o aspecto dominante é que a qualidade do professor é muito mais importante do que o dinheiro. Quatro coisas podem elevar a qualidade docente: atrair professores melhores; basear a formação no pragmatismo de experiências já avaliadas; designar os melhores professores para os cenários mais difíceis; remover os professores mais fracos.

Na Grã-Bretanha, o programa Teach First vem exercendo um grande impacto. Seu objetivo é simples: levar os bons alunos que se formam nas universidades a passarem os primeiros anos dando aulas, antes de seguirem para outra carreira. A abordagem pode ser usada para um recrutamento específico parecido: que tal Teach Last? Ao se aposentar de sua cátedra em Amsterdã, o professor Jan Willem Gunning, coautor em muitos artigos meus, foi dar aulas de matemática numa escola local. Ele me diz que tem sido a experiência mais gratificante de sua vida. Mas o programa Teach First se restringia a aulas em Londres, a área do país que menos precisava dele. As escolas que precisam do Teach First são as cidades e vilarejos do interior, onde os bons professores muitas vezes receiam dar aulas, para não ficarem encalhados por lá. Justamente porque os que planejam ser professores de carreira recuam, com medo de encalhar, deve ser mais fácil recrutar os que não planejam continuar como professores. Ao viés londrino do Teach First soma-se um bônus salarial atualmente pago aos professores em Londres, onde as escolas recebem verbas muito maiores por aluno do que as de outras localidades. Londres tem os melhores resultados escolares do país. Deveriam acabar totalmente com o Teach First, o bônus salarial e o prêmio de subsídios por aluno em Londres e transferi-los para os lugares que precisam deles. O Teach First era precisamente o programa certo, implantado precisamente no lugar errado.

A decisão entre os métodos de ensino tem muito a ganhar com os testes randomizados. Mas os políticos e o *establishment* educacional têm medo dessas experiências. O pragmatismo é uma admissão de ignorância, e a confiança que acompanha uma ideologia é muito mais agradável e satisfatória. Todavia, as grandes variações nos resultados do Programa Internacional de Avaliação de Alunos (PISA) entre escolas e países indica que ainda há muito a aprender e que isso só virá com experimentos e suas respectivas avaliações. A formação dos professores deveria se dar seguindo esses indicadores em evolução, e deveriam ensinar os estudantes a continuarem a aprender com esses indicadores.

A eliminação dos professores mais fracos pode ter um efeito dramático.[10] Se, para estabelecer que os piores professores estão causando um dano maciço, é preciso utilizar uma tecnologia em ciência social muito avançada, não é preciso pesquisar muito para entender por que não se faz nada a respeito. Os interesses da profissão docente, representados por vários sindicatos, ameaçam o fim de qualquer político que se atreva a fazer tal sugestão. Compreensível? Sim. Ético? Não.

Existem algumas políticas em sala de aula que, pelo visto, ajudam a tratar os problemas de aproveitamento, embora as modas mudem e a ideologia, aqui também, impeça a análise. Além do ensino, o esforço do estudante é fundamental: a questão é como motivar esse esforço entre os menos propensos a tentar. Há economistas na Universidade de Chicago usando experiências de laboratório para testar diferentes abordagens;[11] eles descobriram que certas técnicas muito simples podem ter efeitos consideráveis. Uma delas é que, para ser eficaz, qualquer recompensa precisa ser dada logo após o esforço – depois de alguns minutos, não depois de meses. Quanto ao tipo de recompensa, o apreço funciona melhor do que o dinheiro (mais uma vez, revelamo-nos como animais mais sociais do que gananciosos). Mas viu-se que a recompensa não é o principal agente motivador. As pessoas são muito mais motivadas a evitar perdas do que a obter ganhos – o termo técnico é "aversão à perda" – e, assim, as rápidas perdas de apreço devido à falta de esforço podem trazer o maior impacto. No entanto, essa mensagem não ocupa lugar de destaque nos cursos de pedagogia.

A questão do ensino por turmas do mesmo nível e da mesma faixa etária está cercada de disputas ideológicas e precisa desesperadamente de uma abordagem pragmatista. Uma teoria psicológica plausível é a de que as crianças buscam o apreço de seus pares e estão dispostas a dedicar um certo esforço para ganhá-lo (ou para evitar perdê-lo). O grupo de pares mais forte é, provavelmente, o conjunto dos demais alunos da classe. Se a turma é a mesma ao longo do ano, de forma que a diferença de capacidade entre os alunos mais adiantados e os mais atrasados é pequena, vale a pena que os mais atrasados se esforcem; analogamente, os alunos mais adiantados precisam se esforçar mais para continuar na dianteira. Mas, se a diferença é muito grande, como acontece quando o ano escolar é dividido em matérias e não tem uma turma fixa, o esforço dos alunos mais atrasados é inútil e o dos mais adiantados é desnecessário. Há algum apoio empírico a essa ideia, mas ela precisa de testes mais completos do que os que conheço. O mais necessário nas escolas não é o dogma, e sim variações experimentais que sejam avaliadas com rigor e de forma independente.

Por fim, há a questão do dinheiro. As diferenças nos gastos públicos por aluno atualmente tendem a *amplificar* outras diferenças de desempenho. As diferenças mais importantes são geográficas: a metrópole tem uma base tributária em franco aumento e grupos de pressão muito veementes; as cidades falidas não têm nenhum dos dois. Na Grã-Bretanha, as diferenças são previsivelmente extremas. Londres tem de longe os gastos públicos mais altos por aluno, enquanto minha região natal de Yorkshire e Humberside está entre as que têm o menor investimento público. Mas Londres já tem os melhores resultados nos exames do país, ao passo que minha região natal tem os piores: essa distância é recente, grande e continua a aumentar. Prepare-se para o raciocínio motivado: os grupos de interesse que atualmente defendem essa maciça má alocação de verbas deveriam sofrer a vergonha de uma derrota definitiva.

Além da escola: atividades e mentoria

A maioria das atividades extraescolares se destina a adolescentes, mas o distanciamento nos resultados e nas oportunidades de vida ocorre, em larga medida, antes dessa fase. Para os pré-adolescentes, o principal comportamento diferenciador é pifiamente simples: a leitura. Os filhos da classe instruída leem; os filhos da classe menos instruída não leem. A leitura abre portas e os filhos da elite passam por elas. A escola supostamente corrigiria esse problema; as crianças aprendem a mecânica da leitura, mas isso é muito diferente de adquirir o hábito de ler. Agora sabemos como incentivar esses hábitos nos filhos de genitores que não leem; simplesmente não temos feito muita coisa a esse respeito. Mas qualquer grupo de cidadãos interessados em alguma iniciativa é capaz de contribuir: veja como funciona.

Rotherham é uma cidadezinha muito estigmatizada que se tornou na Grã-Bretanha um símbolo da marginalização. Como sua vizinha Sheffield, é uma cidade mineira e siderúrgica de onde sumiram os empregos.* Em meio a essa tragédia e a correspondente

---

* Coerente com a marginalização, o corretor ortográfico se recusa a reconhecer o nome de Rotherham, embora tenha o dobro da população de Oxford, nome ao qual o corretor não coloca nenhuma objeção.

desmoralização, um pequeno grupo de cidadãos resolveu elevar os padrões de alfabetização entre as crianças das famílias mais marginalizadas. Procuraram um exemplo que pudessem usar e escolheram um que parecia ter funcionado numa cidadezinha americana. Adaptando-o ao contexto deles, fizeram uma parceria com uma das universidades em Sheffield para manter uma avaliação quantitativa em paralelo com o trabalho que iam desenvolver. É por isso que sabemos que funciona: patenteou-se pelas notas dos exames nas escolas. Criaram uma entidade beneficente, encontraram um imóvel desocupado no centro da cidade – havia inúmeros – e convenceram as empresas locais a reformá-lo, transformando o antigo bar em algo absolutamente mágico. Uso a palavra "mágico" tanto em termos figurados quanto em termos literais: era um centro onde as crianças podiam aprender mágica. O nome escrito por cima da porta, "Grimm and Co", a placa em cima da porta, "adultos não entram", as janelas escurecidas, tudo isso funciona como um convite às crianças, que geralmente vêm arrastando os genitores a contragosto atrás delas ou chegam para uma visita previamente marcada com os colegas de classe. Lá dentro, topam com um pé de feijão gigante e mais uma placa dizendo "não coma o pessoal da equipe" e uma infinidade de outros estímulos ao encantamento. Tudo isso serve de prelúdio para se animarem a entrar por uma porta escondida e subir a escada de livros, passando pelo escritório do sr. Grimm, ausente no momento, até a sala onde leem para elas as páginas soltas do novo conto dele. E aí vem o desastre! Está faltando a última página! Precisa-se com urgência do fim da história: alguém ajuda, por favor? Aqui tem uns lápis para quem puder terminar.

A reação é, invariavelmente, uma correria. Os professores caem em lágrimas ao ver crianças que nunca gostaram de pegar um lápis escrevendo como se a vida delas dependesse disso. E tudo tem seguimento: as turmas de Rotherham têm coletâneas de poemas publicados que são distribuídas para o mundo inteiro; a Royal Shakespeare Theatre Company veio e se apresentou para elas; Bob Geldof escreveu uma história para elas. É possível despertar a vontade; é possível mudar os hábitos. Essa magnífica iniciativa –

criação de uma mulher cheia de entusiasmo – pode ser ampliada em grande escala e adaptada a diversos contextos locais. Já atraiu delegações da China e da Coreia do Sul. Sim, é com *Rotherham*, não com Hampstead, que os asiáticos do Extremo Oriente estão aprendendo. Se eles podem, talvez você possa também.[12]

Há muitas outras iniciativas assim, que podem ajudar crianças fora da escola. As habilidades não cognitivas se formam não com o estudo, mas com pessoas que se tornam mentoras de confiança e com atividades de grupo, como esportes, em que as crianças podem aprender a cooperação e a liderança. Encontrar um mentor que tenha conhecimentos úteis e seja de confiança depende da amplitude da rede social da criança, que por sua vez reflete a rede social da família. A decisão mais importante em minha carreira pessoal se deu um mês antes de ir para a faculdade: eu tinha entrado no curso de direito, mas escrevi pedindo transferência para o curso de economia. A fim de chegar a essa decisão, eu estava desesperado para ter algum conselho, pois via que ela definia duas vidas diferentes.* Mas em minha rede familiar não havia ninguém com experiência aplicável: em desespero, perguntei a meu dentista (de nada serviu, o que não é de admirar). Hoje em dia, os filhos das duas classes que se distanciam cada vez mais enfrentam enormes diferenças na abrangência de suas redes sociais. O Pew Research Center examina nove tipos de pessoas que uma família pode ter como parte de sua rede. Em oito deles, os lares instruídos têm mais conexões do que os menos instruídos: o nono tipo é composto por zeladores, grupo em que os menos instruídos estão em vantagem. Nos outros oito, a maior distância se dá no mesmo aspecto que me faltava para aquela minha decisão: "Você conhece um professor?". Na família em que cresci, essa pergunta equivaleria a "você conhece a rainha?", mas meus filhos estão rodeados de professores: quando Daniel, meu filho de dezessete anos, se interessou por nanotecnologia, a primeira porta em que bateu foi a do vizinho.

Mas, para um adolescente, ter a mentoria de alguém que se escolhe ouvir é útil não só por causa da informação: é uma fonte das

---

* Em vez de escrever livros, podia ter sido um advogado à caça de renda.

narrativas que as pessoas usam para se guiar na vida. Adolescentes que estão indo por um mau caminho podem ser redirecionados pela branda influência de narrativas saudáveis, apresentadas fora do contexto parental de prêmios e castigos: o poder paternalista é um obstáculo à disposição para ouvir.[13]

O aumento da distância nas qualificações, empresas e pensões

A escola não é realmente uma preparação para a vida: é uma preparação para a formação. Na melhor das hipóteses, ela equipa algumas pessoas com capacidades cognitivas que podem ser apuradas e convertidas em qualificações altamente produtivas em algumas atividades. Mas as capacidades não cognitivas não recebem a mesma atenção. Muitas atividades produtivas dependem menos de boas capacidades cognitivas e mais de capacidades não cognitivas bem trabalhadas, como a perseverança. Na transição da escola para o treinamento profissional, os que vão se manter na via cognitiva fazem uma passagem menos exigente do que os que saltarão das qualificações cognitivas para as não cognitivas.

Qualificações pós-escolares

Sabemos o que funciona e sabemos o que não funciona. Muitos países de alta renda entendem alguns aspectos do desenvolvimento pós-escolar das habilidades, mas as partes que entendem não são as mesmas, e eles não mostram muita disposição a aprender uns com os outros.

Para os países com as melhores capacidades cognitivas e com interesse em desenvolvê-las, os Estados Unidos e a Grã-Bretanha oferecem o melhor instrumento de toda a história para o desenvolvimento das habilidades: as boas universidades. Cada um desses países tem muitas delas, inclusive as cinco universidades americanas e as três britânicas que estão entre as dez melhores do mundo. Em contraposição, os 27 países da União Europeia pós-Brexit não têm nenhuma universidade entre as dez melhores do mundo, e isso é um sintoma que indica falhas mais gerais em seus sistemas universitários. A razão da diferença consiste na forma de gerir as universidades. Alcançam-se altos padrões com a concorrência e a gestão descentralizada: os mesmos elementos que tornaram o capitalismo moderno tão produtivo. Na França, em contraste, o mesmo controle centralizado do ensino que funciona tão bem na esfera padronizada e pouco complexa do pré-primário é desanimador no nível universitário.

No entanto, para os que não integram a minoria culta de elite, os Estados Unidos e a Grã-Bretanha são ambientes pobres para o desenvolvimento das habilidades. Lembremos que a maioria dos jovens estaria passando do tipo de formação que apenas aprofunda as habilidades cognitivas para o tipo que desenvolve as habilidades não cognitivas, que foram objeto de pouca consideração. Visto que esta é uma transição mais exigente, deveria ser o foco principal da política pós-escolar. Da perspectiva do jovem estudante, é mais exigente em termos psicológicos, por ser um salto no desconhecido. Da perspectiva do governo, é mais exigente em termos organizacionais, pois as habilidades necessárias são muito diferentes das outras que a esfera pública administra no restante do sistema educacional. O orçamento por estudante de ensino médio técnico deveria ser maior do que o orçamento para os que estudam para a universidade.

Os profissionais sabem o que é preciso: ensino e treinamento técnico profissionalizante (TVET [Technical and Vocational Education and Training]) de alta qualidade que os jovens escolham, em vez de prosseguir na trilha usual da formação focada nas habilidades cognitivas. Felizmente, até sabem que isso é possível, porque é o que a Alemanha vem fazendo há muito tempo, tendo como resultado uma força de trabalho altamente produtiva e bem remunerada. Então, o que faz a Alemanha? Como organizam essa formação, e como têm levado milhões de jovens a darem o necessário salto psicológico? E, mais importante: por que outros países não copiam a Alemanha?[14]

Os principais componentes organizacionais na Alemanha são parcerias locais entre empresas e escolas técnicas num setor específico. A escola técnica monta seus cursos em cima dessas habilidades e as empresas oferecem *in loco* estágios profissionalizantes e mentorias dadas por sua força de trabalho qualificada, sendo que o estudante divide seu tempo entre a escola e a empresa. Geralmente o estudante segue essa formação por três anos e, depois, passa a trabalhar na empresa. O treinamento tem vários objetivos, nenhum trivial e alguns bastante sutis; na verdade, a lista das características que um jovem trabalhador deve apresentar para ser contratado parece quase tão exigente quanto a famosa lista de Kipling para ser um homem.* Um dos objetivos é desenvolver uma perícia de rotina: as habilidades se desenvolvem com a prática e são refinadas com o retorno dado pelos mentores. Outro objetivo é poder pensar por si mesmo quando necessário: a consciência e a confiança de ser inventivo. A perícia profissional encerra uma ética da excelência e traz uma sensação de orgulho por um trabalho bem-feito. Aprende-se essa perícia trabalhando com alguém que se torna modelo a ser seguido. Então vêm as capacitações funcionais: o nível de alfabetização, de domínio aritmético, de tecnologia das comunicações, de elaboração de gráficos. Como a maioria dos empregos se concentra no setor privado, os jovens precisam ter uma atitude empresarial, inclusive o reconhecimento de que, para ter serviço, é preciso ter clientes dispostos a pagar pelo que é produzido. Analogamente, o jovem trabalhador precisa das habilidades sociais de saber como se apresentar e concluir uma tarefa de maneira adequada e respeitosa. Por fim, a habilidade de se adaptar: atitudes de curiosidade, interesse e flexibilidade, como a autoconfiança, a empatia, o autocontrole, a perseverança, o espírito de colaboração, a criatividade. Ao ler isso, o estudante médio de Oxford pode se sentir intimidado, mas é o que é necessário para que a metade da população, menos dotada de habilidades cognitivas, seja produtiva no trabalho do século XXI.

    O desenvolvimento dessas habilidades é um empreendimento local e nacional. Para ser eficaz, a política pública precisa ser complementada por um senso de propósito entre as empresas.

---

* Menção ao poema "Se", de Rudyard Kipling. (N.T.)

Voltamos ao conceito de empresa ética, uma equipe de pessoas que interiorizaram uma missão que vai além do enriquecimento individual. Uma empresa ética reconhece suas responsabilidades para com seus jovens recrutas e dedica tempo e dinheiro para lhes dar um treinamento adequado, não só nas qualificações estreitas do ofício, mas no leque mais amplo das capacidades abrangidas por aqueles TVET alemães. Na Grã-Bretanha, dois gigantescos varejistas – John Lewis e BHS – ilustram as diferenças de atitude das empresas em relação à força de trabalho; nos Estados Unidos, os equivalentes são a Toyota e a GM. Lembremos que "ético" não significa necessariamente "tolo"; as empresas que faliram foram a BHS e a GM, não a John Lewis e a Toyota.

Também sabemos o que é ineficaz: o treinamento dissociado do mundo real do trabalho. Duas políticas públicas usuais que aparentam lidar com o problema da qualificação não passam nesse quesito.

Para responder a preocupações sobre a falta de trabalhadores qualificados, alguns governos incentivam cursos ditos profissionalizantes, mas que duram apenas alguns meses, que não vêm associados a um futuro emprego numa determinada empresa e que não vão além dos rudimentos técnicos de uma profissão. Ignoram todas as habilidades mais amplas necessárias para que a competência técnica seja realmente útil para uma empresa.

Em termos mais ambiciosos e certamente mais esbanjadores, tem-se verificado nas universidades uma enorme expansão de cursos profissionalizantes de baixa qualidade. Tanto nos Estados Unidos quanto na Grã-Bretanha, metade dos jovens agora vai para a universidade – em resposta ao excessivo prestígio de um diploma de graduação. Na Grã-Bretanha, um terço desses estudantes acaba trabalhando em empregos que antes eram ocupados por pessoas sem grau universitário e cujos requisitos de qualificação continuam a ser os mesmos. O diploma universitário não os fez mais produtivos.[15] Na escola, muitas crianças sonham com as profissões glamorosas que veem nas mídias sociais. Existe uma enorme diferença entre o grau de exposição de várias profissões e a frequência dessas profissões na força de trabalho. As crianças devem, de fato, sonhar, planejar, aspirar, mas essas aspirações em conjunto precisam se entrosar com a realidade. A adaptação do sonho ao emprego faz parte das dores de virar adulto. Como o escritor norueguês Karl Ove Knausgård expressou com tanta beleza, a passagem dos dezesseis aos quarenta anos, "que agora é tão longa e tão abrangente, inexoravelmente diminuirá e se encolherá até se converter numa entidade tratável que não fere tanto, mas não é tão boa".[16]

Os adultos não deveriam fechar os olhos diante da exploração ocorrida nessa passagem. Várias pessoas que trabalham em profissões glamorosas – por exemplo, de perito judicial – explicam-me, condoídas, que os cursos universitários que supostamente dariam formação na área estão atraindo os estudantes com falsas promessas. Os alunos se formam nesses programas após contrair dívidas enormes de financiamento estudantil: nos Estados Unidos, suas dívidas muitas vezes são maiores do que as de alunos em ótimos cursos acadêmicos nas melhores universidades. A palavra "diploma" colada numa profissão dos sonhos os atraiu para um beco sem saída caríssimo, enquanto o que precisavam era de uma base para ingressarem numa carreira produtiva, ainda que menos sedutora.

Tanto nos Estados Unidos quanto na Grã-Bretanha, a enorme quantidade de gente pouco treinada procurando serviço tem encontrado emprego em empresas cuja rentabilidade decorre de uma produtividade modesta e de remunerações correspondentemente modestas. Tais empresas economizam dispensando os trabalhadores tão logo a demanda cai, poupando despesas com treinamento, excluindo a sindicalização. Aprendem a lidar com a alta rotatividade resultante da insatisfação de seus empregados, confiando nos desesperados e nos crédulos para substituir os que deixam o emprego. Em alguns setores, esse modelo empresarial de baixa produtividade e baixos custos será mais rentável do que o modelo de alta produtividade e altos custos no qual as empresas investem em seus trabalhadores. Onde são mais rentáveis, as empresas com baixos custos eliminarão do mercado as empresas com altos custos. Mas, embora como consumidores os indivíduos estejam em situação melhor, como trabalhadores estão em situação pior; têm rendimentos mais baixos porque são menos produtivos. Em termos mais formais, há uma falha do mercado no processo de qualificação. As pessoas estariam em situação melhor se pagassem um pouco mais pelo que compram, mas recebessem muito mais por seu trabalho; no entanto, não existe nenhum mecanismo que leve a cadeia de compromissos a transações que, no conjunto, cheguem a esse resultado superior. A formulação do problema nesses termos não faz com que ele se resolva: a sociedade precisa fazer algo a respeito. As leis do salário mínimo, a obrigatoriedade de fornecer treinamento e os direitos de sindicalização contribuem para restringir o espaço das empresas na redução dos custos de mão de obra em detrimento da produtividade. Tomemos um exemplo simples de regulamentação com suas respectivas consequências: uma rede de restaurantes que opera em Paris e Londres está sujeita a duas legislações sobre o salário mínimo bastante diferentes. Em Paris, onde o salário mínimo é muito mais alto, a rede organiza os cardápios e as equipes, treinando-as em rotinas de serviço mais complexas, de modo que cada garçom consegue servir um número maior de pessoas do que em Londres. Em decorrência disso, a produtividade dos garçons da rede em Paris é maior do que a dos garçons em Londres. Os preços das refeições são iguais, embora os clientes de um restaurante em Paris recebam menos atenção do que em Londres. Mas a diferença social fundamental é que os garçons de Paris recebem mais. Sim, Londres tem muitos empregos, mas são ruins.

Depois de expor como se dá um bom treinamento não cognitivo e o outro caminho descendente que hoje em dia atrai muitos jovens, finalmente podemos passar para a psicologia: o que determina que os jovens prefiram essa opção? A psicologia tosca de *A riqueza das nações* sugere que as pessoas só se importam com o dinheiro. A psicologia mais acurada de *A teoria dos sentimentos morais* nos diz que as pessoas também se importam com sua posição na sociedade: dão e recebem apreço. Os dados sobre os remorsos confirmam nossa intuição de que o apreço prevalece sobre o dinheiro. Mas, mesmo pelo critério monetário, muitos jovens nos

Estados Unidos e na Grã-Bretanha estão sendo atraídos para becos sem saída na área cognitiva. E fazem isso porque, hoje em dia, esta é a escolha que gera mais apreço dos pares. Quando dizem aos amigos que estão indo para a universidade, os que não vão ficam encabulados. Quando dizem aos amigos que estão estudando para serem peritos judiciais, os amigos reconhecem o exemplo-modelo dado pela Netflix. O nó da questão é a errônea hierarquização do apreço entre a formação cognitiva e a formação não cognitiva. Ela está entranhada nas sociedades anglo-saxãs; é ensinada aos jovens pelas narrativas que lhes contamos. Está tão entranhada que daria até para pensar que ela é inevitável. Mas não é; aqui, também, a Alemanha mostrou que as hierarquizações podem ser outras.

Eu poderia fornecer os dados, mas soube disso de maneira mais pessoal. Durante um ano tivemos em casa, num programa de intercâmbio cultural, uma babá alemã altamente capaz morando conosco; ela estava precisamente naquela fase da vida em que devia decidir se prosseguia nos estudos e ia para a universidade ou se escolhia um treinamento profissional específico. Se quisesse, tinha aptidões cognitivas suficientes para prosseguir nos estudos, e recebera propostas de algumas universidades. Mas queria um curso profissionalizante conduzido em conjunto por uma empresa e um instituto técnico em sua cidade natal.* O programa de treinamento em que ela entrou era tão puxado que chegava a assustar. Sua opção foi o marketing: o produto que a empresa fazia, e que caberia a ela comercializar, era uma peça de um equipamento de grande sofisticação técnica. Na primeira semana do primeiro ano do curso, ela trabalhou num torno mecânico, junto com os operários que fabricavam a peça. No terceiro ano do curso, ela estava na América Latina, aprendendo espanhol. Agora é uma funcionária bem remunerada e com segurança no emprego. Talvez venha a concorrer em pé de igualdade com um vendedor britânico cujo treinamento pós-escolar se deu na universidade. Quando fez essa escolha crucial, nossa babá

---

* A Grã-Bretanha tinha esses institutos, que se chamavam escolas politécnicas. Mostrando a propensão britânica ao prestígio acadêmico, todos eles foram convertidos em universidades.

ficou surpresa com nossa surpresa. O caminho escolhido não só era mais desafiador do que continuar numa sala de aula, como também tinha mais prestígio. O apreço e a recompensa material guiaram a jovem na mesma direção.

Para criar influências semelhantes nos Estados Unidos e na Grã-Bretanha, precisamos deixar de lado os símbolos de privilégio cognitivo. A expressão "diploma universitário" precisa ser esquecida: tornos mecânicos e América Latina podem se tornar mais glamorosos do que três anos adicionais numa sala de aula. A Alemanha faz bem esse tipo de coisa, mas a Suíça faz ainda melhor. A formação profissionalizante na Suíça é séria: os cursos costumam ter três ou quatro anos de duração, e as empresas têm um envolvimento muito próximo, pois arcam com metade dos custos, que são consideráveis. E essa formação também goza de popularidade: 60% dos jovens escolhem cursos profissionalizantes, em parte porque recebem durante o curso, mas também porque essa formação é uma via reconhecida para empregos de alto nível.* Essa conquista é ainda mais admirável porque a melhor formação profissionalizante do mundo coexiste com uma universidade entre as dez melhores do mundo: não é preciso que as vias cognitivas enfraqueçam para que as vias não cognitivas floresçam.

O renome da formação profissionalizante precisa ser fortalecido, não só para quem faz os cursos, mas também para quem os ministra. O ensino de habilidades cognitivas traz um renome fácil: temos títulos como "docente" e o pertencimento a uma "universidade". A formação profissionalizante hoje está fragmentada demais para ter a mesma facilidade em trazer renome. Talvez os vários cursos profissionalizantes precisem receber o status consagrado de atender a um propósito nacional essencial: um Serviço Nacional de Qualificação que desperte o orgulho de todos os seus membros.

---

* Na Grã-Bretanha, durante o ano de 2016, entre os que continuaram os estudos, apenas 4 mil pessoas alcançaram um prêmio de nível técnico: 1 para 10 mil pessoas da população britânica. (Alison Wolf, *Financial Times*, 28 de dezembro de 2017).

Assegurando o horizonte profissional

Estando num trabalho produtivo, qual o grau de segurança no emprego que o trabalhador deveria ter? Os trabalhadores assumem obrigações de longo prazo, como o financiamento de casa própria, e assim precisam da maior segurança possível no emprego. Por outro lado, as empresas enfrentam periodicamente abalos na demanda por seus produtos, e assim vão querer a maior flexibilidade possível. O acordo a que chegam dependerá do respectivo poder de barganha, mas este, por sua vez, sofre uma grande influência da política governamental. Num dos extremos, exemplificado pela França, as leis são no sentido de tornar a estabilidade um requisito do emprego. No outro extremo, exemplificado pelos Estados Unidos nos anos 1920, a legislação é no sentido de coibir a organização sindical. No meio-termo, as diferenças setoriais no poder de barganha dos trabalhadores criam uma colcha de retalhos. Todos os professores universitários, por mais insípidos que sejam, têm estabilidade na carreira: do contrário, poderíamos ficar aflitos e isso interferiria em nossa capacidade de elaborar grandes ideias (sem dúvida, aparecerão outros professores com outras justificativas). Enquanto isso, meu sobrinho ator e ganhador de prêmios, trabalhando num setor saturado de gente atrás de emprego, tem pela frente uma vida marcada pela transitoriedade.

Ao repensar os direitos trabalhistas, a ideologia não vai ajudar: os ideólogos da esquerda abominam um *mercado* de trabalho, enquanto os da direita têm veneração por ele. A crítica mais corrente dos defensores do livre mercado é que os salários mínimos causam desemprego. O desemprego é o indicador mais visível de que há algo errado, mas nem sempre isso é o mais importante. Um mercado de trabalho tem duas funções diferentes. Uma, que é decisiva para o desemprego, é juntar a pessoa que tem determinada qualificação e que está procurando emprego com o emprego que é criado pela empresa para tais qualificações: o que se dá aqui é o *emparelhamento*. Mas a função que é importante para a prosperidade geral é a criação dessas qualificações: o *investimento*. Há uma tensão intrínseca entre ambos. A possibilidade de assumir compromissos duradouros permite maior viabilidade ao investimento. O treinamento necessário para que um trabalhador adquira uma qualificação é caro, e alguém tem de pagar por ele. Se é o trabalhador que paga por ele, sua preocupação é se a empresa lhe pagará um salário mais alto por tempo suficiente para que o investimento no treinamento valha a pena. Mas se é a empresa que paga por ele, sua preocupação é que, depois de treinado, o trabalhador saia e vá trabalhar em outra empresa que pague melhor. A garantia de estabilidade no emprego pode dar ao trabalhador confiança para vencer aquela primeira preocupação. O desemprego gerado como efeito colateral da contenção salarial pode dar à empresa confiança para vencer a segunda preocupação, e assim é provável que os dois lados aumentem os investimentos no treinamento. Mas a estabilidade no emprego e a contenção salarial desincentivam empresas a contratarem trabalhadores e, assim, travam a função de emparelhamento do mercado de trabalho. É por isso que é melhor resolver o problema de investimento da empresa não utilizando o alto desemprego como forma de desencorajar a saída dos trabalhadores, mas sim pagando o treinamento por meio de um imposto estabelecido pelo governo.

Contudo, os trabalhadores precisam de segurança no emprego não só para recuperar seus investimentos em capacitação, mas também porque assumem compromissos sobre seus salários futuros. A possibilidade de assumir compromissos, como a criação dos filhos ou a compra de casa própria, é benéfica para a sociedade e, assim, a segurança no emprego é socialmente valiosa. Pode ser mais eficiente a empresa se adaptar à necessidade de pagar o trabalhador nos períodos de pouca demanda do que o trabalhador correr o risco de ser demitido. Se a empresa precisa ficar com o trabalhador, pode treiná-lo em diversas tarefas, de modo que, caindo a demanda por uma tarefa, a empresa possa transferi-lo para outra.

No entanto, é preciso haver um limite para essa estabilidade; as empresas deveriam conseguir lidar com flutuações temporárias, mas não têm como se adaptar a uma grande queda permanente na demanda sem demitir a mão de obra. No limite, a empresa vai à falência. O fato de que a perda de emprego é inevitável, porém, não atenua em nada o custo para o trabalhador. Para esse tipo de choque, precisamos de uma entidade maior do que a empresa – o Estado. Jean Tirole, agraciado com o Prêmio Nobel, propôs uma boa maneira para que o governo leve as empresas a manterem os trabalhadores durante as depressões do mercado, ao mesmo tempo permitindo também que demitam os empregados diante de uma retração permanente. A proposta consiste numa taxa sobre a demissão da mão de obra que reflita os custos adicionais do Estado com o pagamento de verbas assistenciais e programas de retreinamento.

Os governos que têm apresentado sabidamente as melhores respostas a tais choques no emprego são os da Dinamarca e da Suécia, que desenvolveram o conceito de *estabilidade flexível* [*flexicurity*]. É uma política intimamente associada ao problema de redinamizar as cidades falidas: se um setor entra em colapso, algumas localidades específicas são duramente atingidas e seus trabalhadores precisarão de novo treinamento. *Janesville* é um raro estudo sobre os programas de reciclagem numa cidade americana atingida pelo fechamento de sua principal fábrica.[17] O livro mostra que a reciclagem fracassou rotundamente. Os desempregados que se inscreveram no programa tinham *menos* probabilidade de conseguir serviço do que os que não se inscreveram; e, se chegavam a conseguir emprego, recebiam *menos* do que os que não se reciclaram. Por que o programa teve um fracasso tão retumbante? Creio que houve descaso em três coisas fundamentais. Além disso, esse descaso recuava até a escolarização: os homens que ficaram desempregados não tinham aprendido coisas básicas no ensino moderno. O descaso prosseguiu por todo o longo período que passaram trabalhando na fábrica. Sem a perspectiva de ter de arcar com as taxas demissionais propostas por Tirole, a empresa não tivera qualquer incentivo para dotar os trabalhadores com um leque mais amplo de qualificações que facilitaria a utilização de seus serviços. Mas, acima de tudo, a reciclagem não vinha acompanhada de qualquer incentivo específico com vistas a atrair uma nova indústria para a cidade. Pelo contrário, o efeito de polo desencadeou uma espiral descendente em que o fechamento da fábrica levou a uma retração correspondente entre os outros empregadores locais, de forma que eram poucos os empregos que os trabalhadores reciclados poderiam disputar. A experiência narrada em *Janesville* sugere que, sem um grande esforço de coordenação, o retreinamento da mão de obra é uma cilada que oferece uma esperança ilusória. Mas o mais provável é que, mesmo com mais instrução, com um leque maior de qualificações prévias e com um grande impulso para formar um polo substituto, os trabalhadores desempregados hesitem em enterrar suas economias, agora necessárias, num programa de retreinamento. Dois professores da Escola de Administração de Chicago, Luigi Zingales e Raghuram Rajan, propõem que todos os trabalhadores deveriam receber um crédito vitalício a que recorreriam para se reciclar, sempre que necessário.*

A incipiente revolução da robótica e qualquer revolução tecnológica futura que venha em sua esteira exigirão a reciclagem de muita gente. Penso que a robótica dificilmente reduzirá a necessidade de mão de obra – nossas necessidades provavelmente são insaciáveis. Mas ela mudará a composição das tarefas que precisam de trabalhadores. Eis a essência de uma percepção importante. Pense-se no trabalho típico formado por uma série de tarefas. Mesmo o trabalho aparentemente mais rotineiro inclui momentos que exigem discernimento, capacidade de interagir com outras pessoas e algumas ações não rotineiras. A robótica eliminará algumas tarefas e, com isso, reduzirá fortemente o custo da produção atualmente gerada durante uma jornada de trabalho. Ao ser transferido para as tarefas restantes que não se prestam à robótica e a novas tarefas criadas pelo recurso à robótica, o trabalhador típico pode se tornar muito mais produtivo.[18] Como os diversos trabalhos têm composições muito variadas de tarefas cabíveis e não cabíveis à robótica, o provável é que o conjunto de qualificações do trabalho continue a mudar bastante; as pessoas precisarão se reciclar periodicamente para poderem cumprir novos conjuntos de tarefas. Assim como

---

* O governo francês implementou uma política assim em maio de 2018.

os garçons parisienses recebem mais do que seus equivalentes londrinos, os trabalhadores de amanhã receberão mais do que os de hoje, mas somente se, como aqueles garçons de Paris, adquirirem diversas habilidades. Um corolário é que um dos setores de uso mais intensivo de mão de obra que precisarão se expandir maciçamente é o setor de treinamento.

Segurança na aposentadoria

Quero me aposentar, mas não agora. Porém já sei quais são os valores que receberei de minhas pensões do Estado e da universidade: terei segurança até a morte. Não é este o caso de muitos outros.

É fácil juntar os riscos num *pool* de risco e, na maioria das vezes, os riscos se evaporam quando se juntam. A razão de cautela na hora de fazer um *pool* é o "risco moral". Em algumas situações, quando se divide o risco, todos assumem riscos maiores: como todos temos seguro contra incêndio, ficamos mais descuidados. Mas há um risco que muitos aposentados correm e que não envolve absolutamente nenhum risco moral: é o risco presente em todos os planos de aposentadoria de contribuição definida. Quase todas as empresas concluíram que os planos de *benefício* definido, como o meu, são calamitosamente caros. Meu próprio plano de aposentadoria, que é o das universidades britânicas, é prova disso; ele acumulou o maior deficit já registrado num fundo de pensão. Para minha sorte, isso não afetará meu direito a ele, que será custeado pela próxima geração de acadêmicos e pelos estudantes que pagarão taxas mais altas. Consolar-se-ão sabendo que têm meus mais sinceros agradecimentos.*

Enquanto isso, todos os demais foram encaixados em planos de aposentadoria de *contribuição* definida. Aqui estão arcando com três riscos. Um é que o fundo de pensão para o qual contribuem tenha um desempenho pior do que o de outros fundos; ao contrário de um plano de benefício definido, a diferença faltante não será

---

* Só para garantir, asseguro a eles que não têm escapatória: graças a Deus existem advogados.

mais de responsabilidade do empregador. Outro é que a escolha dos investimentos dentro do fundo seja pior do que a média de escolhas de outros empregados. Por fim, no dia em que se aposentarem e forem retirar o benefício, o mercado pode ter sofrido uma queda abaixo de sua média no longo prazo: os mercados de ações às vezes são altamente voláteis. Em decorrência desses três riscos, dois trabalhadores com o mesmo histórico de contribuições para a aposentadoria podem acabar recebendo aposentadorias de valores muito diferentes.

Embora os planos de benefício definido, como o meu, sejam generosos demais, transferindo todo o risco para a sociedade, os planos de contribuição definida expõem desnecessariamente as pessoas a riscos evitáveis no exato momento em que elas têm menos condições de arcar com eles. Esses planos, que faziam um *pool* de riscos a fim de dissipá-los, passaram a descarregá-los sobre os indivíduos no momento em que estão mais vulneráveis. É um erro de concepção extremamente fácil de corrigir.

Mas as pessoas que enfrentam as inseguranças mais graves na aposentadoria são as que passaram a vida mudando de uma empresa para outra. Não chegam a reunir as condições sequer para contratar um plano de contribuição definida. Jogados nos ombros da sociedade quando estão velhos demais para trabalhar, tornam-se responsabilidade dela. Aqui também é uma falha do mercado: ele permitiu que os empregadores cortassem demais os custos de emprego, ao deixarem de pagar um plano previdenciário. Tal como a legislação do salário mínimo, a política francesa parece superior ao modelo anglo-saxão: as altas contribuições exigidas aos empregadores garantem que as pessoas, enquanto trabalharem, construam um direito a uma aposentadoria. Essa cláusula, evidentemente, implica que a economia deve ser gerida de forma que crie empregos produtivos em quantidade suficiente para todos. Este é o critério que precisa ser atendido pelos programas de treinamento; consolar os desempregados com empregos ruins é um problema, não uma solução.

O pertencimento à sociedade

Embora eu tenha ressaltado a família, o local de trabalho e a nação como os alicerces do pertencimento, em todas as sociedades sadias existe também uma densa rede de grupos interligados a que as pessoas se apegam. *Jogando boliche sozinho*, o afamado livro de Robert Putnam, deplorava o declínio dessas formas de pertencimento nos Estados Unidos. Tais ligações incentivam as pessoas a manter o hábito de reconhecer obrigações mútuas, além de combater o isolamento e seus corolários de depressão e perda do amor-próprio. O declínio ocorrido nos Estados Unidos não é inevitável nem generalizado no Ocidente. Na Alemanha, os grupos da sociedade civil formalmente registrados, os *vereine*, são usuais e continuam a se multiplicar. Metade dos alemães faz parte de pelo menos um desses grupos, e a quantidade de grupos aumentou mais de 30% nos últimos vinte anos. A proporção de alemães que participam de tais grupos é mais ou menos o triplo do que ocorre na Europa meridional.[19]

IMPONDO LIMITES AOS QUE CONSEGUEM TUDO

A ascensão da nova classe instruída certamente ampliou a desigualdade social. Mas os comportamentos que permitiram tal ascensão não se deram, em sua maioria, em detrimento do resto da sociedade. Mais valeria imitar do que reprimir suas estratégias. Todavia, alguns aspectos do êxito da classe instruída *se dão* mesmo em detrimento dos outros: uma demanda de moradia de soma zero; um trabalho de soma zero; um comportamento social de soma zero.

Moradia: lar versus ativo

As pessoas têm dois motivos para comprar uma casa. Para a maioria delas, é um lar; para algumas, é um ativo. Na Grã-Bretanha de 1950, metade de todas as moradias constituía uma propriedade que operava como um ativo, alugado a pessoas que precisavam de um lar. Apenas 30% das pessoas eram realmente donas do lar onde moravam. Uma das vitórias da social-democracia foi transformar essa situação. Em 1980, o setor imobiliário privado se reduzira drasticamente, para apenas 10%, enquanto a moradia em casa própria praticamente dobrara. No começo dos anos 1980, houve mais uma alteração na política pública, que elevou a moradia em casa própria a 70%, ao permitir que os locatários de conjuntos residenciais sociais comprassem a casa com desconto.

Esse aumento de 30% para 70% foi uma vitória cumulativa das políticas públicas. *Ser o proprietário* da casa reforça o senso de pertencimento, e isso, como sugeri, é um bem social de importância vital. O pertencimento é a base das obrigações recíprocas. A casa própria também dá às pessoas um senso maior de ocupar um lugar na sociedade e lhes incute mais prudência: os psicólogos descobriram que as pessoas, quando têm alguma coisa, sentem extrema aversão a perdê-la. E ter casa própria fixa as pessoas. Antigamente havia uma rua em Oxford dividida ao meio entre donos e inquilinos; a divisão ainda é visível por causa da altura das árvores – só os donos as plantavam.

Quatro políticas públicas mantiveram os preços das casas acessíveis a famílias de renda mediana. Um programa de construções residenciais, administrado pelo governo local, aumentou a oferta; as restrições à imigração líquida reduziram o ritmo de crescimento das unidades residenciais; as restrições à compra para fins de locação reduziram a demanda de casas como mero ativo; as restrições na relação entre renda e financiamento reduziram o valor que as pessoas podiam contratar. A transferência dos ativos para os locatários nas moradias de assistência social complementou essas políticas, ao permitir que famílias com rendas abaixo das medianas tivessem casa própria.

No final dos anos 1980, esse avanço começou a ceder. O índice de casas próprias já caiu para 60% e continua a diminuir; as famílias jovens não podem mais se permitir a aquisição de casa própria. Nos últimos vinte anos, o preço médio das casas em relação à renda média saltou de 3,6 para 7,6 vezes. Não é de surpreender: as quatro políticas públicas que tinham refreado o preço das casas foram revertidas. Os programas de construção residencial dos governos locais foram suspensos na esperança de serem substituídos por empresas privadas (não foram; em parte porque as empresas tinham muito mais dificuldade do que o governo local para comprar terrenos com autorização do setor de planejamento). Os controles da imigração se afrouxaram, tornando-se o principal propulsor do aumento das unidades residenciais. As regras que haviam restringido a compra de casas para fins de locação foram substituídas por regras que a incentivavam, desencadeando uma nova e enorme demanda de casas como ativos. Os imóveis para locação dobraram, passando a responder por cerca de 20% do total de unidades domiciliares. Por fim, as restrições ao financiamento de casa própria foram suspensas, dando lugar ao frenesi de empréstimos que se apoderou dos bancos numa disputa alucinada pelos bônus. Foi por isso que houve uma explosão no preço das casas. E, à medida que se formavam novas famílias com renda abaixo da média, não houve nenhum equivalente ao programa de transferência de ativos.

Em decorrência dos preços altos e do crédito irrestrito, as pessoas que queriam as casas como ativos prevaleceram sobre as pessoas que queriam as casas como lares, constituindo basicamente famílias jovens. Vinte anos atrás, mais da metade das famílias jovens fazia um financiamento; agora, é cerca de um terço delas. Os que ficaram de fora não foram os casais homogâmicos altamente qualificados, mas sim os da classe menos instruída. A impossibilidade de comprarem um lar e a perspectiva cada vez menor de algum dia conseguirem comprar são elementos centrais das novas inquietações. Mas quem são as pessoas que passam na frente deles? Com o aumento do preço das casas, todo mundo queria comprar uma casa: as pessoas que conseguiam eram as que podiam fazer empréstimos maiores. Os vencedores nessa corrida eram os membros mais velhos da classe instruída e os espertos que aproveitavam ao máximo a oportunidade de pegar empréstimos para construir casas de aluguel. Um caso espetacular foi o de um casal de professores: deixaram o emprego e acumularam um enorme império imobiliário. Os prósperos e os espertos se beneficiaram de uma dupla bonança: com mais condições de obter um financiamento do que as famílias jovens, podem cobrar aluguéis mais altos do que os juros que pagam pelo empréstimo. Coroando tudo isso, tiveram uma enorme valorização do capital com o aumento do preço das casas.

Então, o que se pode fazer a respeito? Aqui também a ideologia é um perigo. Os da esquerda querem voltar aos controles de locação dos anos 1940; como naquela época, imobilizariam as pessoas na casa em que moram de aluguel, reduzindo sua mobilidade. Os da direita querem aumentar os financiamentos para a compra da primeira casa; aumentando ainda mais a demanda, isso faria os preços dispararem ainda mais. No entanto, não é difícil corrigir esse problema, porque sabemos o que deu certo, e as mesmas políticas dariam certo outra vez.

É plausível aumentar a oferta, e a maneira mais adequada é rompendo o bloqueio do planejamento. Os governos locais estão na melhor posição para planejar novos programas de construção, ao passo que a execução pode ser feita em parceria com incorporadoras comerciais. As autoridades locais podem planejar construções para serem compradas, em vez de construções para serem alugadas. Mas um aumento na oferta de imóveis residenciais precisa ser gradual: um aumento súbito ameaçaria derrubar o preço das casas e afundaria num passivo a descoberto muitos jovens que estão financiando a casa própria. Analogamente, é plausível reduzir o aumento das unidades residenciais por meio da retomada das restrições à imigração. O frenesi creditício desencadeado pela desregulação financeira não levou ao nirvana – terminou na desgraça regulatória de uma corrida bancária. A cena dos depositantes lotando as filiais do banco Northern Rock foi o primeiro espetáculo desses a ocorrer na Grã-Bretanha em 150 anos. Assim como o programa de construção residencial, a mudança terá de ser gradual, mas numa direção inequívoca: precisamos retomar o teto nas proporções entre financiamento e renda e entre financiamento e depósitos. O benefício público decorrente da casa própria é uma garantia para que se dê prioridade aos que querem a casa como lar, em vez dos que querem a casa como ativo.

Todas as políticas acima expostas são graduais. Mas é possível ter uma recuperação súbita no número de casas próprias sem pôr em risco o preço das casas. Isso se dá com uma transferência de estoque similar às compras com desconto das moradias sociais que aumentaram o número de casas próprias nos anos 1980. Hoje em dia, o equivalente à moradia social dos anos 1980 é o estoque de aquisições para fins de locação inflado pelas políticas vigentes. Muitos desses proprietários estão sentados sobre uma fortuna imensa e imerecida de valorização do capital. A política pública necessária é uma transferência de estoque desses proprietários de imóveis para seus locatários, com uma legislação que os habilite a comprá-los, provavelmente em termos semelhantes aos grandes descontos dos anos 1980. Para não infligir um confisco financeiro aos donos dos imóveis, os descontos poderiam ser cobertos por algum financiamento ainda por quitar.* Evidentemente, isso entra em conflito com o interesse imediato dos donos de imóveis. Mas o redirecionamento das rendas da valorização do preço de uma casa para os que residem nela como lar é ético e, em vista dos benefícios decorrentes do fortalecimento do pertencimento, condizente com o interesse próprio esclarecido dos prósperos.

Trabalhando para algum propósito

Uma boa parte das pessoas instruídas e altamente produtivas traz imensos benefícios para a sociedade. Mas muitas delas estão usando suas qualificações para enriquecer às custas dos outros.

A ligação entre o trabalho no setor financeiro e o trabalho no setor jurídico constitui o cerne desse desvio de talentos. Voltemos por um momento ao volume impressionante de operações com ativos financeiros. As transações ativas podem ser úteis para dar liquidez aos ativos, mas grande parte das operações é de soma zero: se o volume de transações se reduzisse, não haveria qualquer perda para a sociedade. Se são de soma zero, por que existem? A

---

* Seria o valor pendente do financiamento na data do anúncio dessa nova política, para evitar a especulação com um refinanciamento.

resposta é que os muito espertos vencem os que são um pouco menos espertos. Os mercados de ativos são, em larga medida, "torneios" cujos vencedores têm alguma pequena vantagem de informação sobre os perdedores. Os vencedores são os que têm os recursos e as habilidades excepcionais para vencer os outros pela inteligência; em decorrência disso, ganham uma fortuna assombrosa. Em vista dos potenciais benefícios de obterem uma informação que lhes dê vantagem, há uma pressão constante para se ter acesso a elas. Uma empresa investiu num cabo de fibra ótica de alta velocidade entre Chicago e Nova York, que leva milissegundos para transmitir as informações de preços entre os dois mercados.[20] O retorno comercial sobre o investimento dependia dessa geração de uma pequena vantagem na operação computadorizada, que então podia ser vendida a algumas empresas que explorariam essa vantagem em detrimento de outras que receberam a mesma informação alguns milissegundos depois. Uma sociedade em que se investe num cabo desses enquanto as pontes ficam abandonadas, prestes a desabar por falta de manutenção, não entendeu bem suas prioridades.

Um excesso de operações com ativos inflige vários custos sociais, além dos danos ao conjunto das empresas, como comentamos no Capítulo 4. Um desses custos sociais é que elas aumentam a desigualdade sem nenhuma boa razão. Os superespertos trabalham para eles mesmos: esta é a implicação do sistema de bônus nos bancos de investimentos, em que os gerentes financeiros de melhor desempenho na verdade pagam à empresa uma modesta parcela de seus lucros individuais pelos serviços que ela fornece. O Deutsche Bank, o exemplo mais extremado de um banco de investimentos administrado para esses gerentes, pagou 71 bilhões de euros em bônus, encolhendo os pagamentos aos acionistas para 19 bilhões de euros.*

O poder não está mais nas mãos dos donos do capital, nem mesmo nas das administradoras de suas riquezas. Os fundos de pensão não conseguem pagar os megassalários que seriam necessários para recrutar os supergestores financeiros e, assim, são admi-

---

* Com a queda do preço das ações, os acionistas acabaram arcando com prejuízos que ultrapassavam em muito esses dividendos.

nistrados pelos que são um pouco menos espertos. As transações entre os dois grupos geram uma transferência gradual dos futuros aposentados para os superespertos.

Outra perda adicional é que esses torneios de soma zero mantêm algumas das pessoas mais inteligentes da sociedade fazendo um trabalho que não tem utilidade para mais ninguém. E, no entanto, essas pessoas têm um valor potencialmente enorme para os outros. No outro extremo do espectro, oposto à gestão de ativos, está a inovação. Os economistas estimam que um inovador geralmente capta apenas cerca de 4% dos ganhos gerais decorrentes de sua inovação: os outros 96% vêm para nós. Assim, os incentivos do mercado para que os superespertos utilizem suas raras capacidades na inovação são pequenos demais, enquanto os incentivos para utilizá-las negociando ativos são grandes demais. Não conheço nenhuma tentativa de quantificar essa forma de custo social, mas tenho a impressão de que é considerável: ambas, a inovação e a gestão de ativos, constituem setores enormes. Nos Estados Unidos, os lucros gerados pelo setor financeiro beiram 30% de todos os lucros corporativos. Visto por outro ângulo, o setor financeiro supostamente fornece serviços que conferem maior produtividade à economia, mas ele teria de elevar a rentabilidade do restante da economia em 43%* apenas para cobrir os lucros que embolsa para si mesmo, antes que nós, os restantes, sequer empatemos. Não parece muito provável: realmente notaríamos toda essa diferença se nossos setores financeiros fossem mais enxutos?

O que se aplica aos gestores de ativos aplica-se aos advogados. Willem Buiter, ex-economista-chefe do Citigroup, coloca bem a questão: o primeiro terço de advogados produz o imenso valor social que conhecemos como "império da lei". O terço seguinte trabalha em disputas jurídicas que são essencialmente jogos de soma zero: cada lado investe demais em vencer o torneio e, assim, são socialmente inúteis. O império da lei é um imenso bem público, mas nenhum advogado comercial está trabalhando para obter "justiça";

---

* $30/70 = 0{,}43$.

trabalham para ganhar uma causa num torneio. Ao fim e ao cabo, esse trabalho jurídico contratado por uma das partes numa disputa legal dá seu retorno não gerando mais justiça, e sim aumentando as chances de vencer o torneio às custas da outra parte. O terço final é composto por advogados que são socialmente predatórios: são empregados nas trapaças jurídicas que depenam os produtivos. São o suprassumo dos caça-rendas. Nos Estados Unidos, uma dessas trapaças, em que houve a compra de direitos de patentes supérfluas que então foram distorcidos para criar ações judiciais extorquindo dinheiro de empresas inovadoras, foi tão monumental que até mesmo um Congresso totalmente entrevado encontrou energias para fechar o rombo. Na Grã-Bretanha, quando as ações judiciais que se baseavam num esquema fraudulento de seguro de saúde foram declaradas ilegais, o valor de mercado do escritório de advocacia que se especializara nisso caiu pela metade da noite para o dia.

Os advogados são valiosos, mas são em número excessivo. Os jovens se sentem atraídos para a profissão por uma série de incentivos. Lembro que minha escolha inicial de fazer a graduação em direito se deu porque eu imaginava ingenuamente que os advogados eram os equivalentes modernos dos pastores religiosos, aconselhando, deliberando, ajudando, e às vezes até são. Mas desisti da escolha quando descobri que 70% dos rendimentos dos advogados britânicos provinham do monopólio que detinham nas transações de imóveis residenciais: a profissão era dominada pela caça à renda. Longe de ser um pastor, eu seria um parasita. Hoje em dia, muitos jovens são atraídos pela ideia de lutar por justiça – as batalhas judiciais são itens básicos da Netflix. Os vencimentos de sete dígitos dos advogados da City também podem exercer alguma atração. Mas, como atores, são numerosos demais. Larry Summers, eminente economista de Harvard, estabeleceu certa vez uma correlação entre a proporção de engenheiros para advogados numa sociedade e o índice de crescimento da nação: era uma clara metáfora da questão maior de que as forças do mercado não geram o equilíbrio correto entre as atividades socialmente predatórias e as atividades socialmente valiosas, como a inovação.

Então, o que se pode fazer a respeito? Tal como ocorre com a metrópole, uma parte da resposta está na tributação, mas com uma diferença importante. As rendas geradas pela metrópole são socialmente valiosas; são apenas injustamente distribuídas. O propósito de tributar os trabalhadores altamente qualificados na metrópole não seria reduzir suas atividades, mas sim redistribuir as rendas. Inversamente, as rendas embolsadas pelos gestores de ativos e advogados não são socialmente valiosas; são as próprias atividades que precisam ser restringidas. Por isso é o propósito das atividades, e não sua localização, que deve ser o alvo tributário.

Existem muitas propostas de impostos sobre operações financeiras. Qualquer imposto desses precisa ser elaborado cuidadosamente para incidir sobre as operações corretas; por exemplo, as operações com ações de empresas precisam de restrições muito maiores do que as operações com moedas. Não há a mais remota utilidade social em que as ações da grande empresa típica mudem de mãos sete vezes num mesmo ano, como se dá atualmente.

Quanto à taxação de litígios entre particulares nos tribunais, ela poderia ser concebida tanto para diminuir o volume de disputas quanto para reduzir as grandes rendas sobre elas que atualmente vão para os advogados. Os advogados não são imunes à atração do interesse próprio. Quando os contratos eram pagos por palavra, os advogados julgavam necessário fazer contratos longuíssimos; quando passaram a ser pagos por documento e não por palavra, rapidamente ficaram muito mais curtos. Os honorários judiciais disparam até consumir as rendas envolvidas na disputa. Tomando uma disputa recente que é do conhecimento de muitos britânicos, veja-se o que aconteceu quando o político Andrew Mitchell processou um jornal por difamação. A essência da disputa eram as palavras exatas que ele utilizara numa discussão com um policial que o impedira de passar de bicicleta por um portão. Como não havia testemunhas decisivas, o caso foi resolvido por um juiz que decidiu qual dos dois testemunhos seria confiável: o do sr. Mitchell ou o do policial. Durante o processo dessa questão trivial, os advogados das duas partes elevaram as custas a 3 milhões de libras, cujo pagamento caberia à parte vencida. Em outras palavras, essa tarefa jurídica trivial consumiu o equivalente aos *vencimentos médios de toda a vida de três lares britânicos*. Tributando essas disputas, podemos incentivar um acordo mais simples num número maior dessas ações, e também transferir uma parte das rendas dos honorários inflados dos advogados para a sociedade. Os advogados haverão de explicar por que essa proposta constitui uma afronta à justiça.*

Há outra abordagem: a vergonha. Assim como é preciso ter *cidadãos éticos* que despertem a vergonha das empresas e façam com que elas adotem um comportamento mais dotado de propósitos, da mesma forma o poder da sanção social pode remover o verniz reluzente das profissões caça-rendas. Os jovens talentosos precisam ser apresentados às implicações sociais de suas escolhas profissionais: atualmente, como estão sendo gerados os megarrendimentos?

Reduzindo o distanciamento social

Até 1958, o Palácio de Buckingham realizava anualmente um baile de debutantes, oferecendo um espaço para a formação de casais nos escalões mais altos da sociedade britânica. O baile deixou de existir quando um número suficiente de pessoas percebeu que esse tipo de perpetuação das divisões de classe não era um serviço e sim uma ameaça. A maior porosidade da antiga classe superior tem seu símbolo no casamento do príncipe William com Kate Middleton, filha de uma comissária de bordo: Kate não teria sido convidada para um baile de debutantes. Mas o "acasalamento preferencial"** na antiga elite foi substituído por uma homogamia ainda mais eficaz entre a nova elite.[21] O príncipe William e Kate se conheceram

---

* Mas não necessariamente: como parte das checagens da realidade que fiz para este livro, pedi a um advogado de grande experiência que comentasse essas propostas. Ele respondeu: "Gosto da ideia de incidir sobre os advogados ricos da City e os da mesma laia metropolitana". Mas talvez seja um caso atípico: ele é quacre.

** O autor utiliza o conceito biogenético de *assortative mating*, geralmente traduzido em textos de biologia como "acasalamento preferencial", união entre indivíduos de fenótipos semelhantes. Aqui, usei e usarei "homogamia". (N.T.)

quando estudavam em St. Andrews, uma universidade de elite. O casamento entre iguais é uma força poderosa da desigualdade social. Tal homogamia, que é uma força que ajuda a estabilizar os casamentos, aumenta inadvertidamente as divisões de classe, mas não há muito a se fazer quanto a isso.

Mas alguns comportamentos são predatórios e em princípio poderiam ser controlados. Nos Estados Unidos, entre 1981 e 1996, as horas de estudo das crianças na escola elementar tiveram um assombroso aumento de 146%.[22] Na Grã-Bretanha, na última década, o índice de suicídios entre estudantes universitários aumentou 50%. Como o sucesso que os genitores muito exigentes cobram dos filhos tem alguns aspectos de soma zero, a pressão parental se transmite não só aos filhos, mas também aos outros. Em certa medida, a escola poderia lidar com isso. Os diretores e professores tentam naturalmente implantar uma cultura dominante. De modo geral, tentam pôr um limite mínimo ao empenho escolar, mas talvez também seja necessário pôr um limite máximo. Não podemos ficar abaixo dos padrões globais, mas os anos de puberdade não devem se transformar numa versão mirim das perniciosas rivalidades de um banco de investimentos.

Quanto a essas rivalidades perniciosas, em 2013 chegou às manchetes dos jornais o caso de um rapaz fazendo um estágio de verão num banco de investimentos, que estava tão ansioso em causar boa impressão que trabalhou 24 horas seguidas e caiu morto. Este é um exemplo extremo de uma corrida ao fundo do poço que leva as pessoas a virarem workaholics. Todo mundo ganharia se trabalhasse menos, mas ninguém se atreve a sair da linha; quem saísse, perderia a corrida pela promoção e, por quebrar as normas dominantes, também perderia apreço. Este é um problema clássico de coordenação e tem uma solução muito simples – a política pública. É possível desestimular uma jornada de trabalho muito longa por meio da tributação ou encurtá-la com uma regulamentação. Quando o governo francês reduziu a jornada de trabalho permitida para 35 horas semanais, o escárnio foi geral. Mas me lembro de um gerente atormentado de uma empresa workaholic que comentou tristonho que seu próprio diretor-executivo estava tentando impor um dia de 35 horas. A diminuição gradual nas horas de trabalho e o correspondente aumento do período de descanso são formas adequadas e necessárias de converter a crescente produtividade nacional numa vida melhor. Sem maior qualidade de vida e sem as políticas propostas acima, a sociedade se dividirá ainda mais entre uma classe workaholic altamente qualificada, com muito dinheiro e pouco tempo livre, e uma classe não qualificada e subempregada, com muito tempo livre e pouco dinheiro.

CONCLUSÃO:
UM INCISIVO MATERNALISMO SOCIAL

O trabalho deveria imprimir um propósito aos anos centrais da vida. Atualmente, isso ocorre para muitos favorecidos, mas não para todos. Muitas pessoas se veem trabalhando em empregos que quase não oferecem ocasião de sentirem respeito próprio; não requerem qualificação suficiente para serem motivo de orgulho ou não proporcionam a satisfação que sentimos ao saber que nosso trabalho contribui para a sociedade. Este, e não simplesmente a mera diferença de holerite, é o ponto central das falhas que fazem com que o distanciamento entre as famílias se converta em distanciamento entre os empregos. As desigualdades de renda são importantes e aumentam ao longo da vida, até a aposentadoria. Mas, se forem tratadas apenas com a redistribuição, não só a necessária tributação *cum* benefícios será enorme, como ainda se acentuará a ausência de propósito ou a falta de sentido, que é a falha central. Muitas pessoas viverão da produtividade de outras.

O xis do problema é reduzir a dispersão crescente das produtividades. Na tentativa de resolvê-lo, seguimos numa longa marcha que começou com a passagem do paternalismo social, em que o Estado fiscaliza as famílias recalcitrantes, ao maternalismo social, em que o Estado lhes oferece apoio prático. A incisividade que o paternalismo social projeta sobre as famílias esfaceladas que estão se desmoronando teria um emprego mais apropriado, como sugeri, se fosse aplicada contra as atividades prejudiciais de uma minoria composta pelos indivíduos de maior sucesso. Ambos serão necessários para construir um capitalismo que permita a todos trabalharem com dignidade, em qualquer lugar onde morem.

9

O divisor global: os vencedores e os que ficaram para trás*

A globalização tem se mostrado um motor poderoso para elevar os padrões de vida globais. Os economistas, que discordam em várias questões de política pública, são praticamente unânimes nessa avaliação. Mas o aconselhamento dos economistas perdeu a confiança do público. Em parte, a profissão perdeu a "licença de operar" por causa da crise econômica global. Mas há uma razão mais específica: nosso entusiasmo pela globalização não recebeu as devidas nuances. E isso é estranho, pois a "globalização" nem sequer é um conceito econômico. É um amálgama jornalístico de processos econômicos radicalmente diferentes, com baixíssima probabilidade de gerarem os mesmos efeitos e com muito menos efeitos universalmente benéficos.

A profissão foi pouco profissional, temendo que qualquer crítica fortalecesse o populismo, e assim pouco se dedicou aos lados negativos desses diversos processos. No entanto, os lados negativos eram evidentes para os cidadãos comuns e, como os economistas davam mostras de não se importar com esses aspectos, generalizou--se entre as pessoas a má vontade em ouvir os "especialistas". Para que minha profissão recupere a credibilidade, temos de oferecer uma análise mais equilibrada, que reconheça e avalie devidamente os lados negativos, com vistas a elaborar políticas públicas em res-

---

* Este capítulo se beneficiou muito das inúmeras conversas que tive com Tony Venables. Baseia-se em Collier, "The downside of globalisation".

posta a eles. Para a profissão, mais valeria fazer um *mea-culpa* do que prosseguir numa furiosa defesa da globalização.

O *MEA-CULPA* DO COMÉRCIO

O *mea-culpa* começa pelo comércio, que gera fortes redistribuições dentro e entre as sociedades.

Dentro das sociedades, a proposição da vantagem comparativa nos diz que o comércio traz ganhos mútuos e por isso, *com a devida compensação por meio da redistribuição dentro de cada sociedade*, seria possível melhorar a situação de todos. Como categoria profissional, nós economistas deslizamos dessa proposição verdadeira para a proposição claramente falsa de que todos numa sociedade estão *de fato* em situação melhor. A economia internacional mostrou pouco interesse pelos mecanismos internos de compensação. E isso é tanto mais importante por causa de duas características ignoradas nos modelos simples: as perdas são em larga medida transmitidas pelo mercado de trabalho, e estão geograficamente concentradas. Quando Sheffield perdeu sua indústria siderúrgica, não seria de grande consolo saber que os ganhos de consumo em outros lugares da Grã-Bretanha mais do que compensaram as perdas de consumo dos desempregados de Sheffield.

Entre as sociedades, o comércio global levou os países a especializações diferentes. Num resumo muito sintético, a Europa, os Estados Unidos e o Japão se especializaram nos setores tecnológicos; o Leste Asiático no setor fabril; o Sul Asiático nos serviços; o Oriente Médio em petróleo, a África na mineração. Com isso, o Leste e o Sul da Ásia foram capazes de ingressar de maneira espetacular entre as sociedades de alta renda, diminuindo as desigualdades globais como nunca antes. Mas a extração de recursos naturais impõe enormes pressões sobre a governança, porque gera enormes rendas econômicas cuja propriedade precisa ser determinada politicamente. Algumas sociedades conseguem lidar com essas pressões, mas muitas sofrem com enormes desvios devido à caça à renda. Por exemplo, o petróleo não beneficiou o Sudão do Sul: pelo contrário, desencadeou uma fome e um êxodo em massa devido a conflitos. A explosão global nos preços das *commodities* de 2000 a 2013 parecia, na época, fortalecer a África e o Oriente Médio, mas agora isso parece um tanto duvidoso. Há novos dados globais notáveis, conferindo medições abrangentes da riqueza nacional per capita, incluindo não só os componentes convencionais como o estoque de capital, mas também a educação e as riquezas naturais.[1] Os dados apresentam o retrato de dois momentos – 1995 e 2014 – que por acaso cobrem o superciclo das *commodities*. Neles podemos ver se o inédito aumento temporário dos ganhos de muitos países pobres com seus recursos naturais levou a ganhos que se sustentem. O que os dados revelam é que os países pobres ficaram ainda mais para trás. Não só o aumento absoluto, mas também o aumento *percentual* na riqueza per capita foi muito menor nos países de baixa renda do que em todos os demais grupos de renda, e em grande parte da África a riqueza realmente diminuiu. Quanto aos efeitos do comércio dentro das sociedades, os modelos otimistas mostram apenas o *potencial*. A passagem do potencial para a concretização depende de políticas públicas que os modelos ignoram.

O *MEA-CULPA* REGULATÓRIO

As corporações se globalizaram, transformando-se em redes juridicamente complexas de empresas subsidiárias que comerciam entre si, mas são controladas por uma matriz. Para essas empresas, o imposto se tornou voluntário. Na Grã-Bretanha, teve-se o exemplo da Starbucks: apesar de vender bilhões de xícaras de café, a subsidiária britânica passou uma década inteira sem praticamente nenhum lucro tributável. Soube-se que outra subsidiária, sediada nas Antilhas holandesas, estava tendo lucros surpreendentemente elevados, embora não vendesse uma única xicrinha de café; em vez disso, estava vendendo os direitos de uso do nome "Starbucks" para a subsidiária britânica. A empresa declarou indignada que pagara todos os impostos devidos nas Antilhas holandesas, mas deixou de mencionar que a alíquota de lá era zero. Nos países pobres, o equivalente é a extração de recursos naturais: na Tanzânia, uma empresa de mineração de ouro deu um jeito de declarar prejuízo às autoridades tributárias tanzanianas, enquanto distribuía imensos dividendos entre os acionistas.

Um aspecto ainda menos salubre da globalização corporativa é o crescimento das empresas de fachada e dos paraísos de sigilo bancário. Uma empresa de fachada, criada por advogados altamente qualificados numa metrópole – usualmente Londres ou Nova York –, oculta a verdadeira identidade dos proprietários. Se uma empresa dessas abre uma conta bancária numa jurisdição com sigilo bancário, o dinheiro depositado fica imune à verificação por um duplo muro de ofuscamento. Essa estrutura se tornou um dos meios principais para proteger de investigações o dinheiro da corrupção e do crime. Recentemente, o bitcoin passou a oferecer mais uma opção.

Como em relação ao próprio comércio, as políticas públicas precisam reagir para que os ganhos potenciais com a globalização corporativa venham a se concretizar. Na prática, não têm reagido: a globalização das empresas não foi acompanhada pela globalização da regulação. A competência tributária e regulatória continua solidamente estabelecida no nível nacional. Como expus no Capítulo 6, nossos mecanismos de coordenação supranacional – a OCDE, o FMI, a União Europeia, o G7 e o G20 – perderam a capacidade de criar obrigações recíprocas vinculatórias, sustentadas pelo interesse próprio esclarecido. Cada nação prefere concorrer na corrida ao fundo do poço. Essa derrota da governança é a faceta mais desagradável da globalização moderna. Tendo sido o epicentro do problema, a Grã-Bretanha, ao presidir ao G8 em 2013, começou a tomar a frente na tentativa de corrigi-lo.* Por exemplo, o Reino Unido adotou a medida pioneira de impor sanções às "empresas de fachada" por meio das quais os advogados ocultam a propriedade dos ativos; agora, o país tem um registro público obrigatório da verdadeira

---

* Aproveitei a oportunidade de dar minha contribuição à iniciativa (Collier, 2013).

propriedade de todas as empresas britânicas, assim fechando um canal importante do dinheiro da corrupção.

O *MEA-CULPA* DA MIGRAÇÃO

Os interesses corporativos adquiriram enorme influência no cenário econômico das políticas públicas, que têm como um de seus pontos centrais os benefícios da imigração. É evidente o interesse empresarial em defender a imigração: ela aumenta o conjunto da mão de obra disponível para recrutamento. No entanto, os interesses das empresas e os interesses dos cidadãos não são os mesmos. Um certo volume de imigração beneficia a ambos, empresas e cidadãos, mas continua a beneficiar as empresas mesmo quando reduz o bem-estar dos cidadãos.

A globalização juntou o comércio e a mobilidade de trabalhadores, mas há uma distinção analítica fundamental: o comércio é impulsionado por vantagens *comparativas*, ao passo que a mobilidade da mão de obra é impulsionada por vantagens *absolutas*. Em decorrência disso, embora os manuais usuais apresentem a migração como *globalmente* eficiente, não há qualquer razão para supor que ela seja mutuamente benéfica para as sociedades hospedeiras e os países de origem. A migração introduz uma terceira categoria de beneficiários, os próprios migrantes, que são os únicos beneficiários inequívocos (se não ganhassem, não migrariam). Recebem o diferencial absoluto de produtividade que impulsiona a mobilidade da mão de obra. A migração é globalmente eficiente, de forma que, em princípio, as transferências dos migrantes para os hospedeiros e os que ficaram para trás poderiam melhorar a situação de todos. Mas, na ausência dessas transferências, a migração pode ser mutuamente prejudicial. É racional, em termos privados, para os migrantes, mas não agrega necessariamente benefícios coletivos para as sociedades. Por exemplo, apesar do visível desperdício de uma qualificação incomum, se um médico sudanês se muda para a Grã-Bretanha e vira motorista de táxi, o PIB global aumenta.

Quando a imigração é inserida no contexto das rendas da metrópole, apresentadas no Capítulo 7, seu potencial para impor custos aos cidadãos se faz evidente. A metrópole gera "rendas de aglomeração" que são embolsadas em parte pelos donos de imóveis, mas principalmente por aqueles trabalhadores de alta qualificação e baixa demanda de moradia. Se a nação abre suas fronteiras para os imigrantes, o conjunto de potenciais trabalhadores aumenta. Para o país típico, a força de trabalho global é cerca de cem vezes maior do que a força de trabalho nacional, e assim a abertura completa das fronteiras traria um efeito dramático. Muitos estrangeiros terão qualificações maiores e demandas residenciais menores do que os nacionais. Como têm incentivo para disputar essas vagas de trabalho altamente produtivo, esses imigrantes substituirão os nacionais.

O processo tem eficiência global: a economia metropolitana crescerá e, com ela, crescerão também as rendas da aglomeração. Mas agora quem fica com as rendas? Com uma força de trabalho com menor demanda de moradia e com mais qualificações, as rendas passaram dos donos de imóveis para os trabalhadores qualificados, dificultando a tributação dessas rendas. Entre os qualificados, ganharão os cidadãos atuais que *conservam* seu emprego altamente qualificado na metrópole; tornar-se-ão ainda mais produtivos por trabalharem com pessoas mais altamente qualificadas. Mas aqueles outros cidadãos que são *excluídos* das vagas de empregos qualificados na metrópole perderão as rendas que, de outra maneira, iriam para eles: em vez disso, trabalharão menos produtivamente nas cidades do interior. Com isso, as rendas são transferidas dos cidadãos para os imigrantes. Se os cidadãos expressassem atitudes políticas refletindo seus próprios interesses, seria de se esperar que esses dois efeitos se manifestassem como sentimentos favoráveis à imigração entre os cidadãos metropolitanos altamente qualificados e como sentimentos contrários à imigração entre os cidadãos do interior.

Pode ter acontecido algo parecido na Grã-Bretanha. A população atual de Londres é a mesma de 1950, mas sua composição mudou muito. Em 2011, 37% de seus habitantes são imigrantes de primeira geração, enquanto em 1950 compunham uma parcela insignificante. Não é provável que, sem imigração, a população londrina tivesse encolhido 37%: isso não ocorreu em nenhuma metrópole. Mais provavelmente a imigração trouxe pessoas com menor demanda residencial e qualificações mais altas do que as de muitos cidadãos, assim tomando seus empregos. Nacionalmente, a votação do Brexit revelou o distanciamento entre as identidades, apresentado na discussão sobre a *mulher social racional* no Capítulo 3. Mas as diferenças entre Londres e o resto do país podem refletir os efeitos de distanciamento econômico da imigração sobre as duas novas classes dentro da cidade. De fato, ao analisar o voto pelo Brexit, podemos testar duas previsões não imediatamente evidentes.* A teoria prevê que os integrantes da classe instruída que não foram removidos dos empregos em Londres iriam se tornar mais produtivos devido ao influxo de imigrantes qualificados na cidade e, assim, seriam *menos propensos a votar por sair* do que os instruídos do interior. Descobrimos que essa previsão estava correta: mostraram-se 25% menos propensos. Por outro lado, os londrinos da classe menos instruída, que enfrentavam a concorrência de imigrantes pouco qualificados, mas que não deixaram a cidade, realmente saíram perdendo com o influxo de imigrantes e, assim, seriam *menos propensos a votar por ficar* do que as pessoas da mesma classe morando em outros lugares. Previsão correta, também: mostraram-se 30% menos propensos. Assim, talvez em Londres, o *homem econômico racional* continuava firme e forte. As diferenças na composição de classe e as diferentes consequências econômicas da imigração talvez expliquem melhor a votação do que a narrativa metropolitana predominante que aponta uma xenofobia provincial.

Um custo muito diferente da imigração para os cidadãos é sua tendência de corroer as obrigações recíprocas que se constituí-

---

* As estatísticas que apresento a seguir foram elaboradas pelo psefologista dr. Stephen Fisher, da Universidade de Oxford, baseado nos dados mais confiáveis dos levantamentos do Brexit. Quando percebemos a oportunidade de testar essas hipóteses, era tarde demais para redigir as pesquisas antes do prazo final para a publicação deste livro, mas pretendemos submetê-las a um exame profissional e publicação. Nesse meio-tempo, os resultados devem ser tomados como provisórios.

ram dentro da sociedade. Lembremos que o grande lance de gênio no período 1945-1970 foi canalizar a identidade em comum para muitas obrigações recíprocas novas. Os que tiveram sorte na vida aceitaram a obrigação de ajudar os que não tinham tido tanta sorte. Essa narrativa da obrigação foi reforçada por uma narrativa que conferia um propósito ao cumprimento da obrigação: quem podia saber se, talvez na geração seguinte, os filhos dos afortunados não estariam entre os menos afortunados? E assim essa obrigação era do interesse próprio esclarecido de todos. Os imigrantes não estão presentes nessas narrativas de identidade comum, de obrigações recíprocas e de interesse próprio esclarecido; assim, os cidadãos podem ter dúvidas se eles as aceitariam. Os cidadãos de vida afortunada, portanto, podem se sentir menos dispostos a pagar impostos que beneficiam não só os cidadãos, mas também os imigrantes. Esse efeito seria ruim principalmente para os aflitos cidadãos provinciais pouco qualificados; bem na hora em que precisam invocar as obrigações, os concidadãos se afastam delas por causa da imigração. Infelizmente, agora há dados indiscutíveis demonstrando esse efeito.

Novos dados de pesquisa de toda a Europa mostram as atitudes dos que têm recebimentos acima da média perante a tributação redistributiva, destinada a ajudar os que estão em situação muito difícil.[2] Em toda a Europa, os que têm rendimentos acima da média tendem a mostrar menos entusiasmo pela redistribuição do que os de rendimentos abaixo da média, o que não surpreende. Mas, quando essas reações são comparadas à proporção de imigrantes na população, surge um padrão claro: quanto maior a proporção de imigrantes, menor a disposição dos de renda acima da média a apoiar a tributação redistributiva. As pessoas com renda acima da média ainda conservam claramente algum senso de obrigação para com os nacionais mais pobres, mas esse senso de obrigação se erode quando a diferença de identidade se amplia e passa a abranger os não nacionais. As pesquisas de opinião são técnicas antigas em ciência social. Uma metodologia mais recente consiste em simular experimentos médicos dividindo aleatoriamente as pessoas em dois grupos, submetendo um dos grupos a um "tratamento" não dado ao outro grupo. Num novo trabalho que examina a mesma questão, usando essa abordagem totalmente diferente, dois pesquisadores espanhóis fizeram a mesma pergunta, mas dando mais destaque à imigração para um grupo, ao "tratá-lo" com uma discussão do tema, enquanto tratavam o outro grupo com um tema mais anódino.[3] Descobriram a mesma tendência vista no outro estudo: o grupo ao qual foi relembrada a imigração mostra uma disposição significativamente menor em pagar impostos redistributivos.

Portanto, se um certo volume de migração tende a beneficiar as sociedades hospedeiras e os países de origem, bem como os próprios migrantes, não há razão para pensar que o volume de migração gerado por decisões privadas de interesse próprio, movidas pelo mercado, seja socialmente ideal. Como de costume, as ideologias enganam. A esquerda é instintivamente cética quanto aos processos movidos pelo mercado, exceto a imigração, ao passo que a direita abre a respectiva exceção a seu entusiasmo geral pelo mercado. O pragmatismo e o raciocínio prático são mais nuançados e indagam sobre o volume e o tipo de migração que beneficia uma sociedade.

CONCLUSÃO: UM *MEA-CULPA* PROFISSIONAL

Economistas como eu têm se mostrado demasiado veementes em defender a globalização contra seus críticos. O saldo líquido dos efeitos é positivo, mas a globalização não é um fenômeno unificado que deva ser adotado na íntegra ou rejeitado como um todo. É uma miscelânea de mudanças econômicas e sociais, em princípio sendo possível separar cada uma delas. A tarefa da política pública é incentivar os componentes que são indiscutivelmente benéficos, providenciar a compensação para os que são predominantemente benéficos, mas infligem perdas significativas a grupos identificáveis, e limitar os que geram redistribuições que não podem ser prontamente compensadas.

PARTE QUATRO

Restaurando a política inclusiva

10
Rompendo os extremos

O capitalismo está gerando sociedades divididas, nas quais muitas pessoas sofrem grandes ansiedades na vida. No entanto, é o único sistema econômico que se demonstrou capaz de gerar uma prosperidade de massa. O que tem acontecido ultimamente não é intrínseco ao capitalismo; é uma falha de funcionamento que deve ser corrigida. Não é uma questão simples, mas, guiadas por um pragmatismo prudente, as indicações e análises cabíveis em nosso contexto atual podem moldar políticas que sejam gradualmente eficazes. No período que se seguiu à Grande Depressão, as políticas pragmáticas recolocaram o capitalismo nos trilhos; elas podem fazer a mesma coisa agora. Todavia, nosso sistema político não vem criando essas políticas. Ele se tornou tão disfuncional quanto nossas economias. Por que ele não é mais capaz de pensar pragmaticamente em soluções para os problemas?

A última vez em que o capitalismo funcionou bem foi entre 1945 e 1970. Nesse período, a política pública era guiada por uma forma comunitarista de social-democracia que se difundira pelos principais partidos políticos. Mas as bases éticas da social-democracia se corroeram. Ela se originara nos movimentos cooperativos do século XIX, criados para atender às inquietações prementes da época. Suas narrativas de solidariedade deram base para uma rede crescente de obrigações recíprocas que atendiam a essas inquietações. Mas o comando dos partidos social-democratas passou do movimento cooperativista para os tecnocratas utilitaristas e os advogados rawlsianos. Sua ética não encontrou ressonância entre a maioria das pessoas, e os eleitores aos poucos deixaram de apoiá-los.

Por que os partidos políticos não voltaram ao pragmatismo? Muito provavelmente foi por causa dos próprios eleitores. O pragmatismo conclama as pessoas a observarem os dados do contexto e a usarem o raciocínio prático para avaliar se as soluções propostas realmente funcionarão. É algo que exige esforço. Um eleitorado informado é o bem público supremo e, como ocorre com todos os bens públicos, cada pessoa tomada individualmente tem pouco incentivo em fornecê-lo. A maioria dos bens públicos pode ser fornecida pelo Estado, mas este só pode ser fornecido pelas próprias pessoas.

Assim, em vez disso, o vácuo criado pela implosão da social-democracia foi ocupado por movimentos políticos que ofereciam aos eleitores uma maneira de pouparem esforço. O pragmatismo tem dois inimigos: as ideologias e o populismo, e ambos agarraram a oportunidade. As ideologias tanto da esquerda quanto da direita alegam que é possível dispensar o contexto, a prudência e o raciocínio prático adotando uma análise única e geral, que despeja incessantes verdades válidas para todos os contextos e todas as épocas. O populismo oferece outro modo de poupar esforço: líderes carismáticos com soluções tão óbvias que podem ser entendidas na mesma hora. Muitas vezes ambos se fundiram, ficando ainda mais poderosos; ideologias antes desacreditadas voltaram a florescer com líderes ardorosos distribuindo novas soluções atraentes. Vivas ao arauto: da esquerda radical, Bernie Sanders, Jeremy Corbyn e Jean-Luc Mélenchon; dos nativistas, Marine Le Pen e Norbert Hofer; dos secessionistas, Nigel Farage, Alex Salmond e Carles Puigdemont; do mundo das celebridades do entretenimento, Beppe Grillo e Donald Trump.

Atualmente, o campo de batalha político parece se caracterizar por vanguardas utilitaristas e rawlsianas alarmadas e indignadas sob o assalto dos ideólogos populistas. Este é o pavoroso cardápio político atual. Para escapar a ele, a mudança fundamental se dará infundindo em nossa política um discurso ético diferente. Mas há também algumas mudanças no mecanismo de nossos sistemas políticos que levaram à atual polarização, como veremos neste capítulo.

COMO A POLÍTICA SE POLARIZOU

Nossos sistemas políticos são democráticos, mas os detalhes de sua arquitetura os estão levando a uma polarização crescente. A maioria de nossos sistemas de votação favorece os dois partidos maiores. Assim, o cardápio apresentado aos eleitores consiste no que oferecem esses dois partidos. O passo mais perigoso foi que, em nome de uma maior democracia, os principais partidos políticos em muitos países habilitaram seus filiados a eleger seus líderes. Isso substituiu um sistema em que o líder do partido era extraído dentre seus membros mais experientes e muitas vezes escolhido por seus representantes eleitos.

As pessoas mais propensas a entrar num partido político são as que abraçaram alguma ideologia política. Com essa mudança, a escolha dos líderes passou a pender para o lado dos ideólogos. Entre as três principais ideologias, a social-democracia se mostrou a mais vulnerável, por razões que expus no Capítulo 1. Sua mescla de filosofia utilitarista e filosofia rawlsiana não encontra terreno firme em nossos valores comuns. Isso permitiu que as ideologias polarizadoras do marxismo e do nativismo dominassem o campo. O marxismo parecia ter caído em mortal descrédito com o fim da União Soviética e com a guinada capitalista da China, mas surgiu uma nova geração para a qual estes são meros fatos históricos, no máximo vistos muito por cima nas aulas de história. O nativismo foi totalmente desacreditado pelo Holocausto e essa lembrança se mantém viva. Mas, ali onde o partido dominante de centro-direita adotou o híbrido da ética utilitarista e da ética rawlsiana para sua política de imigração, os partidos nativistas encontraram uma brecha.[1]

O surgimento dos ideólogos deixou os vários eleitores pragmatistas diante de um cardápio que foi selecionado pelos extremos. Além disso, como muita gente se afasta da política por achar esse cardápio pouco atraente, a estratégia vencedora dos líderes mudou, deixando de adotar políticas que atraem o eleitor indeciso no centro do espectro e passando a garantir que todos os eleitores ideologicamente motivados compareçam à eleição. Para promover a "inclusão", é possível reduzir a idade mínima para votar e se filiar a um partido, mas, sem experiência e sem responsabilidades, os adolescentes são os mais propensos ao extremismo ideológico. Os eleitores não ideológicos, que se sentem como se não pudessem mais votar, ficam entregues à respiga dos populistas.

Várias eleições principais recentes ilustraram esse processo em ação. O processo eleitoral americano de 2016 permitiu que os populistas ideológicos da esquerda e da direita dominassem as campanhas com críticas e soluções simplistas que corrigiriam as falhas do capitalismo. Na esquerda, Bernie Sanders ficou de fora por uma estreita margem, mas sua candidatura enfraqueceu muito a adesão dos votos da base democrata a Hillary Clinton, o próprio arquétipo do advogado rawlsiano, que foi sistematicamente atrás do eleitorado "vítima".[2] Na direita, Donald Trump, utilizando as qualificações superiores de uma celebridade da mídia, derrotou todos os candidatos mais centristas. Na eleição propriamente dita, Trump manteve suas críticas simplistas, enquanto Clinton não conseguiu apresentar uma crítica mais elaborada, aparecendo quase como defensora do sistema vigente.

A eleição francesa de 2017 eliminou todos os potenciais líderes dos dois partidos principais. Na esquerda, o presidente em exercício, Hollande, o arquétipo do social-democrata, admitiu que era impopular demais até para tentar um segundo mandato, e seu primeiro-ministro, Manuel Valls, outro social-democrata, foi eliminado nas primárias em favor de Benoît Hamon, um ideólogo da esquerda do partido. Na direita, o presidente anterior, Nicolas Sarkozy, foi eliminado, bem como o centrista Alain Juppé, em favor de um ideólogo da direita do Partido Republicano, François Fillon, cuja campanha depois implodiu por razões pessoais. Com isso, o primeiro turno da eleição francesa, que reduziu a disputa a dois candidatos, virou uma corrida apertada entre cinco líderes independentes – quatro ideólogos e um pragmatista. Nenhum dos candidatos dos dois partidos principais foi para o segundo turno, e a disputa final se deu entre o pragmatista Emmanuel Macron e uma populista nativista da direita, Marine Le Pen. No entanto, se meros

3% dos eleitores franceses tivessem votado diferente, a disputa teria sido entre dois ideólogos populistas – Le Pen na direita e Jean-Luc Mélenchon na esquerda. A França sobreviveu a seu sistema eleitoral, mas por pouco. À diferença de Hillary Clinton, Emmanuel Macron foi capaz de apresentar uma crítica clara, não ideológica, mas bastante elaborada, ao sistema vigente, voltada não para os grupos de "vítimas", e sim para o cidadão médio francês, ao mesmo tempo em que expunha a nulidade das soluções populistas. Seu programa foi um primoroso exemplo de pragmatismo, em que as boas habilidades de comunicação permitiram que um argumento complexo prevalecesse sobre a panaceia mágica do populismo.

No período decorrido entre as eleições britânicas de 2010 e 2017, o Partido Trabalhista alterou seu processo de escolha do líder. Em 2010, seu líder Gordon Brown, o arquétipo do social-democrata utilitarista, chegara à liderança por escolha unânime dos parlamentares trabalhistas. Em 2017, o partido era liderado por um populista marxista, Jeremy Corbyn, que teve ínfimo apoio dos parlamentares trabalhistas, mas fora escolhido por jovens idealistas e fervorosos que haviam recebido o direito de fácil filiação ao partido.* Essa medida mudara quase totalmente a composição do Partido Trabalhista. Na direita, David Cameron, o líder centrista em 2010, fora substituído em 2016 pela incógnita de Theresa May, medida desesperada dos parlamentares conservadores para evitar seguir a nova constituição do partido, que exigia que o líder fosse eleito por membros da agremiação. Parecia provável que isso resultasse na eleição de um ideólogo independente, como ocorrera ao ser aplicada pela primeira vez em 2001. Atualmente, os dois principais partidos políticos da Grã-Bretanha têm sistemas de escolha de sua liderança que, se forem usados, praticamente garantem que o cardápio de escolhas políticas consistirá em ideólogos polarizadores – verdura ou carne, senhor? Na eleição de 2017, Jeremy Corbyn lançou mão de um populismo ideológico de esquerda, enquanto Theresa May foi

---

* A teoria marxista formal reconhece há muito tempo que a vanguarda precisa atrair uma categoria de fãs chamados "idiotas úteis". A sagaz inovação do sr. Corbyn iria refinar essa categoria como "idiotas fúteis".

incapaz de articular uma estratégia coerente, deixando os eleitores sem escolha e resultando numa câmara sem maioria parlamentar.

Mesmo na Alemanha, o curto flerte da chanceler Merkel com uma curiosa mistura de populismo e legalismo rawlsiano, que abriu as fronteiras da Alemanha durante alguns meses, foi suficiente para levar 1/8 dos eleitores a um novo partido nativista na eleição de 2017. A votação em seu partido democrata-cristão de centro-direita despencou para o nível mais baixo desde sua fundação, em 1949. Mas a queda da centro-direita não ajudou a centro-esquerda. A votação dos social-democratas caiu ainda mais, também para o nível mais baixo pós-1949. O centro está encolhendo, deixando espaço para os ideólogos populistas.

RESTAURANDO O CENTRO: ALGUNS MECANISMOS POLÍTICOS

Precisamos de um processo pelo qual os partidos principais voltem para o centro. Seguem-se duas mudanças possíveis nas regras de escolha da liderança, ambas muito mais democráticas do que os sistemas atuais.

A mais simples é restringir a escolha do líder partidário aos representantes eleitos daquele partido. Os representantes eleitos têm dois traços que os habilitam melhor para a escolha do líder, em vez de deixá-la aos membros do partido. Para começar, eles têm interesse em atrair um grande número de eleitores; isso os aproxima dos candidatos centristas. Em segundo lugar, como participantes internos, é menos provável que se deixem enganar pelos truques propagandísticos do ofício: são votantes informados. Por exemplo, na Grã-Bretanha, o líder conservador em 2001 teria sido Ken Clarke, centrista com enorme experiência ministerial; o líder trabalhista em 2015 teria sido um centrista; se tivessem sido os republicanos eleitos a escolherem o candidato presidencial do partido, Donald Trump não estaria na Casa Branca.

Os representantes eleitos têm mais legitimidade democrática do que os membros do partido; no conjunto, representam *um nú-*

mero muito maior de apoiadores do partido do que a quantidade de filiações oficiais ao partido. Mas, se o critério vencedor continuar a ser o sistema que oferece o maior número de eleitores ativos, uma segunda alternativa seria estender o voto na liderança, pelo menos dos principais partidos, a *todos* os votantes, embora aqui os registros não sejam promissores. Visto que os eleitores comuns conhecem pouco sobre os candidatos, a tendência se inclinaria para os populistas carismáticos.

Falhando a reforma da escolha do líder partidário, a alternativa mais segura é, provavelmente, um sistema de votação baseado num determinado grau de representação proporcional. Existem dificuldades, mas as alianças impedem que os partidos implementem suas ideologias e incentivam um pragmatismo baseado nos dados de fato. A Noruega, a Holanda e a Suíça, governadas desde longa data por coalizões geradas pela representação proporcional, têm escapado aos piores excessos do capitalismo moderno. O período do governo de coalizão na Grã-Bretanha, 2010-2015, e o impasse político americano de 2011-2017, vistos retrospectivamente, parecem um pouco superiores aos governos precedentes e subsequentes.

RESTAURANDO O CENTRO: SOCIEDADES INFORMADAS

Os remendos em nossos sistemas políticos podem ajudar a torná-los mais maleáveis a estratégias eticamente fundadas e pragmaticamente concebidas. Mas a política não tem como ser melhor do que a sociedade que ela reflete. Só é possível criar uma política ética e pragmática se uma sociedade tiver uma massa crítica de cidadãos que a reivindique. É por isso que este livro foi escrito basicamente para os cidadãos, não para os políticos. Massa crítica não significa todo mundo; significa gente suficiente para dar aos políticos a coragem de agir. Felizmente, as mídias sociais podem ser usadas para difundir não só más ideias, mas também boas ideias. Para ajudar a rememorar, resumi abaixo as propostas de políticas públicas que podem sanar diretamente os novos distanciamentos e as estratégias mais fundamentais para restaurar a ética nas organizações.

Novas políticas pragmáticas

Num livro pequeno com ampla destinação, não é possível expor novas políticas de maneira detalhada. Todas as propostas neste livro estão fundadas em análises acadêmicas, mas precisam ser bem mais trabalhadas antes de poderem ser implementadas. Mesmo assim, os obstáculos provavelmente serão de ordem política, não técnica.

A reversão do novo distanciamento entre a metrópole e as cidades falidas custará dinheiro, que pode ser arrecadado tributando o enorme aumento nas rendas de aglomeração geradas na metrópole. O Capítulo 7 expôs por que grande parte dessa bonança de produtividade da metrópole é uma forma de renda e não tanto um fruto resultante do trabalho das pessoas que embolsam essa renda. Mas o Capítulo 7 também ressaltou a dificuldade de tributar as rendas: muitas vão não para os donos de imóveis, como se pensava até então, e sim para os trabalhadores qualificados de alta remuneração. O mesmíssimo princípio que justifica tributar os imóveis na metrópole em alíquotas mais altas do que em outros locais se aplica a esses trabalhadores qualificados. Já prevejo a ardorosa indignação do interesse próprio ameaçado: espere um pouco. Como se faria um melhor uso desse dinheiro na redinamização das cidades falidas? O ponto central é um esforço coordenado para atrair uma indústria nascente, talvez compatível com as tradições daquela determinada cidade. A coordenação se baseia em relações: para formar um conhecimento coletivo, as empresas com potencial para se instalar na cidade precisam saber o que as outras empresas estão fazendo. O município provavelmente precisará cortejar um grupo inteiro de empresas interligadas. O treinamento de nada vale se não estiver vinculado às demandas específicas dessas empresas, de preferência administrado em conjunto com elas.

A reversão do novo distanciamento de classe entre os instruídos altamente qualificados e os menos instruídos desqualificados também requer políticas que lidem com os dois lados. Ficar empacado num emprego de baixa produtividade muitas vezes é o destino final de uma vida inteira de desvantagens, que se inicia na primeira infância. Propus uma estratégia de *maternalismo social*: assistência e mentoria prática intensiva para famílias jovens à beira da ruptura, seguidas pela mentoria dos filhos durante os anos de escola. A mentoria está para o maternalismo social assim como a monitoria está para o paternalismo social. Mas a reversão do distanciamento não se resume a dar condições de sucesso para os menos instruídos. Alguns comportamentos dos altamente qualificados precisam ser refreados porque são predatórios: a capacidade de vencer um "torneio" empregatício pode trazer enormes ganhos privados às custas dos perdedores. Entre as pessoas mais talentosas que temos entre nós, é grande demais a quantidade das que utilizam suas habilidades nesses jogos de soma zero, enquanto atividades como a inovação, com grandes benefícios para toda a sociedade, veem-se drenadas de seus talentos. Os setores mais propensos aos jogos de soma zero deveriam ser mais tributados do que os setores em que os benefícios vão para os que trabalham neles.

O estreitamento do divisor global entre as sociedades ricas e as sociedades ainda atoladas na pobreza exige mais do que um coração generoso. As reações privadas das pessoas que vivem em sociedades pobres e estagnadas são, se forem ricas, mandar seu dinheiro para fora e, se forem instruídas, emigrar. Essas reações são racionais, mas, no conjunto, costumam ser prejudiciais para suas próprias sociedades. A África perde 200 bilhões de dólares ao ano em fuga de capitais; o Haiti perde 85% de seus trabalhadores jovens instruídos. Ao enquadrar esses comportamentos como um "direito humano", menosprezam-se as obrigações que eles deixam de cumprir. As pessoas em geral não são santas: embora reconheçam suas obrigações, se lhes apresentarem alguma tentação atraente, elas aproveitam. Quando acontece isso, a responsabilidade moral cabe a quem oferece a tentação. Durante décadas, grande parte da fuga de capitais da África foi facilitada por advogados em Londres e por bancos na Suíça. Analogamente, o êxodo de capital humano da África é uma reação compreensível a políticas públicas que criam oportunidades. Para dar um exemplo extremo: a Noruega acumulou um fundo de riqueza soberana no valor de 200 mil dólares por pessoa. Se uma família de cinco pessoas sair de seu país pobre e se estabelecer na Noruega, terá direito a uma parcela *pro rata* de ativos no valor de 1 milhão de dólares, acima e além de qualquer rendimento que os membros da família recebam. O governo de seu país natal não dispõe de nenhum meio que se contraponha a tal incentivo para sair. No entanto, há dois grupos de pessoas com título muito mais sólido a esse milhão: os noruegueses que pouparam o dinheiro e os milhares de pobres entre os quais ele poderia ser repartido. As sociedades pobres precisam alcançar as ricas. Para isso precisam receber de nossas sociedades aquilo que temos e elas não têm: empresas que tornem as pessoas produtivas. Poderíamos fazer muito mais para incentivar nossas empresas a realizarem essa mágica aparentemente simples nos países mais pobres.

A renovação ética das organizações

Este livro começou pela ética e por ela terminará. Procurei esboçar as bases de uma política moral que possa substituir a ética utilitarista, com seus postulados estranhos e divisionistas, por outra que tenha alicerces mais sólidos na natureza humana e, ao mesmo tempo, leve a resultados melhores.

Em contraste com a concepção utilitarista de indivíduos autônomos, cada qual gerando utilidade a partir de seu consumo pessoal e tendo o mesmo peso na grande aritmética moral da utilidade total, os átomos de uma sociedade real são as relações. Em contraste com o egoísmo psicopata do homem econômico controlado pelos guardiães platônicos do paternalismo social, as pessoas normais reconhecem que as relações trazem obrigações e que o cumprimento das obrigações tem um papel central em nosso senso de propósito na vida. Inexoravelmente, a venenosa mescla entre guardiães platônicos e homem econômico que tem dominado a política pública privou as pessoas de responsabilidade moral, transferindo as obrigações para o Estado paternalista. Numa estranha paródia da religião medieval, as pessoas comuns são pintadas como pecadores que precisam ser governados por pessoas excepcionais – os santos. Com a ascensão da vanguarda utilitarista, os santos entraram marchando. Enquanto as obrigações subiam para o Estado, do alto choviam direitos e prerrogativas ao consumo: agora somos todos crianças.

Mas, nesse processo, o Estado ficou com responsabilidades que excedem em muito suas capacidades e que só podem ser devidamente cumpridas pelas empresas e pelas famílias. Os genitores, cujo senso de obrigação para com os filhos deriva do amor, superam todos os sucedâneos fornecidos pelo Estado paternalista; empresas cujo senso de obrigação para com seus empregados deriva de uma longa reciprocidade superam todo e qualquer treinamento fornecido pelo Estado paternalista. O Estado tem um papel, mas esse papel consiste em elaborar as metapolíticas que devolvam tais obrigações ao lugar a que pertencem. O que enfraqueceu o senso de obrigação dentro das famílias foi uma mudança cultural. A família ética foi suplantada pelo *indivíduo com direitos próprios*, entregue à busca exclusiva de seus desejos. Mas o Estado foi conivente com essa mudança, alterando leis, impostos e benefícios que deixaram de privilegiar as famílias para passar a privilegiar os indivíduos. O Estado pode mudar suas narrativas, leis, impostos e benefícios para restaurar a *família ética*. O que enfraqueceu o senso de obrigação das empresas para com os empregados e a sociedade foi uma mudança cultural; os cursos de administração ensinaram a toda uma geração de administradores o equivalente corporativo do homem econômico, qual seja, que o único propósito da empresa era gerar lucros para seus proprietários. Mas, aqui também, a essa mudança cultural acrescentaram-se outros incentivos materiais, impulsionados pelo surgimento dos gerentes de fundos de investimentos à caça de lucros trimestrais. O Estado pode usar narrativas, leis, impostos e subsídios para restaurar a *empresa ética*.

A arrogância intrínseca do paternalismo utilitarista alcançou sua apoteose quando foi aplicado em nível global. Deveres de resgate que deveriam ser cumpridos incondicionalmente se converteram em instrumentos do imperialismo ético. Entidades internacionais que haviam construído gradualmente obrigações recíprocas dentro de um âmbito específico da política pública se expandiram de forma desmedida, convertendo-se em organizações "inclusivas" com âmbitos imensamente ampliados, nos quais a reciprocidade se desintegrou aos poucos. Nunca tivemos um *mundo ético*, mas no período de 1945 a 1970 nosso progresso rumo a esse objetivo foi maior do que em qualquer outro período da história, progresso este que vem se desfazendo. Para restaurar o impulso avante, precisamos voltar à abordagem realista do pragmatismo prudente. Dar um socorro efetivo aos que precisam de resgate é possível e realizável; a melhor forma de atender às crescentes inquietações globais não é por meio de uma moralização utilitarista, e sim por meio de entidades que construam novas obrigações recíprocas entre as sociedades prósperas para cumprir os deveres de resgate.

A rede de obrigações recíprocas propiciada pelo pertencimento comum gera Estados de maior confiança e, portanto, de maior eficácia. Com uma ampla distribuição por toda a sociedade da infinidade de tarefas que cercam o cumprimento das obrigações, não só elas são mais bem atendidas, como também as pessoas se engajam mais e se sentem mais realizadas. Em decorrência disso, chegamos a sociedades mais felizes do que as alcançadas pelos paternalistas utilitaristas. Mesmo seguindo seus próprios critérios estranhos, os paternalistas ficam de mãos atadas. A "maximização das utilidades" é um exemplo daquilo que John Kay chama de obliquidade: não se chega a ela mirando diretamente. A reciprocidade voluntária é superior.

A POLÍTICA DO PERTENCIMENTO

A política é predominantemente nacional. Para que os políticos empreguem seu potencial a fim de construir uma densa rede de obrigações recíprocas, o povo de uma nação precisa aceitar algum senso de uma identidade comum. Para que a identidade consiga unir em vez de dividir, ser britânico, americano ou alemão não pode significar o pertencimento a um grupo étnico específico. E, mesmo que se queira, não pode significar a adesão a certos valores comuns específicos. Quais são os valores comuns a Donald Trump e Bernie Sanders que os diferenciam de Nigel Farage e Jeremy Corbyn? Uma identidade comum a todos os que crescem num país culturalmente diversificado só pode ser definida pelo lugar e pelo propósito. Pode se alimentar do apego geneticamente entranhado ao lar e ao território; pode ressaltar os ganhos mútuos com ações dotadas de propósito sendo realizadas em conjunto. É a base para um "nós" em comum. Mas uma política ética, por meio de outras influências, pode fortalecer o instinto geneticamente entranhado do pertencimento comum e a racionalidade de um mesmo propósito.

Ele se fortalece com algum esforço coletivo para um objetivo comum, por trivial que seja: mesmo a vitória da seleção nacional de futebol mostra-se capaz disso.[3] Ele se fortalece com a rede de interações sociais que se dão naturalmente dentro do espaço que se compartilha. Grupos inteiramente desconectados entre si talvez não sintam muito que têm uma identidade comum, e assim é desejável haver um certo grau de integração social, estabelecendo um limite ao separatismo cultural, quer resulte da educação, da ideologia ou da religião. Precisamos nos encontrar. Mas, acima de tudo, esse instinto se fortalece com as narrativas políticas positivas de pertencimento. A transmissão dessas narrativas constitui uma tarefa fundamental de nossos líderes políticos: ao abandonar as narrativas de pertencimento baseado no lugar e no propósito, eles abriram espaço para as narrativas divisionistas de pertencimento que reivindicam identidade nacional para alguns, à exclusão de outros.

Os líderes podem promover novas narrativas, mas a queda de confiança nos líderes políticos inverteu a autoridade; as pessoas prestam mais atenção aos que estão no centro de suas redes sociais do que aos âncoras da televisão. As redes, porém, tornaram-se câmaras de eco fechadas e, assim, falta-nos até mesmo o espaço comum para nos comunicarmos. Isso é extremamente prejudicial, porque a participação numa rede comum forma o conhecimento comum de que todos nós ouvimos as mesmas narrativas. Sem isso, mesmo as narrativas de identidade comum têm dificuldade em criar as condições para que as pessoas confiem que as obrigações que aceitam terão a reciprocidade dos outros. Longe de fazerem circular narrativas de pertencimento comum a um lugar, as câmaras de eco costumam vilipendiar "o outro". Salman Abedi, que em 2017 cometeu o assassinato de crianças em massa num concerto em Manchester, cresceu na cidade, mas foi criado dentro de uma rede hermética de ódio islâmico a "kafires" [infiéis] e, assim, não tinha sequer a mais rudimentar empatia com as pessoas em volta. As câmaras de eco destroem o tecido social, mas não vejo nenhuma forma realista de restaurar uma arena comum de discurso. À falta dela, as pessoas que adquiriram influência recente em cada uma dessas câmaras de eco – os comediantes, os atores, os imãs, os extrovertidos exibicionistas – passaram a ter uma responsabilidade que agora devem exercer. São os líderes descentralizados da sociedade, numa posição melhor do que qualquer outro para construir a identidade comum de lugar nessas redes fragmentadas. As narrativas que difundem deveriam se tornar foco de atenção pública. Deveriam enfrentar pressão para deixarem de alardear as narrativas ideológicas divisionistas em que se especializaram.

 Como outras identidades comuns, o senso de pertencimento comum ao lugar ou de uma ação comum dotada de propósito é valioso devido às obrigações com que pode arcar. A política é predominantemente nacional porque a política pública é predominantemente nacional. Algumas políticas se dão em nível local, outras em nível regional e umas poucas em nível global, mas, em todas as economias avançadas, a importância das nações tem um predomínio avassalador. Nos Estados Unidos, apesar da obsessão com os direitos de seus vários estados, cerca de 60% dos gastos públicos são feitos por meio da nação, não dos estados; na União Europeia, apesar da obsessão com o poder de Bruxelas, 97% são feitos por meio da nação, não da Comissão. As nações e seus cidadãos são o arcabouço essencial da política pública e assim continuarão a ser até onde vão as previsões. A principal função política da identidade comum é fazer com que as nações funcionem como veículos de uma crescente rede de obrigações recíprocas. Foi a erosão dessa rede que permitiu que as inquietações criadas pelos rumos recentes do capitalismo supurassem como profundas chagas em nossas sociedades.

Assim como as narrativas de pertencimento comum baseado no lugar e no propósito podem fortalecer uma identidade nacional comum, da mesma forma as narrativas de obrigações recíprocas entre os cidadãos podem fortalecer aquela rede ética. Não admira que Salman Abedi nunca tenha absorvido sequer as mais elementares obrigações recíprocas: seu vizinho informou que muitas vezes Abedi estacionava o carro bloqueando a saída dele. As obrigações recíprocas, por sua vez, podem ser fortalecidas pelas narrativas sobre propósito relativas ao interesse próprio esclarecido. Os cidadãos podem vir a reconhecer cadeias causais mostrando que comportamentos que não são de seu interesse próprio imediato, como pagar impostos, podem contribuir para resultados que, no longo prazo, são do interesse próprio de todos. Abedi realmente absorveu uma narrativa dessas: ele sacrificou seu interesse próprio imediato pela perspectiva do paraíso. As narrativas têm poder; deveríamos elaborar outras melhores.

Resumindo numa frase, *a identidade comum se torna a base da reciprocidade previdente*. As sociedades que conseguem construir tais sistemas de crenças funcionam melhor do que as sociedades baseadas no individualismo ou em alguma das ideologias revivalistas. As sociedades individualistas perdem o enorme potencial dos bens públicos. As ideologias revivalistas são baseadas, cada uma delas, no ódio a alguma outra parcela da sociedade e são sementeiras de conflitos. Numa sociedade saudável, os que alcançam sucesso foram criados na aceitação dessa rede de obrigações recíprocas. Sendo afortunados, dão apoio aos que têm uma vida que não se mostrou tão afortunada. Os bem-sucedidos cumprem essas obrigações porque são recompensados com o autorrespeito e o apreço de seus pares por tê-las cumprido. Forças mais coercitivas têm legitimidade para ser usadas contra uma minoria recalcitrante.

Este é o pragmatismo moral que pode guiar nossa política, passando do fracasso polarizado para o trabalho cooperativo, a fim de sanar as divisões que assediam nossas sociedades. Não temos cumprido os deveres de socorro aos refugiados que fogem de catástrofes; aos afundados no desespero nas sociedades mais pobres do mundo; aos quinquagenários cujas qualificações profissionais perderam o valor; aos adolescentes em vias de se verem presos em empregos sem futuro; aos filhos de famílias destroçadas; às famílias jovens que desistem do sonho de terem algum dia um lar próprio. Precisamos cumpri-los. Mas precisamos também restaurar as obrigações recíprocas muitíssimo mais exigentes que um dia brotaram de nossa identidade comum.

Isso pode causar arrepios na direita, devido à perspectiva de resultados redistributivos superficialmente similares aos concebidos na ideologia marxista. Analogamente, pode causar arrepios na esquerda, devido ao reconhecimento de obrigações específicas dentro da família e da nação que ferem as normas rawlsianas e utilitaristas. As duas preocupações são descabidas.

O que defendo não é uma variante do marxismo. A ideologia marxista se funda numa narrativa cheia de ódio que substitui a identidade comum pelas divisões extremas da identidade de classe. Substitui as obrigações mútuas pela afirmação dos direitos de uma classe em expropriar o que pertence à outra. Como o islamismo radical, sua versão do interesse próprio esclarecido invoca um paraíso distante onde o Estado "definha e desaparece". O resultado real da ideologia marxista, como se tem demonstrado invariavelmente, é o conflito social, o colapso econômico e um Estado que, em vez de definhar e desaparecer, impõe um poder arrogante e brutal. Está se mostrando na fuga de refugiados da Venezuela, que está aí para quem quiser ver. A diferença entre uma sociedade que guia pragmaticamente o capitalismo, tendo como base a reciprocidade racional, e uma sociedade regida por ideólogos marxistas é a mesma que há entre uma sociedade em paz consigo mesma e uma sociedade dilacerada por ódios crescentes.

Quanto aos sonhos rawlsianos e utilitaristas, o esforço em desacreditar das obrigações familiares em favor de obrigações iguais para com todas as crianças, ou desacreditar das obrigações nacionais em favor de obrigações para com as "vítimas" globais não construiria o Éden. Legaria à geração seguinte uma sociedade caindo no poço do individualismo que se arroga todos os direitos. No futuro, quando olharem retrospectivamente, o período de domínio utilitarista e rawlsiano da centro-esquerda virá a ser reconhecido pelo que era: arrogante, presunçoso e destrutivo. A centro-esquerda se recuperará ao retornar a suas raízes comunitaristas e à tarefa de reconstruir a rede de obrigações recíprocas baseadas na confiança, que sanam as inquietações das famílias trabalhadoras.* Analogamente, o período de dominação da centro-direita com um categórico individualismo virá a ser reconhecido como a sedução do *homem econômico* sobre uma grande tradição. Ao recuperar seus esteios éticos, ele retornará à política de "uma nação". As novas inquietações são sérias demais para ficarem entregues à extrema esquerda. O pertencimento ao lugar é uma força poderosa demais e, potencialmente, construtiva demais para ficar entregue à extrema direita.

Perante as novas inquietações, deveria ser evidente que a ameaça *econômica* correspondente é o novo e virulento distanciamento nos destinos de classe e de geografia. Perante a ascensão de identidades ideológicas e religiosas extremistas, deveria ser evidente que a ameaça *social* correspondente é a fragmentação em identidades oposicionistas sustentadas pelas câmaras de eco das mídias sociais. Depois do Brexit e da ascensão de Donald Trump, deveria ser evidente que a ameaça *política* correspondente é o nacionalismo exclusionista. Ao abrirem mão do pertencimento comum e do patriotismo benigno que nele pode se apoiar, os progressistas abandonaram a única força capaz de unir sadiamente nossas sociedades. Sem perceber, sem refletir, entregaram-na ao charlatanismo dos dois extremos, que agora se puseram alegremente a desfigurá-la para adaptá-la a suas finalidades distorcidas.

Podemos fazer coisa melhor: já fizemos, e podemos fazer outra vez.

---

* Em dezembro de 2017, fui convidado para falar aos social-democratas da Dinamarca. Mette Frederiksen, a admirável nova líder do partido, chegara a esse mesmo diagnóstico e estava conduzindo o partido num enérgico retorno a suas origens cooperativas e comunitaristas. Revertendo um longo período de declínio, a votação no partido já mostrava aumento, exceto entre os metropolitanos altamente instruídos: os WEIRDs estavam passando, indignados, para a esquerda linha-dura.

Notas

1. AS NOVAS INQUIETAÇÕES

1. Ver Case e Deaton (2017).
2. Chetty *et al.* (2017).
3. Chua (2018), p. 173.
4. Ver, por exemplo, Mason (2015), e minha resenha dessa bibliografia recente no *Times Literary Supplement*, 25 de janeiro de 2017.
5. Ver Norman (2018), cap. 7, para uma clara apresentação histórica das calamitosas distorções da análise econômica inaugurada por Adam Smith, que foram introduzidas por Bentham e Mill.
6. Haidt (2012).
7. Publicado no *Financial Times*, 5 de janeiro de 2018.
8. Uma nova apresentação interessante é a de Roger Scruton, *On Human Nature* (2017).
9. Cit. em Chua (2018).
10. George Akerlof recebeu o Prêmio Nobel de Economia. Junto com Rachel Kranton e Dennis Snower, criamos uma associação: Economic Research on Identities, Narratives and Norms [Pesquisa econômica sobre identidades, narrativas e normas]. Tony Venables é um geógrafo econômico de renome mundial. Nos últimos três anos, estamos dirigindo em conjunto um projeto de pesquisa sobre a economia da urbanização. Colin Mayer é professor titular de Finanças em Oxford, ex-diretor da faculdade de administração e diretor do programa "The Future of the Corporation" [O futuro da corporação], da Academia Britânica. Seu livro *Prosperity: Better Business Makes the Greater Good* (2018) faz uma parceria implícita com este livro. Nos últimos três anos,

temos trabalhado juntos para catalisar investimentos em áreas pobres. O professor titular *sir* Tim Besley é o atual presidente da Sociedade de Econometria, ex-presidente da Associação Econômica Europeia e ex-editor da *American Economic Review*. Atualmente dirigimos a Comissão da Academia Britânica sobre a Fragilidade do Estado. O professor titular Chris Hookway é o principal estudioso do mundo sobre Peirce e as origens da escola pragmatista. Foi presidente da Sociedade Peirce e editor do *European Journal of Philosophy*. Ao se aposentar em 2015, a conferência em sua homenagem se intitulava "The Idea of Pragmatism" [A ideia do pragmatismo]. Por coincidência, é meu mais velho amigo.

11. Tepperman (2016).

2. AS BASES DA MORAL

1. Pode-se argumentar com propriedade que, em última análise, até mesmo as nossas emoções são socialmente construídas. Ver Feldman Barrett (2017).
2. Ver Etzioni (2015).
3. Logo depois que terminei *O futuro do capitalismo*, Tim Besley me apresentou ao filósofo e político Jesse Norman, que por sua vez acabara de terminar um livro sobre o pensamento de Adam Smith. Muito entusiasmados, trocamos manuscritos. Aprendi muito, e uma parte do que aprendi se refletirá em notas subsequentes, mas fiquei aliviado ao ver que Smith não se revirará na tumba com minha interpretação de suas ideias.
4. Norman (2018).
5. Towers *et al.* (2016).
6. Esta era a discordância entre Hume e Kant.
7. Haidt (2012).
8. Mercier e Sperber (2017).
9. Gamble *et al.* (2018).
10. O conceito leninista de centralismo "democrático".

11. Como observa Haidt (2012), "A deontologia e o utilitarismo são morais de 'um receptor só', exercendo apelo em pessoas sem empatia".
12. Ver Dijksterhuis (2005) e Christakis and Fowler (2009).
13. Ver Hood (2014).
14. Ver Thomas *et al.* (2014).
15. Ver, por exemplo, Cialdini (2007).
16. Akerlof e Shiller (2009), p. 54.
17. Mueller e Rauh (2017).
18. Sobre tabus, ver Bénabou e Tirole (2011).
19. Expus mais longamente essas ideias em Collier (2016).
20. Uma boa introdução é o livro deles, *Identity Economics*, Akerlof e Kranton (2011).
21. Besley (2016).
22. Se estiver interessado nos detalhes, fiz recentemente um exame dessa nova bibliografia: Collier (2017).
23. Relatório Mundial da Felicidade, 2017.
24. São os sentimentos respectivos de John Perry Barlow e Mark Zuckerberg.
25. O termo técnico é homologia.
26. Como sustentou MacIntyre em seu estudo fundamental em 1981, a essência da linguagem moral é tratar os outros não como meios para um fim de nossos interesses pessoais, e sim como fins neles mesmos. Ver MacIntyre (2013).
27. Expus a identidade comum, a reciprocidade e as ações dotadas de propósito como uma sequência analítica, mas os indicadores *empíricos* de que os três componentes *em conjunto* são necessários para o comportamento ético coletivo provêm da obra de Eleanor Ostrom (1990), agraciada com o Prêmio Nobel, e de seus sucessores.
28. Para uma discussão mais ampla sobre essa teoria e suas comprovações ver Collier (2018d).
29. Fenômeno conhecido como ciclo político dos negócios; Chauvet e Collier (2009).
30. Putnam (2016), p. 221.

3. O ESTADO ÉTICO

1. Essa "crise existencial" foi reconhecida como tal pelos líderes dos partidos democratas e socialistas da Europa, ao me convidarem para discursar em sua conferência anual em outubro de 2017.
2. Exponho o modelo de maneira mais formal e desenvolvo suas implicações normativas em Collier, "Diverging identities: a model of class formation".
3. Wolf (2013), p. 32. Essa frase em si capta não só a transferência da identidade de realce para o trabalho, mas também a ênfase sobre a realização pessoal, que abordo no Capítulo 5.
4. Ver o Barômetro de Confiança da Edelman. Seu Relatório Anual para 2017 começa com "a confiança está em crise no mundo": https://www.edelman.com/trust2017/.
5. O modelo exemplar de cooperação mútua para tratar inquietações é o movimento de seguro cooperativo, nascido em Rochdale, uma cidade industrial como Sheffield e Halifax, no norte da Inglaterra. Em novembro de 2017, a P and V Foundation, parte da enorme cooperativa belga de seguros, agraciou-me com seu Título de Cidadão Honorário e fiquei conhecendo suas origens. Os pioneiros de Rochdale tinham visitado Ghent, de língua flamenga, inspirando a criação do movimento na Bélgica, que logo transpôs a barreira da língua e se espalhou para a Valônia, de língua francesa, e aos poucos se tornou um movimento nacional. A cerimônia do prêmio foi trilíngue.
6. Elliott e Kanagasooriam (2017).
7. David Goodhart (2017) ampliou esse contraste entre identidades nacionais e globais.
8. A citação foi extraída de *The Making of the British Landscape*, de Nicholas Crane (Weidenfeld e Nicolson, 2016), p. 115.
9. Johnson e Toft (2014).
10. Elliott e Kanagasooriam (2017).

4. A EMPRESA ÉTICA

1. Os dados do levantamento se referem à Grã-Bretanha em 2017. Por razões que ficarão claras mais adiante neste capítulo, quando eu abordar o poder das finanças sobre as empresas, o exemplo máximo da doutrina de Friedman e suas consequências é a Grã-Bretanha, mais do que os Estados Unidos.
2. Gibbons e Henderson (2012).
3. São palavras de um antigo alto funcionário, reproduzidas em "The Big Bet", *Financial Times*, 11 de novembro de 2017.
4. Cit. em *Financial Times*, 23 de outubro de 2017.
5. De novo, é uma questão de erosão da ética profissional. A profissão de contador extraviou sua bússola moral. Ver Brooks (2018).
6. 1,7% do PIB, contra uma média da OCDE de 2,4%.
7. Ver Kay (2011).
8. Ver Haskel e Westlake (2017).
9. Hidalgo (2015).
10. Ver Autor *et al.* (2017).
11. Ver Scheidel (2017).

5. A FAMÍLIA ÉTICA

1. Agradeço a Robbie Akerlof por essa percepção da mudança nas normas familiares.
2. Ainda em 1975, mulheres que trabalhavam fora, como minha mãe, que saiu da escola antes de completar o ensino médio, passavam o mesmo modesto tempo cuidando dos filhos que as mulheres com formação universitária. Em 2003, o número de ambas aumentara, mas as mulheres menos instruídas agora mal chegavam a passar metade do tempo que passavam as mulheres com formação universitária; Sullivan e Gershuny (2012).
3. Agradeço essa interessante percepção ao professor Roger Goodman, especialista na sociologia moderna do Japão.
4. Wolf (2013), p. 236. Os dados se referem a mães brancas com formação universitária.

5. Ibid., p. 183.
6. Ver Putnam (2016), p. 67.
7. Eliason (2012).
8. Putnam (2016), p. 70.
9. Ibid., p. 78.
10. Heckman, Stixrud e Urzua (2006).
11. Clark (2014).
12. Bisin e Verdier (2000).
13. Brooks (2015).
14. Seligman (2012).

7. O DIVISOR GEOGRÁFICO

1. Ver Venables.
2. Ver o trabalho recente de Jed Kolko.
3. A pesquisa por trás desse fato preocupante foi feita pela OCDE. Para uma discussão acessível, ver *The Economist*, 21 de outubro de 2017.
4. Quero agradecer a Tim Besley pela confirmação e elucidação desse ponto.
5. Ver Arnott e Stiglitz (1979).
6. Ver Collier e Venables (2017).
7. Greenstone, Hornbeck e Moretti (2008).
8. Lee (2000).

8. O DIVISOR DE CLASSES

1. Wolf (2013), p. 240.
2. De "Fragile Families and Child Wellbeing Study Fact Sheet", disponível em www.fragilefamilies.princeton.edu/publications.
3. Ver "Effects of social disadvantage and genetic sensitivity on children's telomere length", *Fragile Families Research Brief 50*, Princeton, 2015.
4. Philip Larkin, *High Windows* (1974).

5. Proposição muito bem explorada por David Brooks em *The Social Animal* (2011).
6. Pause tem um website. Visite, participe. Os dados nos textos foram extraídos de http://www.pause.org.uk.
7. Wolf (2013), pp. 51-52.
8. Brown e de Cao (2017).
9. Putnam (2016), p. 212.
10. Hanushek (2011).
11. Levitt *et al.* (2016).
12. Se isso também lhe parece admirável, peço-lhe que contribua com a Grimm and Co, que é uma entidade beneficente registrada. Pode visitar seu website em http://grimmandco.co.uk/.
13. Aqui, uma boa fonte é Wilson (2011), cujo livro de fato se chama *Redirect*.
14. Ver https://winchester.elsevierpure.com/en/publications/what--if-the-further-education-and-skills-sector-realised-the-full-3, em que se baseia o próximo parágrafo.
15. Alison Wolf, *Financial Times*, 28 de dezembro de 2017.
16. *Dancing in the Dark* [*Uma temporada no escuro*], Knausgård (2015), p. 179.
17. Goldstein (2018).
18. Acemoglu e Autor (2011).
19. *Financial Times*, 10 de setembro de 2017.
20. Michael Lewis e Dylan Baker (2014), *Flash Boys* [*Flash Boys: Revolta em Wall Street*].
21. Na Grã-Bretanha, tem ocorrido um acentuado aumento na escolha do parceiro pelo critério educacional, e o maior aumento tem sido o de pessoas com ensino superior completo se casando entre si: Wolf (2013), p. 232.
22. Ver Harris (2018).

9. O DIVISOR GLOBAL

1. World Bank (2018).

2. Os resultados a seguir provêm de Rueda (2017).
3. Muñoz e Pardos-Prado (2017).

10. ROMPENDO OS EXTREMOS

1. Pardos-Prado (2015).
2. Ver Chua (2018).
3. As pessoas gostam de se identificar com o sucesso. Depetris--Chauvin e Durante (2017) mostram que a identidade nacional se realça depois da vitória da seleção nacional de futebol.

Bibliografia

ACEMOGLU, D.; AUTOR, D. Skills, tasks and technologies: implications for employment and earnings. In: *Handbook of Labor Economics* (Vol. 4B). Amsterdã: North Holland/Elsevier, 2011. pp. 1043-1171.

AKERLOF, G. A.; KRANTON, R. E. *Identity Economics: How Our Identities Shape Our Work, Wages, and Well-Being.* Princeton: Princeton University Press, 2011. [*A economia da identidade.* Trad. Afonso Celso da Cunha Serra. Rio de Janeiro: Campus Elsevier, 2010.]

AKERLOF, G. A.; SHILLER, R. *Animal Spirits: How Human Psychology Drives the Economy, and Why It Matters For Global Capitalism.* Princeton: Princeton University Press, 2009. [*O espírito animal.* Trad. Afonso Celso da Cunha Serra. Rio de Janeiro: Elsevier, 2009.]

ARNOTT, R. J.; STIGLITZ, J. E. Aggregate land rents, expenditure on public goods, and optimal city size. *The Quarterly Journal of Economics*, 93 (4), 1979. pp. 471-500.

AUTOR, D.; DORN, D.; KATZ, L. F.; PATTERSON, C.; VAN REENEN, J. *The Fall of the Labor Share and the Rise of Superstar Firms.* Cambridge, Mass.: National Bureau of Economic Research, 2017.

BÉNABOU, R.; TIROLE, J. Identity, morals, and taboos: beliefs as assets. *The Quarterly Journal of Economics*, 126 (2), 2011. pp. 805-855.

BESLEY, T. Aspirations and the political economy of inequality. *Oxford Economic Papers*, 69, 2016. pp. 1-35.

BETTS, A.; COLLIER, P. *Refuge: Transforming a Broken Refugee System.* Londres: Penguin, 2017.

BISIN, A.; VERDIER, T. Beyond the melting pot: cultural transmission, marriage, and the evolution of ethnic and religious traits. *The Quarterly Journal of Economics*, 115 (3), 2000. pp. 955-988.

BONHOEFFER, D. *Letters and Papers from Prison* (Vol. 8). Minneapolis: Fortress Press, 2010. [*Resistência e submissão – Cartas e anotações escritas na prisão*. Trad. Nélio Schneider. São Leopoldo: Sinodal, 2015.]

BROOKS, D. *The Social Animal: The Hidden Sources of Love, Character and Achievement*. Londres: Penguin, 2011. [*O animal social*. Trad. Camila Mello. Rio de Janeiro: Objetiva, 2014.]

_____. *The Road to Character*. Nova York: Random House, 2015.

BROOKS, R. *Bean Counters: The Triumph of the Accountants and How They Broke Capitalism*. London: Atlantic Books, 2018.

BROWN, D.; de CAO, E. The impact of unemployment on child maltreatment in the United States. Discussion Paper Series No. 837, Departamento de Economia, Universidade de Oxford, 2017.

CASE, A.; DEATON, A. *Mortality and Morbidity in the 21st Century*. Washington, DC: Brookings Institution, 2017.

CHAUVET, L.; COLLIER, P. Elections and economic policy in developing countries. *Economic Policy*, 24 (59), 2009. pp. 509-550.

CHETTY, R.; GRUSKY, D.; HELL, M.; HENDREN, N.; MANDUCA, R.; NARANG, J. The fading American dream: trends in absolute income mobility since 1940. *Science*, 356 (6336), 2017. pp. 398-406.

CHRISTAKIS, N. A.; FOWLER, J. H. *Connected: The Surprising Power of Our Social Networks and How They Shape Our Lives*. Nova York: Little, Brown, 2009. [*O poder das conexões*. Trad. Edson Furmankiewicz. Rio de Janeiro: Elsevier, 2009.]

CHUA, A. *Political Tribes: Group Instinct and the Fate of Nations*. Nova York: Penguin Press, 2018.

CIALDINI, R. B. *Influence: The Psychology of Persuasion*. Nova York: Collins, 2007. [*As armas da persuasão*. Trad. Ivo Korytowski. Rio de Janeiro: Sextante, 2012.]

CLARK, G. *The Son Also Rises: Surnames and the History of Social Mobility*. Princeton: Princeton University Press, 2014.

Collier, P. *The Bottom Billion: Why the Poorest Countries are Failing and What Can Be Done About It*. Nova York: Oxford University Press, 2008. [*Os milhões da pobreza: Por que motivo os países mais carenciados do mundo estão a ficar cada vez mais pobres?* Trad. Paulo Tiago Bento. Lisboa: Casa da Palavra, 2011.]

_____. Cracking down on tax avoidance. *Prospect*, maio, 2013.

_____. The cultural foundations of economic failure: a conceptual toolkit. *Journal of Economic Behavior and Organization*, 126, 2016. pp. 5-24.

_____. Politics, culture and development. *Annual Review of Political Science*, 20, 2017. pp. 111-125.

_____. The downside of globalisation: why it matters and what can be done about it. *The World Economy*, 41 (4), 2018. pp. 967-974.

_____. Diverging identities: a model of class formation, Blavatnik School of Government, Universidade de Oxford, 2018.

_____. "The Ethical Foundations of Aid: Two Duties of Rescue". In: C. Brown; R. Eckersley (eds.). *The Oxford Handbook of International Political Theory*. Oxford: Oxford University Press, 2018.

_____. "Rational Social Man and the Compliance Problem". Working Paper 2018/025, Blavatnik School of Government, Oxford University, 2018.

Collier, P; Sterck, O. The moral and fiscal implications of anti-retroviral therapies for HIV in Africa. *Oxford Economic Papers*, 70 (2), 2018. pp. 353-374.

_____.; Venables, A. J. Who gets the urban surplus? *Journal of Economic Geography*, 2017. https://doi.org/10.1093/jeg/lbx043.

Crosland, A. *The Future of Socialism* (nova ed. com prefácio de Gordon Brown; 1a. ed. 1956). Londres: Constable, 2013.

Depetris-Chauvin, E.; Durante, R. One team, one nation: football, ethnic identity, and conflict in Africa. CEPR Discussion Paper 12233, 2017.

DIJKSTERHUIS, A. Why we are social animals: the high road to imitation as social glue. *Perspectives on Imitation: From Neuroscience to Social Science*, 2, 2005. pp. 207-220.

ELIASON, M. Lost jobs, broken marriages. *Journal of Population Economics*, 25 (4), 2012. pp. 1365-1397.

ELLIOTT, M.; KANAGASOORIAM, J. *Public Opinion in the Post-Brexit Era: Economic Attitudes in Modern Britain*. Londres: Legatum Institute, 2017.

EPSTEIN, H. *The Invisible Cure. Africa, the West, and the Fight against AIDS*. Nova York: Farrar, Straus and Giroux, 2007.

ETZIONI, A. The moral effects of economic teaching. *Sociological Forum*, 30 (1), 2015. pp. 228-233.

FELDMAN BARRETT, L. *How Emotions are Made: The Secret Life of the Brain*. London: Macmillan, 2017.

GAMBLE, C.; GOWLETT, J.; DUNBAR, R. *Thinking Big: How the Evolution of Social Life Shaped the Human Mind*. London: Thames and Hudson, 2018.

GEORGE, H. *Progress and Poverty: An Enquiry into the Cause of Industrial Depressions, and of Increase of Want with Increase of Wealth. The Remedy*. K. Paul, Trench & Company, 1879. [*Progresso e pobreza*. Trad. Américo Werneck Júnior. São Paulo: Companhia Editora Nacional, 1935.]

GIBBONS, R.; HENDERSON, R. Relational contracts and organizational capabilities. *Organization Science*, 23 (5), 2012. pp. 1350-1364.

GOLDSTEIN, A. *Janesville: An American Story*. Nova York: Simon and Schuster, 2018.

GOODHART, D. *The Road to Somewhere*. Londres: Hurst, 2017.

GREENSTONE, M.; HORNBECK, R.; MORETTI, E. Identifying agglomeration spillovers: evidence from million dollar plants. NBER Working Paper, 13833, 2008.

HAIDT, J. *The Righteous Mind: Why Good People are Divided by Politics and Religion*. Nova York: Vintage, 2012.

HANUSHEK, E. A. The economic value of higher teacher quality. *Economics of Education Review*, 30 (3), 2011. pp. 466-479.

Harris, M. *Kids these Days: Human Capital and the Making of Millennials.* Nova York: Little, Brown, 2018.

Haskel, J.; Westlake, S. *Capitalism without Capital: The Rise of the Intangible Economy.* Princeton: Princeton University Press, 2017.

Heckman, J. J.; Stixrud, J.; Urzua, S. The effects of cognitive and noncognitive abilities on labor market outcomes and social behavior. *Journal of Labor Economics*, 24 (3), 2006. pp. 411-482.

Helliwell, J. F., Huang, H.; Wang, S. The social foundations of world happiness. In: *World Happiness Report 2017*, ed. Helliwell, J.; Layard, R; Sachs, J. Nova York: Sustainable Development Solutions Network, 2017.

Hidalgo, C. *Why Information Grows: The Evolution of Order, From Atoms to Economies.* Nova York: Basic Books, 2015.

Hood, B. *The Domesticated Brain.* Londres: Pelican, 2014.

International Growth Centre. *Escaping the Fragility Trap*, Relatório de uma comissão LSE–Oxford, 2018.

James, W. The will to believe. *The New World: A Quarterly Review of Religion, Ethics, and Theology*, 5, 1896. pp. 327-347. [*A vontade de crer*. Trad. Kamila Janaína Pereira. Textos para Reflexão, 2014.]

Johnson, D. D.; Toft, M. D. Grounds for war: the evolution of territorial conflict. *International Security*, 38 (3), 2014. pp. 7-38.

Kay, J. *Obliquity: Why Our Goals are Best Achieved Indirectly.* Londres: Profile Books, 2011. [*A beleza da ação indireta*. Trad. Adriana Rieche. Rio de Janeiro: BestSeller, 2011.]

Knausgård, K. O. *Dancing in the Dark: My Struggle* (Vol. 4). Londres e Nova York: Random House, 2015. [*Uma temporada no escuro*. Trad. Guilherme da Silva Braga. São Paulo: Companhia das Letras, 2016.]

Lee Kuan Yew. *From Third World to First: The Singapore Story 1965-2000.* Singapura: Singapore Press Holdings, 2000.

Levitt, S. D.; List, J. A.; Neckermann, S.; Sadoff, S. The behavioralist goes to school: leveraging behavioral economics to improve educational performance. *American Economic Journal: Economic Policy*, 8 (4), 2016. pp. 183-219.

LEWIS, M.; BAKER, D. *Flash Boys*. Nova York: W. W. Norton, 2014. [*Flash Boys: Revolta em Wall Street*. Trad. Denise Bottmann. Rio de Janeiro: Intrínseca, 2015.]

MACINTYRE, A. *After Virtue*. Londres: A&C Black, 2013. [*Depois da virtude*. Trad. Jussara Simões. Bauru: EDUSC, 2001.]

MARTIN, M. *Why We Fight*. Londres: Hurst, 2018.

MASON, P. *Postcapitalism: A Guide to Our Future*. Londres: Allen Lane, 2015. [*Pós-capitalismo: um guia para o nosso futuro*. Trad. José Geraldo Couto. São Paulo: Companhia das Letras, 2017.]

MERCIER, H.; SPERBER, D. *The Enigma of Reason*. Cambridge, Mass.: Harvard University Press, 2017.

MUELLER, H.; RAUH, C. Reading between the lines: prediction of political violence using newspaper text. Barcelona Graduate School of Economics, Working Paper 990, 2017.

MUÑOZ, J.; PARDOS-PRADO, S. Immigration and support for social policy: an experimental comparison of universal and means-tested programs. *Political Science Research and Methods*, https://doi.org/10.1017/psrm.2017.18. 2017.

NEUSTADT, R. E. *Presidential Power*. Nova York: New American Library, 1960. p. 33. [*Poder presidencial e os presidentes modernos*. São Paulo / Brasília: Fund. UNESP / ENAP, 2008.]

NORMAN, J. *Adam Smith: What He Thought and Why it Matters*. Londres: Allen Lane, 2018.

OSTROM, E. *Governing the Commons: The Evolution of Institutions for Collective Action*. Cambridge: Cambridge University Press, 1990.

PARDOS-PRADO, S. How can mainstream parties prevent niche party success? Centre-right parties and the immigration issue. *The Journal of Politics*, 77, 2015. pp. 352-367.

PINKER, S. *The Better Angels of our Nature*. Nova York: Viking, 2011. [*Os anjos bons da nossa natureza*. Trad. Bernardo Joffily e Laura Teixeira Motta. São Paulo: Companhia das Letras, 2017.]

PUTNAM, R. D. *Bowling Alone: The Collapse and Revival of American Community*. Nova York: Simon and Schuster, 2000. [*Jogando boliche sozinho*. São Paulo: Instituto Atuação, 2016.]

_____. *Our Kids: The American Dream in Crisis*. Nova York: Simon and Schuster, 2016.

RUEDA, D. Food comes first, then morals: redistribution preferences, parochial altruism and immigration in Western Europe. *The Journal of Politics*, 80 (1), 2017. pp. 225-239.

SCHEIDEL, W. *The Great Leveller: Violence and the History of Inequality From The Stone Age to the Twenty-First Century*. Princeton: Princeton University Press, 2017.

SCHUMPETER, J. *Capitalism, Socialism and Democracy*. Nova York: Harper and Bros., 1942 [*Capitalismo, socialismo e democracia*. Trad. Luiz Antônio Oliveira de Araújo. São Paulo: Editora Unesp Digital, 2017.]

SCRUTON, R. *On Human Nature*. Princeton: Princeton University Press, 2017.

SELIGMAN, M. E. *Flourish: A Visionary New Understanding of Happiness and Well-being*. Nova York: Simon and Schuster, 2012. [*Florescer*. Trad. Cristina Paixão Lopes. Rio de Janeiro: Objetiva, 2012.]

SMITH, A. *The Theory of Moral Sentiments*. Londres: Penguin, 2010. [*Teoria dos sentimentos morais*. Trad. Lya Luft. São Paulo: Martins Fontes, 1999.]

_____. *The Wealth of Nations: An Inquiry into the Nature and Causes*. Nova Delhi: Global Vision Publishing House, 2017. [*A riqueza das nações*. Trad. Alexandre Amaral Rodrigues e Eunice Ostrensky. São Paulo: WMF, 2016.]

SPENCE, A. M. *Market Signalling: Informational Transfer in Hiring and Related Screening Processes*. Harvard Economic Studies Series, vol. 143. Cambridge, Mass.: Harvard University Press, 1974.

SULLIVAN, O.; GERSHUNY, J. Relative human capital resources and housework: a longitudinal analysis. Sociology Working Paper (2012- 04), Departamento de Sociologia, Universidade de Oxford, 2012.

TEPPERMAN, J. *The Fix: How Nations Survive and Thrive in a World in Decline*. Nova York: Tim Duggan Books, 2016.

THOMAS, K.; HAQUE, O. S.; PINKER, S.; DESCIOLI, P. The psychology of coordination and common knowledge. *Journal of Personality and Social Psychology*, 107, 2014. pp. 657-76.

TOWERS, A.; WILLIAMS, M. N.; HILL, S. R.; PHILIPP, M. C.; FLETT, R. What makes the most intense regrets? Comparing the effects of several theoretical predictors of regret intensity. *Frontiers in Psychology*, 7, 2016. p. 1941.

VENABLES, A. J. Gainers and losers in the new urban world. In: GLAESER, E.; KOURTIT, K.; NIJKAMP, P. (orgs.). *Urban Empires*. Abingdon: Routledge, 2018.

_____. Globalisation and urban polarisation, *Review of International Economics*, 2018.

WILSON, T. D. *Redirect: Changing the Stories We Live By*. Londres: Hachette UK, 2011.

WOLF, A. *The XX Factor: How the Rise of Working Women has Created a Far Less Equal World*. Nova York: Crown, 2013.

World Bank. The Changing Wealth of Nations, Washington DC. *World Happiness Report 2017* (2017), ed. HELLIWELL, J.; LAYARD, R; SACHS, J. Nova York: Sustainable Development Solutions Network, 2018.

Agradecimentos

Este livro nasceu de um convite de Toby Lichtig, do *Times Literary Supplement*, para que eu escrevesse um ensaio sobre o "estado da sociedade" para o primeiro número de 2017. Os tempos conturbados haviam desencadeado uma proliferação de livros diagnosticando mazelas variadas, e Toby me autorizou a recorrer a eles se me parecesse conveniente. Passei a época do Natal alternando livros, crianças e notebook no colo, chegando a uma conclusão: o livro necessário para estes tempos era *O futuro do capitalismo*, mas, infelizmente, ninguém chegara a escrevê-lo. O artigo suscitou uma reação surpreendente, que culminou na notícia trazida de Nova York por Andrew Wylie de que três editoras haviam dado lances antecipados para um livro que eu não me propusera a escrever. Minha editora britânica, a Penguin, pediu que eu adiasse o livro que estava contratado e escrevesse antes este aqui.

Era uma tarefa assustadora em termos intelectuais, pois o que me parecia necessário era uma síntese de filosofia moral, economia política, finanças, geografia econômica, psicologia social e política social. Cada uma dessas disciplinas se cerca de um campo minado para dissuadir e destruir os invasores. Tive a sorte de poder contar com alguns excelentes acadêmicos dispostos a acompanhar os rascunhos e comentar o manuscrito. Sem dúvida alguma, suas sugestões melhoraram muitíssimo a versão final, mas, se sou grato a eles, não significa que tenham qualquer responsabilidade pelo resultado.

Entre os filósofos, agradeço em especial a Tom Simpson, por ler todo o manuscrito e explicar questões sutis com exemplar clareza e paciência; a Chris Hookway, por muitas horas de discussão sobre o pragmatismo; a Jesse Norman, por seu magistral domínio sobre Adam Smith; e a Konrad Ott, por horas de discussão sobre a reciprocidade e a perspectiva kantiana.

Entre os economistas, Colin Mayer e eu ficamos encantados ao descobrir que tínhamos escrito livros que formam uma verdadeira parceria, publicados ao mesmo tempo, o dele com o título de *Prosperity*. Vem de longa data minha reverência intelectual por John Kay, que soma as qualificações de um polímata ao pragmatismo do bom discernimento. Com enorme gentileza, ele analisou detalhadamente todo o manuscrito e me concedeu horas de sugestões e comentários. Tim Besley, na linha de frente da economia analítica moderna e, além disso, com uma erudição assombrosa em filosofia moral, não só comentou o manuscrito, como organizou um seminário sobre ele no All Souls College, em Oxford, persuadindo Alison Wolf a ser a debatedora das propostas sobre o "maternalismo social". Tony Venables, cuja profunda influência sobre o Capítulo 7 é evidente, também comentou detalhadamente todo o manuscrito. Por fim, Denis Snower, presidente do Kiel Institute for the World Economy, não só fez observações detalhadas ao manuscrito, como também tem sido inestimável em incentivar e contribuir para o que viemos a considerar como "economia comportamental, geração 2": a tentativa de aplicar as percepções da psicologia social na análise econômica do comportamento de grupo, distinguindo-se das abordagens baseadas na decisão individual. Nossos colegas no grupo de trabalho de Pesquisa Econômica sobre Identidade, Narrativas e Normas reconhecerão em várias passagens a dívida intelectual que tenho para com o trabalho deles.

Uma das explicações menos valorizadas para a constante predominância intelectual de Oxford é que o sistema de faculdades gera uma interação social aleatória entre as disciplinas. Em meu caso, essa interação aumentou com a generosa anomalia de ter direitos em duas faculdades diferentes. Foi graças a um almoço no St. Antony's College que Roger Goodman, professor da sociologia do Japão, começou a me iluminar sobre as atitudes das japonesas de elite em relação a filhos. E foi graças a um almoço no Trinity College que Stephen Fisher, o maior psefologista acadêmico da

Grã-Bretanha, apareceu com a pesquisa das atitudes em relação ao Brexit apresentada no Capítulo 8. Steve foi também quem fez por escrito os mais exaustivos comentários acadêmicos sobre o manuscrito, numa tentativa decidida e generosa de me salvar de mim mesmo. A incansável Laura Stickney da Penguin prestou um serviço complementar e igualmente essencial, convertendo o manuscrito em algo legível.

Por fim, agradeço às várias pessoas que contribuíram com dados de suas experiências próprias: Bill Boynton, presidente da Keele World Affairs, que criou um fórum magnífico para as pessoas de Stoke-on-Trent; Deborah Bullivant, o dínamo por trás da Grimm and Co; Paul Cornick, da Unite; o sociólogo professor Mark Elchardus e o pessoal da cooperativa Fundação P&V em Bruxelas; Ian Moore, que por muitos anos liderou uma equipe de psicoterapeutas cognitivos-comportamentais em Sheffield; Gianni Pittella, presidente do grupo europeu Aliança Progressista dos Socialistas e Democratas, e seu consultor Francesco Ronchi; e Alan Thompson, advogado e quacre.

Um livro fácil de ler é difícil de escrever, e minha família teve de conviver com o drama desse processo. Pauline, como sempre, mantinha-nos unidos e, ao mesmo tempo, tinha os olhos de lince do leitor honesto. Fui criado evitando dar destaque a mim mesmo, e, assim, a decisão de escrever um livro tão pessoal não foi nada simples; mas, sem isso, a vivacidade da paixão, na escrita, pareceria forçada.

Índice remissivo

3G, celulares 104

Abedi, Salman 254-255
aborto 118, 122
Academia Britânica 8
ação dotada de propósito 21, 24, 31, 40, 47, 63, 80, 133, 253-255
   autonomia e responsabilidade 46
   declínio no propósito ético dentro da sociedade 56
   e auge da social-democracia 55, 57, 135
   e narrativa de pertencimento 80, 116, 135, 253-255
   e narrativas 39-40, 47-48, 50, 80
   no Butão 44
   no local de trabalho 228
Acordo Geral de Tarifas e Comércio (GATT) 136, 138-139
advogados 15-16, 53
   e empresas de fachada 233
   excesso deles 223, 225
   os três tipos de Buiter 223
   proposta de taxação de litígios entre particulares 225-226
AfD (Alternativa para a Alemanha) 6
África 8, 131-132, 231-232
   e Banco Mundial/FMI 140
   fuga de capitais 249
   juventude com esperança de fugir para a Europa 144
   necessidade de empresas modernas 44
   portadores de HIV 143-144
África do Sul 100
afro-americanos 15
agências de fomento ao investimento 179-180
Akerlof, George 21, 40-41, 59
Alemanha
   bancos locais 174
   direitos dos refugiados 16
   e assentamento no pós-guerra 135
   "economia social de mercado" 57
   eleições de 2017 6, 245
   era nazista 66
   identidades oposicionistas 66
   interesses do trabalhador nos conselhos diretores 99
   política de relações industriais no pós-guerra 111-112
   ressurgimento da extrema direita 6
   supervisão das empresas 89
TVET 204, 206, 209-210

vereine (grupos da sociedade civil) 217
Amazon 102, 108, 175
anticoncepcionais 118
Antilhas holandesas 233
aposentadorias 215-216
Apple 177
áreas metropolitanas 3-4, 6, 19, 22, 56, 150
  economias de aglomeração 21-22, 154, 156, 159-162, 164-169, 171-172, 235, 236, 248
  escala e especialização 150, 152, 155, 172-173
  e tributação 156-157, 159-162, 164, 166-169, 171, 225, 248
  ganhos com os bens públicos 160-161, 165-166
  migração 234
  problema de coordenação em novos polos 173-175, 177-179, 248
  respostas políticas a seu predomínio 156, 158
arquitetura modernista 13
Ásia Oriental 176, 231
ataque terrorista em Manchester (2017) 254-255

baile de debutantes 226
Banco Central europeu 183
Banco da Inglaterra 46
Banco de Investimento Europeu 178
Banco Mundial 137, 140, 145
bancos de desenvolvimento 178
Bear Stearns 84, 88, 101
bem-estar e felicidade
  "escada da vida" 29
  e sucesso financeiro 30, 111
  indivíduo portador de direitos versus obrigação familiar 128-129
  papel decisivo da reciprocidade 36
  pertencimento e apreço 19, 30, 32, 34, 38-40, 50, 60-63, 116, 208
  pobreza na África 44
Bennett, Alan, *The History Boys* 8
bens públicos 160-161, 165-166, 223, 242, 255
Bentham, Jeremy 11
Berlusconi, Silvio 17
Besley, Tim 21, 41
Betts, Alex 32
BHS 94, 206
Biafra 68
bitcoin 44, 233
Blackpool 4
Bonhoeffer, Dietrich, *Cartas e anotações escritas na prisão* 129
Brasil 68
Brexit, votação (junho de 2016) 5, 150, 156, 236, 257
British Motor Corporation 87
Brooks, David, *The Road to Character* 128

Buiter, Willem 223
Bush, George W. 143
Butão 44, 74
"Butskellismo" 57

Cadbury 90
Cameron, David 245
Canadá 26
capitalismo. *Ver também* empresas
  conceito de "destruição criativa" 24
  concorrência 24, 29, 66
  e alienação de Marx 20
  e diminuição da confiança social 5, 54, 56, 65, 69, 81
  e famílias 44
  e ganância 11, 22, 30, 32, 36, 50, 68, 81, 83, 96, 112
  e identidades opositórias 66, 87
  essencial para a prosperidade 5, 21, 24, 29, 241
  falhas atuais 4, 19, 54, 57, 241, 255
  grupos de interesse 100-101, 162, 248
  vantagem do primeiro entrante 177
casamento
  associações religiosas 130, 186
  casamento forçado 122
  coabitação prévia 118
  como "tecnologia do compromisso" 129
  e caça à renda 168
  e desemprego 122
  e opressão feminina 186
  homogamia 41, 118, 184, 226-227
  índice de divórcios 116, 118-121, 123
causalidade, narrativa de 40
CDC Group 145, 178
celebridades da mídia 7, 133, 244
Chaucer, Geoffrey, *Os contos da Cantuária* 154
China 141, 178, 243
Chirac, Jacques 17, 143
Chira, Susan 61
Cinco Estrelas 150
"círculos de qualidade" 85
Citigroup 223
Clarke, Ken 246
Clark, Gregory, *The Son Also Rises* 126-127
classe trabalhadora branca
  atitudes da "elite" frente a ela 4, 6, 19
  pessimismo 5
  queda da expectativa de vida 4, 19
Clinton, Hillary 5, 10, 244
Colômbia 143
Comissão Europeia 67
comportamento sexual
  conceito de pecado 186
  e divisor de classe 118, 121, 185-186
  e estigma 187, 189

e HIV 144
pílula anticoncepcional 117, 118, 121
comunismo 37, 43-44, 100
conceito de caça à renda 167-168, 179, 224-225, 235
conceito de direitos naturais 14
conceito de maternalismo social 24, 185, 228
   apoio para famílias com problemas 23, 185, 188-193, 249
   ensino pré-escolar gratuito 195-196
   mentoria para crianças 202, 249
concorrência 100-101
Confederação da Indústria Britânica (CBI) 93
conservadorismo 36, 43
"construção do nicho" 42
Corbyn, Jeremy 242, 245
Coreia do Norte 100
Coreia do Sul 154, 156
crença, sistemas de. *Ver também* nacionalismo; pertencimento, narrativa de; reciprocidade
   a família ética 115, 117, 119, 121, 123-124, 128, 130, 251
   câmaras de eco com base nos valores 45, 72, 76, 253, 257
   comitês de remuneração dos diretores-executivos 91-92
   comparações entre GM e Toyota 84, 86-87
   "cultura de família" de Clark 127
   de realização pessoal 33, 118-119, 120, 122, 128, 130, 255
   e confiança 32, 35, 56, 62-63, 65, 69, 74, 86-87, 93, 112, 252
   e escolas 197
   e liderança 49-51
   e o ISIS 50
   e pertencimento 40, 48, 50, 63, 253-255, 257
   formação por meio de narrativas 40, 47-48, 50, 63, 67, 197, 253-256
   o credo da Johnson & Johnson 47, 49, 84, 86, 93
   polarização dentro da política 45, 73, 243-244, 246
   Teoria da Sinalização 49, 51, 62, 112
Crise dos Mísseis de Cuba (1962) 135
crise financeira global (2008-9) 5, 40, 84, 191
   nenhum banqueiro na prisão 113
Crosland, Anthony, *O futuro do socialismo* 20-22

desigualdade
  e dinâmica de afastamento 126
Descartes, René 37
desemprego
  e colapso da indústria 7, 122, 154, 231
  impacto sobre as crianças 191
  jovens 4
  nos anos 1930 55
  nos Estados Unidos 191
  programas de reciclagem 213
  trabalhadores de mais idade 4, 122, 256
desigualdade
  divisor geográfico 149
  divisor global 8, 23, 69, 230-231, 233, 235-236, 238
  e cálculo utilitarista 158
  e dinâmica de afastamento 8, 21, 56, 117, 119-121, 123, 125, 127-128, 184-185, 187, 189-191, 193, 203-205, 207-208, 210-213, 215-218, 220-223, 225-228
  e divisor geográfico 3, 8-9, 23
  e homogamia na nova elite 118, 184, 226-227
  e setor financeiro 222
  grupos desfavorecidos de Rawls 4, 15-16, 19, 58, 62, 144, 243, 257
  níveis crescentes 3-4, 6, 126, 149, 217, 228
  persistência 126-127

revolta contra a social-democracia 18
Detroit 153-154, 171
Deutsche Bank 92, 222
dever de resgate 48, 63, 142-143
  como instrumento de imperialismo ético 140-141, 251
  cuidado como valor de base 34
  definição 32, 133
  e assentamento no pós-guerra 134, 137
  e famílias jovens com problemas 194
  restauração e aumento da autonomia 145
  sem acompanhamento de direitos 52-53, 140
Dickens, Charles, *A casa soturna* 128
Dinamarca 74, 213, 257
divisor de classe. *Ver também* classe trabalhadora branca
  apoio preventivo para famílias com problemas 23, 185, 188, 190-191, 193-195, 249
  atitudes da "elite" perante os menos instruídos 4-5, 14, 18, 62, 69-71, 74
  desenvolvimento pós-escolar de qualificações 203-204, 206-209, 211
  dinâmica do afastamento 7, 21, 56, 117-122, 124-

128, 184-187, 189-190, 192, 203-205, 207-209, 211-212, 213, 215-218, 220-223, 225, 227-228
e acompanhamento escolar parental 118, 120, 125-126
e amplitude das redes sociais 202
e a votação Brexit 5, 236
e casa própria 79, 218-219
e desenvolvimento cognitivo 125
e desenvolvimento não cognitivo 125, 194, 202-205, 207-208, 210
e famílias biparentais 185
e fratura de identidades com base na qualificação 3-5, 59, 61-63, 65-66, 92
e leitura na pré-adolescência 200, 202
e recentes revoltas populistas 5
esgarçamento da identidade comum 18, 58, 60-63, 65-66, 68-69, 71-72, 74, 257
e vida familiar 23, 116-118, 120-123, 125-126, 188-193
homogamia na nova elite 118, 184, 226-227
inseguranças na aposentadoria 215
necessidade de escolas socialmente mistas 196-197
políticas propostas pelo autor 22-24, 221, 225-226, 228, 248-249
divisor geográfico 3, 21, 23, 257
agências de fomento ao investimento 179-180
alargamento desde 1980 149
cidades falidas 5, 7, 23, 56, 149, 153, 155, 176, 178
declínio das cidades do interior 4, 7, 22, 56, 149, 154-156, 173
desvantagem do primeiro entrante 177
e a votação do Brexit 150, 236
e desdém metropolitano 150
e gastos com educação 200
e gastos por aluno 200
e regeneração das cidades do interior 169, 172-173, 175-176, 178-179
e universidades locais 181-182
impulso das forças econômicas 150-154
necessidade de engajamento político 182
políticas propostas pelo autor 22, 248
problema de coordenação nos novos polos 173-176, 178-179, 248
recente e reversível 182
respostas ideológicas 155-156

zonas empresariais 179
divisor global 8, 23, 230-232, 234-236, 238
Draghi, Mario 183

eBay 102
economia de identidade 58-59, 61-64, 66, 76-77, 79
economia de mercado 22-24, 30, 56
  benefício mútuo do comércio 32
  e colapso dos polos 154-155, 173
  falha na formação de qualificações 208
  falha nas aposentadorias 216
economias de mercado emergentes 153, 155
elites meritocráticas 4-5. *Ver também* utilitarismo
  e classe trabalhadora branca 6, 19
  vanguarda rawlsiana 15-16, 35, 58, 62, 78, 133-134, 241-243, 257
  vanguarda utilitarista 11-15, 17-18, 21, 61-62, 69, 78, 251
  WEIRD (Western, Educated, Industrial, Rich and Developed) 4, 13, 19, 138, 144, 158, 257
empresas
  aplainamento das hierarquias 46
  aversão pública 81, 112

concorrência 24, 29, 66, 100-101
controle dos acionistas 89-90, 93-94, 97-98
controle/responsabilidade 88-91, 93-96, 98-100
culturas de boas práticas corporativas 110, 112
desmutualização no Reino Unido 97
deterioração de conduta 21, 81, 91, 95
e cidadãos éticos 110-113
economias de escala 20, 43, 102-103, 105-107, 150-151, 173, 175
éticas 83, 206, 250-251
e-utilidades globais 44, 105-106
falência/quebra 82-84, 87-89
fiscalizando o interesse público 110
ideologias hostis 44, 96
interesses do trabalhador nos conselhos diretores 97, 99
"maximizar o valor para o acionista" 81-82, 90, 93, 97
modelo de negócios de baixa produtividade e baixo custo 207
"mútuos" 97
necessidade de tipificação do crime de banquicídio 113

novas características de rede 102
panaceia do lucro de Friedman 82, 90, 93, 251
papel societário 95-96, 108-109, 113, 250-251
prêmios ligados ao desempenho no curto prazo 91, 93-95
regulação 103-106, 208
remuneração dos diretores-executivos 91-95
representação do interesse público nos conselhos diretores 108, 110
senso de propósito 46, 48, 83, 85-88, 94-95, 110-111, 113
serviços de utilidade pública 101, 105-106
empresas de fachada 233
Enron 94
ensino e treinamento técnico profissionalizante (TVET) 204, 206, 208-210
equidade
  hierarquia 18
era de impérios 134
Escócia 68
Eslovênia 68
Espanha 68, 191
especialização 20-21, 43, 150, 152, 155, 231
Estado 23
  capacidades éticas 24, 56
  e ensino pré-escolar 195
  e prosperidade 44
  falhas nos anos 1930 55-56
  hegemonia utilitarista na política pública 11-13, 15-18, 21, 58, 134, 241
  ideologias hostis 44
  política pública e choques de emprego 212-213
  política pública em relação à família 24, 184-185, 188-191, 193-199, 201-204, 206-207, 212, 250
  políticas de maternalismo social 24, 188, 228
  problema de coordenação e setor público 175
Estado de bem-estar social 11, 56, 58
  desvinculado das contribuições 16
Estados Unidos
  auge do Estado ético 58
  aumento da desigualdade desde 1980 149
  bancos locais no passado 174
  cidades falidas 154-155
  conceito de "direitos da criança" 123
  desemprego 191
  e e-utilidades globais 105
  e indústrias do conhecimento 231
  eleição presidencial (2016) 5, 10, 244
  Empresas de Interesse Público 109

enfraquecimento do compromisso com a OTAN 139
e queda da expectativa de vida 4
estatísticas sobre as empresas 43
mercado de trabalho 211, 213
New Deal de Roosevelt 55
pessimismo 6, 54
política pública como predominantemente nacional 254
políticas extremas 6, 74
ruptura da família ética 124
setor financeiro 98, 223
supervisão das empresas 90
tributação 171-172
universidades 203, 206-207
estratégias de salário mínimo 175, 208, 211, 216
etnicidade 4, 23, 66, 73, 76, 253
Europa
  democratas cristãos 5, 17
  diminuição da confiança social 54
  divisores de classe 4-5, 149
  divisores metrópole-interior 3-4, 149
  e identidade comum 66-67, 75, 78, 150
  e indústrias de conhecimento 231
  e migração 219, 237
  social-democracia 9-10, 58
externalidades 173

Facebook 102
Fairbairn, Carolyn 93
fake news 40
família 22. *Ver também* infância; casamento
  acompanhamento escolar parental 118, 120, 124-125
  apoio prático para a criação dos filhos 192
  aquisição de identidade 38
  benefícios nos casos monoparentais 191
  choques nas normas pós-1945 116-117, 119-122, 124-125
  conceito de maternalismo social 185, 188
  "cultura familiar" de Clark 128
  e maior longevidade 130, 192
  encolhimento da família estendida 120-121, 129-130, 192
  e política pública 24, 185, 188-193, 195-198, 200-205, 207, 212, 250
  e reciprocidade 115-116, 120-121
  erosão das obrigações mútuas 120-121, 251
  família dinástica nuclear 121, 130
  família ética 115
  família ética pós-1945 116, 118-123, 125

famílias biparentais como preferíveis 185, 188
famílias monoparentais 120-121, 124, 186, 191
ideologias hostis 43
igualdade 46, 184
impacto do desemprego/pobreza 4, 7
importância 43-44
indivíduo dotado de direitos versus obrigação familiar 118-122, 124-126, 128, 130, 252
normas africanas 131
pressões sobre pais jovens 190-192, 194-195
Farage, Nigel 242
fascismo 6, 15, 55, 134
feminismo 15, 118
Fillon, François 244
filosofia pragmatista 7, 10, 25, 54, 241
 e assentamento no pós-guerra 134, 137, 145
 e Macron na França 244
 e métodos de ensino 198
 e social-democracia 20, 241-242
 e tributação 157, 248
 líderes de sucesso 25
 limitações 35
 migração 238
 políticas propostas pelo autor 22, 24, 248-252, 254-257
Finlândia 74
Fisher, Stephen 236
Ford 83

França 8, 74, 78, 135
 écoles maternelles 196
 eleição presidencial (2017) 6, 10, 244
 mercado de trabalho 211, 227
 política de aposentadorias 216
 redução da jornada semanal de trabalho 227
 universidades 204
Frederiksen, Mette 257
Friedman, Milton 17, 81, 83, 90
fundamentalismo religioso 6, 35, 43, 257
fundamentalistas do mercado 175, 179
Fundo Monetário Internacional (FMI) 136, 139
fundos de pensão 89-90, 93, 95, 215, 222

Ganesh, Janan 149
Geldof, Bob 201
General Motors (GM) 85,-88, 101, 206
George, Henry 159-162, 168
globalização 4, 21, 23, 151, 153, 155, 230-231, 233, 235, 238
Goldman Sachs 83, 98, 111
Google 102
governo de coalizão, Reino Unido (2010-2015) 247
governo local 218, 220

Grande Depressão (anos 1930) 136
Green, sir Philip 94
Grillo, Beppe 242
"Grimm and Co", Rotherham 201
grupo G7 141
grupo G8 233
grupo G20 141
grupos de interesse 100-101, 162, 197, 200, 250
grupos de lobby 100, 108, 140, 168
grupos em rede. *Ver também* família; empresas
   câmaras de eco com base em valores 45, 72, 75, 254, 257
   como espaço para trocar obrigações 32
   declínio dos grupos/redes da sociedade civil 217
   e "conhecimento comum" 38
   e "conhecimento em comum" 40, 78, 253
   e os primeiros homens 37
   evolução das normas éticas 41, 43
   exclusão de narrativas desestabilizadoras 40
   famílias 115, 116
   narrativas dissociadas do lugar 45, 63, 72
   uso de narrativas pela liderança 46-49, 58
Guerra dos Trinta Anos 66
Guerra Fria 134-135
   fim 6, 136, 243
Gunning, Jan Willem 197

Haidt, Jonathan 13-14, 16, 18, 33-34, 158
Haiti 249
Halifax Building Society 9, 99
Hamon, Benoît 10, 244
Harvard-MIT 8, 181
Hershey 90
Hofer, Norbert 242
Holanda 247
Hollande, François 10, 244
homem econômico 11, 22, 29-34, 36-37, 41, 50, 59, 67, 236, 250-251, 257
Hoover 177
Hume 16, 25, 34
Huxley, Aldous, *Admirável mundo novo* (1932) 6

identidade nacional
   apreço decorrente 60-62
   desdém dos instruídos 62, 70, 72, 74
   e agenda de cidadãos globalistas 70-71, 74, 76
   e cultura comum específica 44, 74
   e identidade de valor 76
   e movimentos de secessão 68
   e novos nacionalistas 73-74, 78, 244, 246
   e polarização da sociedade 64

esgarçamento da identidade em comum 18, 58, 59, 61-62, 64, 66, 68-69, 71, 74, 257
fratura perante identidades baseadas na qualificação 4, 6, 60-64, 66, 91
identidade com base no lugar 253-257
instalada na infância 37
legado da Segunda Guerra Mundial 18
métodos de reconstrução 75-77, 80, 253-257
narrativa de patriotismo 24, 74, 79, 257
ideologia dos direitos. *Ver também* individualismo
alastramento do individualismo nas últimas décadas 22, 256
conceito de "direitos da criança" 123
conceito de direitos naturais 14-15
e advogados 15-16, 53
e a Nova Direita 14, 16-17, 62
e Estado utilitarista 14-16
e obrigações correspondentes 53-54
lobby dos direitos humanos 133, 140
os grupos desfavorecidos de Rawls 15-16, 18, 58, 62, 133, 243, 257
surgimento nos anos 1970 14, 16
uso libertário 14, 16
ideologias. *Ver também* marxismo; ideologia dos direitos; utilitarismo
com base no ódio pela "outra" parte da sociedade 51, 66, 255-256
e catástrofes do século XX 6-7, 25
e direitos 14-16, 53, 133
e migração 238
e política habitacional 220
e princípio da razão 10, 15-17, 25, 51
evitadas pelos pragmatistas 19, 21, 25, 34-35
hostis ao Estado 44-45
hostis às empresas 44, 96
hostis às famílias 43
normas de cuidado e igualdade 138, 158
Nova Direita 17, 30, 96, 154
polarização da política 45, 74, 242-244, 246
posições sobre um mundo ético 133
retorno do confronto esquerda-direita 5-6, 9, 243-244, 246
sedução 6
triunfalismo do "fim da história" 6, 52
vanguarda rawlsiana 15-16, 35, 58, 62, 78, 133-134, 241-243, 256

IFC (Corporação Financeira Internacional) 145
Imperial Chemical Industries (ICI) 81
império da lei 164-166, 223
Índia 141
individualismo
  adoção da Nova Direita 17, 62, 96, 257
  alastrando-se nas últimas décadas 22, 257
  contraste com a reciprocidade 52
  definhamento da comunidade espacial 72
  indivíduo portador de direitos versus obrigação familiar 118-121, 123-126, 128, 130, 251
  realização individual por meio das conquistas pessoais 33, 118-121, 123, 129-130, 255
indústria petrolífera 231
infância. *Ver também* família
  adoção 131
  aprendizado de normas 39, 41, 127
  aquisição de identidade 38
  conceito de "direitos da criança" 123
  crianças "criadas por lobos" 37
  crianças em "acolhimento" 123, 125, 130-131, 188
  desenvolvimento cognitivo 125, 203, 210
  desenvolvimento não cognitivo 125, 194, 202-205, 208-209
  em famílias monoparentais 120-121, 124, 185, 191
  impacto do desemprego parental 191
  lares adotivos provisórios 123-124, 131
  mentores de confiança 202-203
informação assimétrica 103
inovação 223, 249
interesse próprio esclarecido 48, 116, 120, 129-130, 133-136, 138-139, 221, 233, 237, 255-256
Irish Investment Authority 180
Islândia 74
Itália 10, 55, 68, 134, 191
Iugoslávia 68

James, William 35
Janesville (estudo americano) 213-214
Japão 3, 85, 111, 120, 141, 178, 231
jardins de infância 195
John Lewis Partnership 97
Johnson & Johnson 47-49, 84, 86, 93, 95
Johnson, Robert Wood 47, 84
Jolie, Angelina 133
JP Morgan 84
Juppé, Alain 244

Kagame, Paul 25-26
Kay, John 48, 97, 99, 252
Keynes, John Maynard 137
  Teoria geral (1936) 55
Knausgård, Karl Ove 207
Kranton, Rachel 41, 59
Krueger, Anne 168
Krugman, Paul 56

Larkin, Philip 117, 186
Lee Kuan Yew 25, 26, 176
Lehman Brothers 84, 89
Lei das Empresas, Reino Unido 96
Lei das Incorporadoras Imobiliárias (1981) 179
Le Pen, Marine 5-6, 64, 74, 150, 242, 244-245
liberalismo 36
libertarismo 14, 17
  falhas da Nova Direita 18, 24
  Vale do Silício 44-45
liderança 46, 50, 80, 202, 245-247
  construção de identidade em comum 48, 50, 58, 80, 135, 137
  e a filosofia pragmatista 25
  e aplainamento das hierarquias 46
  e ISIS 50
  e o propósito compartilhado nas empresas 46-47, 49, 83-84, 86-88
  e sistema de crenças 49-51, 112
  mudança de papel 46
  realizações políticas no período do pós-guerra 134-137, 145
  transformação de poder em autoridade 46, 49, 67
  uso estratégico da moral 47, 49
Liga das Nações 137
Liga Norte, Itália 68
linguagem 15, 37-39, 47, 52, 63, 67, 76-77, 97, 125
Londres 3, 149, 152, 198, 233
  impacto do Brexit 156
  migração 235-236

Macron, Emmanuel 78-79, 244-245
marxismo 15, 30, 35, 52, 55, 134, 243, 256
  conceito de alienação 20
  conceito de capitalismo tardio 7
  concepção do Estado 44
  e a família 43
  e os "idiotas úteis" 245
  tomada da hegemonia no Partido Trabalhista 10, 245
Maxwell, Robert 94
Mayer, Colin 21, 82
May, Theresa 245
Mélenchon, Jean-Luc 5-6, 242, 245
mercado de trabalho. *Ver também* desemprego
  conceito de estabilidade flexível 213

e a revolução da robótica 214
e globalização 232-233, 235-236
e imigração 234-236
e modelo de empresa de baixa produtividade e baixo custo 207-208
estabilidade no emprego 211-212
estratégias de salário mínimo 176, 208, 211, 216
função 211
investimento nas qualificações 211
necessidade de redução na jornada de trabalho 228
papel do Estado 213, 228
regulação 208, 227
mercado imobiliário 218-219, 221
compra para locação 218
e advogados 224
financiamentos 98, 211, 218, 221
proposta de transferência dos proprietários para os inquilinos 221
Mercier, Hugo 34
Merkel, Angela 17, 246
Middleton, Kate 226
mídias sociais 31, 72, 206, 247, 257
migração 144, 234, 236-238, 243
e mercado imobiliário 219
impacto do Brexit 236

movida por vantagem absoluta 23, 234, 249
Mill, John Stuart 11
Mitchell, Andrew 225
Mitchell, Edson 92
Monarch Airlines 89
monopólios naturais 102-103
e informação assimétrica 103
licitação dos direitos de exploração 103, 105
serviços de utilidade pública 105-106
tributação 107
moral e ética
derivadas de valores, não da razão 31-32, 34, 51
e capitalismo moderno 29-30
e economia de mercado 24, 29, 32, 56
e empatia 13, 31
e homem econômico 11, 22, 29-31, 36, 41
e novas elites 4, 24
e utilitarismo 10-12, 16
evolução das normas éticas 41
teorias de Adam Smith 30-32
uso para finalidades estratégicas 47, 49
valores fundamentais de Haidt 13, 16, 18, 34, 158
movimento cooperativista 241
movimento de secessão catalão 68

293

mudança climática 52, 74, 79, 141
mudança tecnológica 4. *Ver também* redes digitais
   e definhamento da comunidade espacial 72
   revolução da robótica 214
mulher social racional 37, 59, 60, 236
Museveni, presidente 144

nacionalismo 41
   baseado na etnicidade ou na religião 73
   e identidades oposicionistas 66-67, 69, 73-74, 80, 257
   e narrativas de ódio 66, 68-69
   forma tradicional 73
   noção de identidade nacional 73, 79, 257
Nações Unidas 76, 133
   ACNUR 137
   Conselho de Segurança 137
   "Grupo dos 77" 138
narrativas. *Ver também* pertencimento, narrativa de; obrigação, narrativa de; ação dotada de propósito
   de identidade em comum 62-65
   descolamento do lugar com as redes digitais 45, 72
   e ação dotada de propósito 39-40, 48, 50, 80
   e auge da social-democracia 57
   e coerência 48, 78, 113
   e colapso da social-democracia 251
   e escolas 197
   e formação da identidade 38
   e mentores de infância 202
   hierarquização indevida entre treinamento cognitivo e não cognitivo 208, 210
   normas morais geradas por elas 39, 115
   transmitidas linguisticamente 37, 39, 67
   uso por líderes 46, 48-51, 58, 95
National Review 19
Nestlé 83
Neustadt, Richard 47
Nigéria 68
Noble, Diana 178
Norman, Jesse 25
Noruega 10, 74, 247, 250
Nova York 6, 149, 153, 162, 164, 169, 171-172, 222, 233
Nozick, Robert 17

obrigação, narrativa de 19, 34, 39. *Ver também* reciprocidade; dever de resgate
   auge do Estado ético 57, 80
   "deveres" e "necessidades" 32, 39, 51
   e Adam Smith 31-32
   e colapso da social-democracia 63, 65

e expansão das "organizações" no pós-guerra 139, 252
e imigração 236-237
e liderança 46-49, 57
e movimentos de secessão 68
indivíduo portador de direitos versus obrigação familiar 117, 119-123, 125-126, 128-129, 251
instilação de equidade e lealdade 40
no mundo ético 133, 135-136, 138-139, 141, 143-145
ONGs 31, 83, 140, 195
Organização do Tratado Atlântico Norte (OTAN) 79, 135-136, 138-139
Organização Mundial da Saúde 137
Organização Mundial do Comércio (OMC) 138-139
Organização para a Cooperação e Desenvolvimento Econômico (OCDE) 136, 149
orientação sexual 4
Oriente Médio 231
Orwell, George, *1984* (1949) 6
Ou tudo ou nada (filme) 7, 154

Paris 6, 8, 149, 152-153, 208, 215
Partido Conservador 57
Partido Trabalhista 57, 246
hegemonia marxista 10, 245
paternalismo social
arrogância frente à globalização 23
conceito de "direitos da criança" 123
e família/criação de filhos 125, 130, 184-185, 188-191, 228, 251
e vanguarda utilitarista 10, 13, 15, 18, 21, 78, 251
revolta contra ele 13-14, 18
substitui a social-democracia 12, 14-15, 58, 251
patriotismo 24, 74, 78-79, 257
Pause (ONG) 188-189
pertencimento, narrativa de
auge do Estado ético 58, 80, 138
ausente do discurso utilitarista 18, 69, 78, 251, 253
como motivação básica 31, 36, 50-51, 76, 78
e ação dotada de propósito 80, 116, 135, 253-255
e casa própria 79, 218, 221
e "conhecimento comum" 254
e identidade de realce 59, 61, 63, 65-66
e ISIS 50, 254-255
e linguagem 38-39, 63, 67
e mútua consideração/reciprocidade 29, 48, 58, 62, 64, 65

e sistemas de crença 41, 50, 64, 253-256
evitada pelos políticos 78-80, 252, 257
famílias como unidades naturais 38, 115-116, 123
identidade com base no lugar 59, 61-64, 66, 77, 79-80, 253-257
no Butão 44
redes e grupos da sociedade civil 217
sistemas de crenças 48
Pew Research Center 202
Pinker, Steven 14
planejamento urbano pós--guerra 13
Platão, *A república* 11-12, 52
poder político
  comunidades políticas como entidades espaciais 45, 71-72, 76, 253-255
  confiança no governo 4, 6, 56, 251, 253-254
  e detentores de renda econômica 161-162, 172
  e identidade comum 9, 66, 68-69, 71, 76, 135-136, 138, 253-254, 256
  idade mínima para votar 244
  necessidade de restaurar o centro 246-248
  polarização dentro das comunidades políticas 45, 74, 242-244
  sistemas de escolha das lideranças no Reino Unido 245, 247

transformação em autoridade 49, 67
populismo político 7, 25, 51, 69, 242
  celebridades da mídia 7, 133, 244
  com coração e sem cérebro 35, 71, 133, 141, 144-145
  e divisor geográfico 156
  e eleição presidencial americana (2016) 5, 244-245
  pragmatismo em contraposição 35
portadores de HIV em países pobres 143-144
Programa Alimentar Mundial 137
programas de controle da raiva 193
Programa Sure Start 196
Programa Teach First 197-198
programa Troubled Families (TFP) 193
Projeto Dundee 193
propósito 29
propriedade pública 103, 106-107
protecionismo 134-136, 155-156
psicologia social 18, 63
  apreço acima do dinheiro 209
  "deveres" e "necessidades" 32
  narrativas 37-40, 45-48, 50, 57, 61, 63
  normas 39, 41, 43, 46, 51-52, 115, 127

problemas de coordenação 38
realização pessoal versus obrigação familiar 117, 119-123, 125-126, 128, 130, 252
"teoria da mente" 31, 64
valores fundamentais de Haidt 13, 16, 18, 34, 158
Puigdemont, Carles 242
Putnam, Robert 54, 126
Jogando boliche sozinho 217

raciocínio motivado 33-34, 43, 101, 110, 179, 200
Rajan, Raghuram 214
Rand, Ayn 37
Rawls, John 15-17
Reagan, Ronald 17-18, 30
Reback, Gary 105
reciprocidade
  auge do Estado ético 56-57, 80, 113, 237, 242
  direitos acompanhando obrigações 53
  e a família 115-116, 120-121
  e colapso da social-democracia 13, 16, 62-63, 65, 68-70, 72, 241, 252
  e comportamento corporativo 112
  e expansão das "organizações" no pós-guerra 139, 140
  e o divisor geográfico 149
  e o ISIS 50
  e pertencimento 29, 48, 58, 63, 65-66, 79-80, 116, 218, 251-255
  equidade e lealdade como base de sustentação 34, 36, 40
  e três tipos de narrativa 39-40, 47-48
  movimentos cooperativos do século XIX 9
  narrativa patriótica de Macron 78
  no mundo ético 133-135, 137-138
  transformação do poder em autoridade 46, 49-50, 67
redes digitais
  câmaras de eco baseadas em valores 45, 72, 75-76, 253, 257
  descolamento das narrativas em relação ao lugar 45, 72
  economias de escala 102-103
  e-utilidades globais 44, 101-102, 105, 107
  mídias sociais 31, 72, 102, 206, 247, 257
Refuge (Betts e Collier) 31
refugiados 16, 32, 133-134, 137, 142-143, 256
regulação 102-104, 106
  do mercado de trabalho 208
  e globalização 233
Reino Unido
  ampliação do divisor geográfico 149

bancos locais no passado 174
colapso da indústria pesada 7, 122, 154, 231
controle dos acionistas nas empresas 90, 93-94, 96-97
ensino profissionalizante 206, 210
e queda na expectativa de vida 4
estatísticas sobre as empresas 44
FMI (1976) 136
norte da Inglaterra 3, 8-9, 98, 150, 152, 154, 156, 181, 201, 231
políticas extremas 5
setor financeiro 94, 98, 100
universidades 204-205, 210
relações internacionais
conceitos centrais de mundo ético 138-139, 141
construção de uma identidade em comum 136-137
e narrativa do patriotismo 79
erosão do mundo ético 138-139, 141
expansão das "organizações" no pós-guerra 138, 140, 252
necessidade de uma nova organização de múltiplos objetivos 140-141, 145
realizações dos líderes do pós-guerra 134, 136-137, 145
situação em 1945 133-134, 145
religião 52, 66, 73, 76, 251, 253
representação proporcional 247
resgate 251
revista *Playboy* 118
revolução do conhecimento 151-152
revolução industrial 150, 159
"risco moral" 215
Romênia comunista 43
Rotherham, "Grimm and Co" 200-202
Ruanda 25

Salmond, Alex 242
Sandel, Michael 124
Sanders, Bernie 10, 75, 242, 244, 253
Sarkozy, Nicolas 244
saúde mental 189-190, 193-194
Schultz, Martin 16
Schumpeter, Joseph 24
Seligman, Martin 129
Serviço Nacional de Saúde (NHS) 57, 190
serviços sociais 190
  papel de observação 193
setor financeiro 91-95, 98-100
  economias de escala 102
  informação assimétrica 104, 222
  negociando ativos financeiros 92, 99, 220, 222-223, 225
  papel de coordenação 173

passado localizado 99, 174
rivalidades prejudiciais 227
Sheffield 7-9, 150, 153-154, 156, 171-172, 181, 200-201, 231
Shiller, Robert 40
Sidgwick, Henry 65
sindicatos 112, 198
Singapura 25, 175-176
sistemas eleitorais 247
Smith, Adam 16, 25, 208
   A riqueza das nações (1776) 30, 32, 208
   A teoria dos sentimentos morais (1759) 31-32, 208
   e benefício mútuo com o comércio 33
   e busca do interesse próprio 30-31, 48
   sobre a razão 34
Smith, Vernon 32
social-democracia
   abandonada pela Nova Direita 17-18, 31, 62
   auge 10-11, 18-19, 55, 57, 80, 113, 236-237, 241, 249
   "Butskellismo" 57
   colapso 10, 13, 58, 60-64, 66, 138-140, 241-242, 249
   contestação libertária 14, 16-17
   e identidades de grupo 3-4, 15-16, 60-63, 65-66
   e ideologia dos direitos 14-16
   e moradia 217
   e movimentos separatistas 68
   emprego da identidade em comum 17, 236
   esgarçamento da identidade em comum 18, 58, 60-64, 66, 68-69, 71, 74, 257
   e Teoria da Escolha Pública 18
   e utilitarismo 257
   influência do utilitarismo 10-11, 13, 18, 21, 58, 241, 243, 256
   raízes comunitaristas 9-10, 15-16, 19, 56, 58, 241
   substituída pelo paternalismo social 13-15, 57-58, 248, 249
Solow, Robert 169
Soros, George 17
Spence, Michael 49, 62, 112
Sperber, Dan 34
Starbucks 232
Stiglitz, Joseph 65
Stonehenge 75
Sudão 9
Sudão do Sul 232
Suécia 213
Suíça 210, 247, 249
Sul da Ásia 231
Summers, Larry 224
Sutton, John 180

Tanzânia 233
telômeros 186
Teoria da Escolha Pública 18
teoria da renda econômica 107, 160, 167, 169
Teoria da Sinalização 49, 62

teoria do leilão 175
teoria evolucionista 37, 39, 42, 78
Tepperman, Jonathan, *The Fix* 25
terapia cognitivo-comportamental 193
terrorismo islâmico 254
textos federalistas 96
Thatcher, Margaret 17-18, 30
The Bottom Billion (Collier) 32
The Enigma of Reason (Mercier e Sperber) 34
Tirole, Jean 213, 260
Toyota 84-87, 95, 111, 206
tributação
  auge do Estado ético 58
  das rendas econômicas 107, 225-226
  de litígios entre particulares nos tribunais 225-226
  de monopólios naturais 107
  de rendas de aglomeração 22, 158-162, 164-170, 172, 248
  diferenças de atitude entre as gerações 69
  e a metrópole 156-157, 159-163, 165-167, 169, 171, 225, 248
  e globalização corporativa 232-233
  e migração 238
  e reciprocidade 63-64, 70
  ética e eficiência 157-158, 160-163, 165-167, 169-171

  necessidade de reformulação 22
  "ótima" 12
  paraísos fiscais 73
  políticas de maternalismo social 24, 188
  questões de mérito 158-162, 164-166
  redistributiva 12, 16, 57, 63-64, 70, 237
  redução considerável nas alíquotas mais altas 64
  sobre transações financeiras 225
  teorema de Henry George 159-162, 168
  teoria Venables-Collier 162, 164-166
Trudeau, Pierre 25
Trump, Donald 5, 10, 74-75, 101, 150, 162, 242, 244, 246, 257

Uber 102
União Europeia (UE, antiga CEE) 77, 135-136, 138-139
  crise da Eurozona 183
  política pública como predominantemente nacional 254
  universidades 203
  votação do Brexit (junho de 2016) 5, 150, 156, 236, 257
União Soviética 135-136, 138, 243

Unilever 83
Universidade de Chicago 199
Universidade de Oxford 8, 82, 119
Universidade de St. Andrews 227
Universidade de Stanford 173, 181
universidades
  cidades falidas 182
  cursos profissionalizantes de baixa qualidade 206
  expansão 118, 152
  na cidades falidas 181
  no Reino Unido 203, 206, 210
  nos Estados Unidos 203, 206-207
  nos países da União Europeia 203
  polos de conhecimento 151, 181
utilitarismo 22, 35, 58, 65, 128, 133, 144, 252
  ausência do pertencimento em seu discurso 19, 69, 78, 252
  cuidado como valor central 14
  e consumo 11-12, 18, 22-23, 250
  e tributação 11, 157, 158
  guardiães paternalistas 11, 13-15, 78, 251
  guinada da vanguarda no realce identitário 61-62, 69
  hegemonia na política pública 11, 13-18, 20-21, 58, 134, 241
  igualdade como valor central 14-15, 17, 138, 158, 256
  incorporado à economia 11-12, 15-16, 18
  influência sobre os social--democratas 10, 12, 16, 18, 21, 58, 241, 243, 256
  origens 11
  reação contra 13-14, 242

Vale do Silício 44-45, 72, 173, 181, 196
Valls, Manuel 244
valores comunitaristas. *Ver também* pertencimento, narrativa de; obrigação, narrativa de; reciprocidade; social-democracia
  abandono pela esquerda 18, 256
  abandono pela nova vanguarda 10, 13, 16, 18-19, 58, 134, 138-140, 144, 256
  assentamento no pós-guerra 10, 58, 134-136, 138, 145
  cuidado 11, 13, 18-19, 34, 36, 51, 138
  e obrigações recíprocas 10, 13-14, 16, 22, 39-40, 48, 57, 241, 254-255, 257
  equidade 13, 16, 18, 34, 36, 40, 51, 138, 158

hierarquia 13, 14, 46, 51, 118
igualdade 13
inviolabilidade 13, 18, 51
lealdade 13-14, 18, 34, 36, 40, 51, 138
liberdade 13-14, 18, 51
raízes nas cooperativas oitocentistas 9, 15-16, 241
Smith e Hume 25
valores e razão 34-35, 51
vantagem comparativa 23, 143, 231, 234
Venables, Tony 21, 162, 230
Venezuela 143, 256
Volkswagen 87

Walmart 102
Warsi, baronesa Sayeeda 76
Wedgwood, Josiah 154
Westminster, duque de 162
William, príncipe 226
Williams, Bernard 65
Wittgenstein 73-74
Wolf, Alison 61, 185

Zingales, Luigi 214
zonas empresariais 58
Zuma, Jacob 100

lepmeditores

www.lpm.com.br
o site que conta tudo

Impresso na Gráfica Santa Marta
São Bernardo do Campo, SP, Brasil
2019